Jana N

Wer w

Wirst du dich erinnern?

Jana Niechoy

WER WIR SIND

Wirst du dich erinnern?

FSC
www.fsc.org
MIX
Papier aus ver-
antwortungsvollen
Quellen
Paper from
responsible sources
FSC® C105338

Deutsche Erstausgabe September 2019

Copyright © 2019, Jana Niechoy

Alle Rechte vorbehalten

Herstellung und Verlag: BoD – Books on Demand,
Norderstedt

Lektorat: Eva Kassing

Korrektorat: Hanne Hohmeister, Beate Müller

Bibliografische Information der Deutschen
Nationalbibliothek: Die Deutsche Nationalbibliothek
verzeichnet diese Publikation in der Deutschen
Nationalbibliografie; detaillierte bibliografische Daten
sind im Internet über dnb.dnb.de abrufbar.

ISBN: 978-3-7494-9578-8

Für Eva

PROLOG

«Der Vorfall der letzten Woche hat uns zu denken gegeben und uns angespornt die Sicherheitsmaßnahmen noch einmal zu überdenken. Wir sind zu dem Entschluss gekommen, dass Neuerungen zwingend notwendig sind. Besonders für unser Allgemeinwohl. Dieser Vorfall darf und wird sich nicht wiederholen. Das verspreche ich ihnen.»

Aus der Menge, die dem Redner gebannt zuhörte, kam zustimmendes Gemurmel. Sie mochten ihn oder gaben es zumindest vor. Sein Name war Sacka. Keine Ahnung, ob das sein Vor- oder sein Nachname war, man kannte nur den und man fragte nicht nach. Er war so etwas wie ein Verwalter, Ansprechpartner, Bürgermeister. Für sein junges Alter eine viel zu hohe Stellung.

Oberhaupt klang wohl etwas altmodisch, aber das beschrieb es eigentlich am besten. *Er schmiss den Laden*, wie man so schön sagte.

Sacka hatte das erste Wort und er hatte das letzte und bisher lief das auch augenscheinlich gut, bis vor einer Woche.

Das, was hier als *Vorfall* bezeichnet wurde, war der

Umstand, dass vier Menschen- Grace Lente, Johannes Bisching, Frank Bennet und Isabelle Trima- seit letzter Woche als vermisst galten. Es gab noch keine neuen Spuren und es blieb die Frage, wann es die je geben würde. Eines war jedoch bekannt und zwar, dass sie alle den Wald betreten hatten, den niemand betrat. Es war ein stummes Gesetz. Es stand nirgendwo geschrieben, aber jeder wusste es. Der Wald umringte unseren Ort, fast schon wie eine Mauer oder ein Wall und genau dieser Umstand machte die Konsequenzen des Verbots so deutlich. Wir durften nicht raus.

Die einzigen, die befugt dazu waren, waren Sackas Soldaten und er hatte schon unzählige seiner Leute zu Suchtrupps losgeschickt, um die Vermissten zu finden, doch bis jetzt ohne Erfolg.

Sacka fuhr mit einer deutlichen Stimme fort:

«Die neuen Schutzmaßnahmen werden ab sofort gültig sein und bei nicht beachten, Folgen nach sich ziehen. Es geht hier um ihre Sicherheit, denken sie immer daran.»

Sacka wusste, wie er seine Worte wählen musste und welche er vermeiden sollte. Er wusste wie man sich an die Massen wandte. Selbst, wenn er den Schwerpunkt auf Worte wie *Sicherheit* und *Schutz* setzte, hallte bei mir nur der Satz: *Folgen nach sich ziehen* nach. Was meinte er damit?

«Meine Soldaten werden in den Straßen unterwegs sein und patrouillieren. Selbstverständlich sind sie bei Problemen jederzeit ansprechbar und zuständig. Des Weiteren wird eine Nachtruhe verhängt. Ab 22 Uhr befindet sich niemand mehr draußen. Das Betreten des Waldes, sowie das Verlassen des Dorfes ist ab sofort offiziell und strengstens untersagt. Nachts werden ebenfalls Patrouillen in den Straßen unterwegs sein, zusätzlich an den Ein- und Ausgängen und an der äußeren Waldgrenze. Ich vertraue auf ihre Einsicht und ihr Verständnis. Und damit sie es nicht vergessen, wiederhole ich es: Es geht um ihre eigene Sicherheit, setzen sie die nicht aufs Spiel.»

Aus einem stummen, wurde ein offizielles Gesetz und es blieb still. Keine Reaktion kam mehr aus der Menge. Kein zustimmendes Gemurmel, keine Ablehnung. Niemand sagte etwas dazu und das war der Anfang.

1 ZOE

Seit der Ansprache waren vier Wochen vergangen. Vier Wochen, in denen sich jeder damit abgefunden hatte. Vier Wochen, in denen das alles zur Realität geworden war.

«Ich frage mich, was hinter dem Wald ist? Felder? Häuser? Eine andere Stadt? Was denkst du?»

Niemand, der hier lebt, war je dort, geschweige denn dahinter gewesen. Wenn doch, kehrte keiner von ihnen zurück. Der Fall mit den vier Vermissten, war das erste Mal, dass man in der Öffentlichkeit überhaupt etwas im Zusammenhang mit dem Wald hörte. Warum sollte man auch unnötigerweise etwas erwähnen, dass die Menschen daran erinnerte, dass sie nicht raus konnten?

Bei meinen Worten durchströmte Wise ein unangenehmes, unbehagliches Gefühl. Seine plötzliche angespannte Haltung verriet ihn und er konnte nicht unterdrücken sich vorsichtig umzudrehen. Sackas Ansprache und seine *Maßnahmen* hatten Gespräche wie diese schwieriger und vor allem gefährlicher gemacht. Noch war Sacka seinen erwähnten *Folgen* nicht gerecht geworden, doch bis jetzt gab es auch noch keinen Anlass dazu und ich fragte mich, wann es den geben würde.

Mein Blick wartete fordernd auf Wises Antwort, der

kurz Augenkontakt mit mir hielt, sich jedoch sofort ausweichend wieder abwandte. Das würde er nicht zugeben. Nicht zugeben, dass er sich darüber schon einmal Gedanken gemacht hatte. Dabei war sein Schweigen mehr als nur eindeutig. Wise, mein bester Freund, den ich schon seit ich denken kann, kannte. Ausgerechnet er beantwortete mir nicht diese Frage, obwohl ich sie schon so oft gestellt hatte. Ich wusste, dass er die Frage nicht gerne hörte. Dass er sich bei Fragen dazu immer versuchte rauszuhalten.

«Was meinst du? Sollen wir uns vielleicht rausschleichen und es herausfinden?», neckte ich ihn. Natürlich war das nicht mein Ernst. Niemand würde auf diese hirnrissige Idee kommen. Vor allem nicht, nachdem vier Menschen vermisst wurden, die anscheinend genau *das* getan hatten und zusätzlich waren seit den neuen Maßnahmen lauter Soldaten von Sacka unterwegs, die einen erwischen konnten. Und ich wollte garantiert nicht die erste sein, die besagte *Folgen* zu spüren bekam. Aber ich wusste, dass ich Wise damit etwas entlocken konnte. Ich wollte eine Reaktion von ihm, irgendeine Antwort auf meine Frage und diese Reaktion folgte prompt: «Spinnst du Zoe? Jeder kann dich hören!» Normalerweise würde ich es dabei belassen, aber diesmal hakte ich weiter nach. Mit einem, immer noch, unbehaglichen Gesichtsausdruck versuchte er mich abermals zum Schweigen zu bringen:

10

«Was soll das? Du weißt, dass du aufhören solltest.»

«Ich weiß nicht, ob ich das weiß. Du kannst mit mir reden. Was ist so schlimm daran es mir zu sagen?» Meine gute Laune war verflogen, stattdessen schaute ich Wise nur traurig und enttäuscht an. Die übliche Antwort wie immer. «Es hat nichts damit zu tun, dass ich es *dir* nicht sage. Das weißt du genau. Ich mache mir einfach keine Gedanken darüber.» *Das war glatt gelogen.* Wise fuhr fort: «Wir haben alles was wir brauchen und ich bin froh darüber. Wir sind in Sicherheit.» Wie konnte das sein Ernst sein? «Das kaufe ich dir nicht ab Wise. Du kannst unmöglich davon reden, dass wir alles haben, was wir brauchen, wenn wir überhaupt nicht frei sind.» Meine Stimme war dabei ruhig und nachdenklich, während er mich ausdruckslos anschaute. «Für die Sicherheit büßt die Freiheit. Das ist nun mal so.» Er sagte es, als sei es nichts Besonderes. So als wäre diese Aussage von keinerlei Bedeutung, dabei konnte ich mir nichts Schlimmeres vorstellen. «Und das ist für dich in Ordnung? Wenn man Tiere in einen Käfig einsperrt -mit Nahrung, Wasser und einem Auslauf- haben sie auch alles, was sie brauchen um zu überleben. Würdest du also auch *ihr* Leben vorziehen?»

«Das ist ein unsinniger Vergleich.» Während seiner Worte schüttelte Wise den Kopf. Sein Blick war zu Boden gerichtet. «Ist er wirklich so unsinnig? Den

Tieren stellt man Nahrung und Wasser zur Verfügung. Es sind immer Menschen um sie herum, um zu beobachten, was sie tun. Am Tag lässt man sie in ihrem eingezäunten Bereich laufen, wo sie zum größten Teil machen können, was sie wollen, doch bei Nacht werden sie zur gewünschten Zeit in ihre Ställe gepfercht. Inwieweit unterscheidet sich das von unserem Leben?» Wise schwieg und veranlasste mich dadurch noch einen Satz hinten dranzuhängen: «Wir sind genau wie sie. Eingesperrt. Niemand hat etwas dagegen gesagt. Wir haben es selber so weit kommen lassen, und zwar weil es vermutlich schon zu spät *war*. Aber jetzt müssen wir aufhören zu schweigen. Ich will nicht so leben.» Ich schaute ihn an und wartete auf eine Antwort von ihm. Sein Blick war verständnisvoll, doch nur für einen Sekundenbruchteil. Schlagartig änderte er sich und er schaute zu mir hoch. Dabei sagte er: «Dir ist klar, was du da sagst, oder?» Ich nickte. «Ich bin mir über jedes Wort bewusst.»

«Dann weißt du, wie gefährlich deine Worte sind. Denk nach Zoe, immerhin sind wir sicher.» Ich sah ihn ungläubig an. «Ich fasse es nicht, dass du auf diese Worte anspringst.» Meine Stimme war aufgebracht, doch meine Worte hatten keinen Sinn mehr, denn ich bemerkte, dass er nicht länger darüber diskutieren wollte, also sagte er: «Menschen sind verschwunden. Wer weiß was mit ihnen passiert ist. Einer dieser

Menschen ist die Schwester deiner Mutter. Sie gehört zu deiner Familie. Gerade du solltest wissen, dass durch die neuen Maßnahmen niemand mehr hier eindringen kann. So etwas kann nicht mehr passieren. Wir sind sicher.» *Warum ging er automatisch davon aus, dass die Gefahr von draußen kam?* Doch ich sagte nichts mehr dazu und stand, enttäuscht über seine Meinung, von der Bank auf, auf der wir gesessen hatten. «Vergiss diese Gedanken. Das führt zu nichts», hängte er noch hinten dran, woraufhin ich mich ohne weitere Worte auf den Weg machte.

«Wo willst du hin? Bist du jetzt eingeschnappt?»

«Du hast recht. Isabelle gehört zu meiner Familie und hiermit wäre sie nicht einverstanden.»

Das waren meine letzten Worte, dann machte ich einen Abgang. Es war nicht fair von Wise meine Tante zu erwähnen. Wir wussten nicht, was mit ihr war und *wo* sie war. Dass Isabelle eine der Vermissten war, war mir ein totales Rätsel. Sie hatte sich plötzlich nicht mehr gemeldet und wir hatten keinerlei Anhaltspunkte auf ihren Aufenthalt gehabt. Drei Tage später meldeten wir sie als vermisst. Sie war die letzte der vier Vermissten, die gemeldet wurde und selbst jetzt, fast einen Monat später, hatte man sie immer noch nicht gefunden.

Erst dachte ich, es wäre der Wind oder etwas anderes, das die Geräusche verursachte, doch desto weiter ich meinen Weg fortsetzte und meinem Haus näher kam, desto mehr verwandelten sich die Geräusche in Stimmen. Eher gesagt, in ein ganzes Meer aus Stimmen. Und als ich um die nächste Häuserecke in meine Straße einbog, konnte ich den Ursprung des Gewirrs erkennen. Mehrere Leute standen verteilt auf der Straße und auf den Gehwegen. Manche standen in kleinen Gruppen und wiederum einige alleine. Ihre Blicke gingen alle in eine Richtung, wandten sich kurz ab, um sich beunruhigt umzudrehen und sich dann wieder dem Spektakel zu widmen.

Was war los? Die Gesichter, die ich sah, waren verunsichert und leicht ängstlich. Gemischt mit Blicken die ungläubig, sogar wütend waren. Als ich meinen Weg an ihnen vorbei fortführte, schnappte ich unwillkürlich ein paar Worte auf, wie: «Aufhören.» Oder Sätze wie: «Er schaufelt sich sein eigenes Grab.»

«Was macht er da nur?» Aber auch: «Was wird jetzt wohl passieren, es wird sicherlich Konsequenzen geben, oder nicht?» *Konsequenzen wofür?* Eine Stimme, vermutlich die von der als *er* beschriebenen Person, übertönte sie alle. Es war mehr ein Schreien. Ein ungehaltenes und aufgebrachtes Schreien. Die Stimme kam mir ungemein vertraut vor und beim näheren Herankommen bestätigte sich meine

Vermutung.

In seiner eigenen Einfahrt sah ich ihn stehen. Unser Nachbar, Herr Lente stand mit seinem Mantel, mitten in der Mitte und schrie einen Soldaten an, der sich vor ihm aufgebaut hatte. Ich sah nur dessen Rücken. Offensichtlich versuchte er Herrn Lente zu beruhigen, auch wenn seine beschwichtigend erhobenen Hände nicht wirklich dazu beitrugen. «Was ist mit meiner Frau?» Herr Lentes Schrei fuhr mir durch Mark und Knochen. Seine Frau war eine der Vermissten. Als der Soldat seine Stimme erhob, war die plötzliche Spannung allen anzusehen. «Beruhigen Sie sich. Wir hoffen auf das Beste. Es werden immer noch Suchtrupps losgeschickt.» Der Soldat wurde nicht laut, dennoch war seine Stimme stählern und hatte eine gewaltige Kraft. Herr Lente wollte abermals etwas erwidern, doch noch ehe er einen Ton herausbekam, winkte der Soldat jemand anderen zu sich. Ein zweiter Soldat kam und zu zweit packten sie ihn und zerrten ihn von seiner Einfahrt. Er wehrte sich, bekam dafür einen Schlag in die Magengrube, aber er hörte nicht auf. Er war fast 75 Jahre alt, was die Situation und das Ausmaß der Vorgehensweise noch absurder machte. Die Umherstehenden sahen sich fragend an. Niemand schien zu verstehen, was hier gerade vorsichging. Warum reagierten sie so aggressiv? Er hatte doch nichts Unrechtes getan. Das Gemurmel wurde lauter und aufgebrachter, bis plötzlich alles still wurde und ein Geräusch zu hören war. Ein Geräusch, das alle verstummen und mich erstarren ließ. Das Entsichern einer Waffe. Ich wagte kaum zu atmen. Alle schauten geschockt auf den Soldaten mit der Waffe, die er Herrn Lente an den Hinterkopf presste. Es war der Soldat, der schon am Anfang vor ihm gestanden hatte. Verlor er die Geduld? Niemand schrie oder versuchte schnell abzuhauen wie es sicherlich jeder machen würde, wenn man jemanden mit einer Waffe sah. Aber der Anblick war im Grunde nichts Neues. Sie durften sie offiziell tragen. Doch, dass sie schussbereit auf jemanden gerichtet war, war eine bisher unvorstellbare Situation. «Wenn sie sich noch ein einziges Mal wehren, dann schwöre ich ihnen, drücke ich ab. Und alle anderen verschwinden jetzt von hier. Sofort! Wenn noch jemand etwas zu sagen hat, dann kann er sich gerne zu ihm gesellen!» Mit einer Geste machte er deutlich, wen er mit *ihm* meinte. Augenblicklich begannen die Leute die Straße zu verlassen. Es wirkte unkoordiniert und durcheinander. Blicke, die sich trafen waren verwirrt und verunsichert. Noch nie hatte ein Soldat seine Waffe gegen einen der Bewohner eingesetzt, noch nicht einmal zur Drohung. Wozu auch? Sie dienten schließlich nur zur Verteidigung und zur Sicherheit der Bewohner, so wie die Soldaten selbst. Doch nicht als Drohung.

Wie gelähmt blieb ich stehen, auch wenn fast alle bereits verschwunden waren. Die Soldaten mit Herrn Lente standen ebenfalls noch da. Es war alles so unwirklich. Leise und fordernd hörte ich plötzlich meinen Namen aus einer, nur einen kleinen Spalt breit, offenen Tür. Es war meine Mutter, die durch den Spalt unserer Haustür flüsterte, doch es war nicht leise genug. Ich drehte mich noch einmal flüchtig zu den Soldaten um und war zum Glück schon in der Tür und konnte sie schließen, als mir einer von ihnen direkt in die Augen sah und mir sein durchdringender Blick, einen kalten Schauer über den Rücken laufen ließ.

Meine Mutter nahm mich sofort in den Arm. Sie sah genauso verwirrt aus wie ich.

«Geht es dir gut?», fragte sie. Sie ließ mich los und drückte mich ein Stück von sich weg, um mich besser ansehen zu können. «Ich denke schon. Aber was war das da gerade eben?»

«Herr Lente hat mehrmals nach seiner Frau gerufen. Es wirkte sehr einsam und verzweifelt. Es zerrt an seinen Kräften, genau wie an unser aller Kräfte. Dann kam der erste Soldat und den Rest hast du ja gesehen.» Ich nickte. «Warum haben sie ihn mitgenommen, wenn er nur nach seiner Frau gerufen hat? »

«Ich weiß es wirklich nicht. Es war keine Wertung in seinen Worten, er hat keine Anspielungen gemacht, nichts was sie dazu hätte veranlassen können.» Ich konnte nicht verhindern, dass ich an das Gespräch mit Wise denken musste. Meine Worte hatten *eindeutig* eine Wertung gehabt.

«Also haben sie ihn mitgenommen, weil er lauter war, als üblich? Darf man jetzt nicht mal mehr reden?» Ich sagte es leiser, weil ich die Reaktion meiner Mutter bereits kannte. Doch nicht leise genug, sodass sie es doch hörte. Sie wurde energisch. «Sag das nicht so sarkastisch. Es geht nicht um das Reden. Es geht darum, dass er sich verhält, wie es nicht erwünscht ist.»

«Laut reden ist plötzlich nicht mehr erwünscht oder was?», erwiderte ich anstachelnd. «Zoe, schau nach draußen. Es wird ernster. Sie benutzen Waffen, um ihren Willen durchzusetzen. Das ist noch nie passiert. Wenn sie einschreiten wegen dieser belanglosen Sache, wie werden sie dann erst bei anderen Dingen reagieren?» Was, wenn Wise und mich, doch jemand gehört hatte?

«Der Zeitpunkt sich zu äußern wie man will ist vorbei», hängte meine Mutter noch hinten dran. Dann schwieg sie kurz, sah mich eindringend an, um dann erneut das Wort zu ergreifen:

«Ab sofort machen wir keine Ausnahmen mehr. Sondern das, was erwartet wird. Punkt 22 Uhr ist Licht aus. Schluss mit Witzen über diese Maßnahmen. Mir ist sowieso nicht mehr nach Lachen zumute.» Entsetzt sah ich sie an. «Du willst dich ihnen unterwerfen, einfach alles befolgen?»

«Nein, ich will mich anpassen und du wirst es genauso tun.» Ihre Worte machten mich wütend. Ich wollte mich nicht fügen. Wir hatten immer unsere Späße gemacht, hatten gewitzelt über Sackas Maßnahmen. Meine Mutter hatte es zu Anfang *eine überzogene Reaktion eines unerfahrenen Jungen* genannt. Einfach um diese Absurdität zu vergessen. Der lockere Umgang hatte es irgendwie zu etwas gemacht, das nicht von Dauer war. Etwas das wieder verschwand, doch wenn meine Mutter jetzt anfangen würde es zu etwas Ernstem zu machen, würde es gleichzeitig zur Realität werden.

«Ab sofort will ich so etwas nicht mehr hören, verstanden? Ich weiß was du denkst. Aber draußen verlierst du kein Wort mehr darüber. Und hier drinnen am besten auch nicht mehr.» So energisch und ernst hatte ich sie noch nie erlebt. «Du willst mir verbieten über Isabelle zu reden? Soll ich sie gleich ganz vergessen?» Wütend sah ich sie an. Doch mein Ärger verschwand augenblicklich, als ich sah, wie sich ihre Augen mit Tränen füllten. «Nein, natürlich nicht. Ich will nur nicht, dass dir auch etwas passiert», sagte sie daraufhin matt. Ich sah sie für einen kurzen Moment schweigend an, dann nahm ich sie in den Arm und flüsterte: «Es ist alles gut.» Meine Worte waren gleichzeitig ein Trost für mich selbst, dann löste ich mich aus der Umarmung und ging ohne weitere Worte hoch in mein Zimmer, das sich im ersten Stock befand.

Am Anfang hatte ich wirklich versucht, mich an alles zu gewöhnen. An die Regeln, die aufgestellt wurden. Auch, wenn der Anblick von bewaffneten Soldaten befremdlicher denn je war. Auch wenn es komisch erschien sich an diese «Nachtruhe» zu halten. Selbst wenn man sich so eingeengt fühlte, einfach, weil es plötzlich offiziell hieß, dass man nicht mehr hinter die Ortsgrenze kam. Ich hatte es sogar für richtig gehalten, zumindest in der Zeit wo ich noch geschockt von den Ereignissen war. Geschockt davon, dass meine Tante zusammen mit drei anderen Menschen als verschollen galt und man sich nach vier Wochen eigentlich genau ausmalen konnte in welchem Zustand sie sich befinden mussten. Ich konnte mir das alles nicht erklären. Es war so abwegig. *Wie sollte ich damit umgehen?* Wie sollte ich damit umgehen, dass genau zu spüren war, wie sich etwas veränderte? Es zu verneinen wäre eine Lüge. Ich konnte nicht leugnen, dass ich skeptisch war und...angewidert. Davon wie Sacka seine Macht ausnutzte. Im Grunde hatte er doch nichts anderes als eine Ausgangssperre über uns verhängt. Eine beständige am Tag und eine für die Nacht. Er kontrollierte uns und hielt uns da, wo er uns haben wollte. Wie konnten alle anderen einfach so mitgehen?

Waren sie zu abgelenkt von den Vermissten, dass sie nicht sahen, in welche Richtung es zu drohen lief? Schon gelaufen war. Oder *wollten* sie es nicht sehen?

Hinzu kamen Sackas Soldaten. Sie waren nicht dazu da um uns zu beschützen, sondern um uns zu beobachten und in Schach zu halten. *Hatten sie das heute nicht deutlich gezeigt?* Und nicht nur das war deutlich geworden, sondern auch die *Folgen* von denen Sacka gesprochen hatte. Bedrohung und Einschüchterung. Die Frage die blieb war, ob das schon das Schlimmste war oder ob sie noch weitergehen würden? Hätten sie die Waffe wirklich gegen ihn eingesetzt? Gegen einen alten Mann, der seine Frau vermisste?

2 ZOE

Von meinem geöffneten Fenster aus, konnte ich den Wald sehen, wie er ruhig einfach nur vor sich hin existierte, doch es blieb nicht lange ruhig.

Plötzlich schien sich durch den Wald etwas zu bewegen. Ich versuchte es genauer zu erkennen. Gestalten marschierten aus den Baumreihen. Es waren eindeutig Menschen. Soldaten. Sackas Soldaten. Sie alle trugen die gleichen dunkelblauen Klamotten, an denen man sie schon von weitem erkennen konnte. Im Gleichschritt kamen sie die Straße entlang und die Schlange, die sie bildeten, schien gar kein Ende mehr zu nehmen. Immer mehr von ihnen marschierten ein. Aber warum? War etwas geschehen?

Hinter ihnen tauchten auf einmal zusätzlich mittelgroße Transporter auf. Was ging da vor sich? Sie alle hielten etwas in den Händen, woraufhin sich ein ungutes Gefühl in mir breit machte, denn ich ahnte was es sein musste. Sie waren bis auf den letzten Mann bewaffnet. Was hatten sie vor? Gab es irgendeine Bedrohung, von der ich noch nichts wusste?

Schon waren sie an den ersten Häusern. Durch einige Lücken in den Häuserreihen konnte ich Teile der Parallelstraße erkennen. Einige der Soldaten fingen an, an den Haustüren zu klingeln und die ahnungslosen Bewohner rauszuholen. Die Gewehre, die sie bei sich hatten, richteten sich auf...sie.

Aber...*Was sollte das? War gestern nur der Anfang gewesen?*

Sie formten die Menschen zu einer Menge. Frauen, Männer, Kinder, sie alle blickten sich unsicher um. Plötzlich löste sich ein kleines Mädchen aus der Gruppe, dicht gefolgt von einem der Soldaten, der ihr folgte. Sein Gewehr richtete sich auf das kleine Kind. Ich konnte kaum atmen. *Er würde sie doch nicht damit bedrohen! Oder?*

Ein Mann rannte genauso aus der Menge und stellte sich schützend vor das Mädchen. Ich kannte die beiden. Das Mädchen hieß Lotta und der Mann war ihr Vater, Andrew Piller. Der Soldat richtete das Gewehr auf Herrn Piller, doch ehe er auf irgendeine Art reagieren konnte, stürmte eine Frau aus der Mitte und wollte sich ebenfalls mit einmischen. Allerdings erstarrte sie augenblicklich, als Lottas Vater plötzlich zu Boden geschlagen wurde und kraftlos liegen blieb.

Ich schrie erschrocken auf, während Lotta bewegungslos daneben stand. Die Frau kämpfte sich ungeachtet des Gewehres zu Lotta durch und zog das traumatisierte Mädchen wieder in die Menge. Es hatte keinen Sinn sich auch um ihren Vater zu kümmern, denn er wurde bereits weggeschleppt. Sofort schloss ich das Fenster und wich mehrere Schritte zurück. Mein

Blick immer noch auf den Punkt gerichtet, wo er gelegen hatte. Ich hatte Angst. *Was hatte das zu bedeuten?*

Panik überkam mich. *Was sollte ich tun?* Sie würden ganz sicher auch hierher kommen. Hatten sie mein Gespräch mit Wise gehört? Ging es darum? Unsinn. Dann würden sie nur zu mir kommen und nicht zu den anderen. Ich wollte gar nicht weiter darüber nachdenken. Ich hatte nur einen Gedanken: Ich musste hier weg. *Aber wo sollte ich hin?*

Schnell rannte ich zum nächsten Fenster und schaute nach draußen. Ich blickte direkt auf die Straße in der unser Haus stand. Zuerst war niemand zu sehen, doch dann bogen sie auch schon um die Ecke. Mit steigender Angst sah ich zu, wie sie, genau wie in der Nachbarstraße, anfingen die Menschen aus ihren Häusern zu holen. Ich saß in der Falle. Unbemerkt würde ich nicht wegkommen. Die einzige Chance, die mir jetzt noch blieb, war mich zu verstecken. Kein wirklich genialer Plan, aber trotzdem. Egal was für einen Grund das alles hatte, ich würde nicht aufmachen sobald die Klingel ertönte. Auf gar keinen Fall. Jemand wurde zusammengeschlagen, weil er sein Kind schützen wollte. *Was würden sie mit mir machen, wenn ich nicht mitspielen würde?* Plötzlich das laute Klingelgeräusch an der Tür. Mein Puls ging schlagartig

24

noch weiter in die Höhe. «Aufmachen!», schrie eine Stimme. Es wurde an die Tür gedonnert. Das Geräusch hallte hoch bis ins Treppenhaus. Ich dachte nicht einmal dran. In Windeseile drehte ich mich um, rannte ins Badezimmer, drehte den Schlüssel im Schloss um und kauerte mich zusammengesunken in die hinterste Ecke. Die Stimme ertönte noch einmal: «Aufmachen!» Diesmal viel gedämpfter.

Meine Arme umschlungen meine Beine, meine Finger krallten sich in meine Haut, bis kein Geräusch mehr zu hören war. Es war still, bis auf mein eigener Atem. Langsam lockerte ich meinen Griff und stützte mich ab, um aufzustehen, doch plötzlich war es nicht mehr still und es polterte laut. Schritte waren jetzt deutlich im Haus. Es mussten mindestens zwei von ihnen sein, denn während von weiter unten gedämpft Geräusche zu hören waren, kamen Schritte immer mehr in meine Richtung. Sie hatten sich Zugang verschafft und einer von ihnen kam direkt die Treppe nach oben. Erschrocken stolperte ich nach hinten. Ich wagte es kaum zu atmen. Beruhigend sagte ich zu mir selbst, dass sie gleich gehen würden, wenn ich nur lange genug stumm hier drin wartete. Sie würden niemanden finden und einfach wieder gehen, doch gleichzeitig wusste ich wie naiv dieser Gedanke war. Ich hatte das Bad von innen abgeschlossen. Sie wussten ganz sicher, dass hier jemand war.

Jemand rüttelte an der Tür, geistesgegenwärtig griff ich nach dem Föhn, der neben mir lag und hielt ihn in einer einsatzbereiten Haltung vor mich.

«Aufmachen!», erklang die Stimme wieder, nur diesmal viel lauter. Die Person stand direkt vor der Badezimmertür. Mein Herz raste. Ich hatte es kaum noch unter Kontrolle. Mit voller Wucht wurde gegen die Tür gedonnert, bis sie plötzlich mit einem gewaltigen Ruck aufschwang.

Eine Waffe richtete sich auf mich. Noch nie hatte ich eine Waffe so nah gesehen, geschweige denn, wurde davon bedroht. Reflexartig hielt ich den Föhn noch krampfhafter, so als wäre er meine Waffe. «Willst du mich wirklich mit dem Ding bedrohen? Glaubst du nicht, dass ich ein bisschen mehr drauf habe, als nur heiße Luft zu schießen?», ertönte seine Stimme nun zum vierten Mal. Es war eine starke, kraftvolle Stimme, die mich erzittern ließ. Trotzdem stand ich immer noch mit meinem Föhn in der Hand unverändert. Ich betrachtete mein Gegenüber. Die Person vor mir trug eine dunkelblaue Hose, sowie eine gleichfarbige Jacke. Er war nicht viel älter als ich. Seine Augen schauten mich zusammengekniffen an und da durchdrang es mich. Es war der Soldat, der gestern Herrn Lente mit abgeführt hatte. Ich erinnerte mich an seinen Blick. *Das konnte doch kein Zufall sein.*

Mit einem Zucken seines Gewehres, befahl er mir

den Raum zu verlassen. Trotzig verharrte ich auf der Stelle. Ich würde nirgendwo hingehen. Wieder reagierte er mit Worten: «Ich will dir nicht wehtun müssen, also los beweg dich.» Ich war verrückt geworden, ich widersetzte mich jemandem, der mit geladener Waffe auf mich zielte. Vor wenigen Minuten hatte ich gesehen, dass sie zu Gewalt bereit waren. Warum sollten sie auch nicht zum Einsatz ihrer Waffen bereit sein? Hier ging es um mein Leben. *Oder vielleicht doch nicht?* Keine der Waffen war bis jetzt zum Einsatz gekommen. Wenn das wirklich ihre Intention war, wäre es schon lange passiert. Zumindest versuchte ich mich auf diese Theorie zu konzentrieren. Vielleicht war ich einfach nur naiv, weil ich das glaubte und im Anbetracht der Situation auch etwas verrückt, aber noch verrückter war mein nächster Zug. Ich warf den Föhn zur Seite und holte mit meinem Arm zu einem Schlag aus. Doch bevor ich irgendetwas ausrichten konnte, drehte er sich zur Seite und wich meiner Faust aus. Ungeschickt stolperte ich nach vorne. Sofort hatte er meine Arme gegriffen und sie mir auf den Rücken gedreht. Plötzlich kam er ganz nah und als er an meinem Ohr war, spürte ich seinen Atem an meiner Haut als er flüsterte: «Hab keine Angst.» Sein Griff lockerte sich kurz. Ich war zu irritiert über seine Worte, die so unpassend zu seiner vorherigen Art waren, um in irgendeiner Art darauf zu reagieren. *Spielte er mit mir?*

Doch genauso schnell war der Moment auch wieder verflogen. Sein Griff wurde so fest wie zuvor und als jeder Versuch mich zu befreien misslang, rief er: «Ich hab noch eine!»

Wie auf Knopfdruck stand eine weitere, in dunkel blau gekleidete Gestalt vor mir. Es war eine Frau. Sie packte mich an der Schulter, zerrte mich somit aus den Armen des Soldaten und wies mich an, auf die Straße zugehen. Ich versuchte mich auch ihr zu widersetzen, nur sie machte gleich kurzen Prozess, schleifte mich die Treppe runter und stieß mich in Richtung Straße.

Ich wollte am liebsten sofort wieder ins Haus rennen, denn der Anblick erschlug mich. Die ganze Straße war voller Leute. In der Mitte gingen Anwohner, Nachbarn, Bekannte und am Rand standen die in blau gekleideten, bewaffneten Soldaten und behielten alles im Blick.

Ich wurde von hinten, nach vorne gestoßen und reihte mich somit automatisch in die Reihe der gehenden Bewohner ein. Stehen bleiben war keine Option, denn die Masse zog mich einfach mit sich.

Wir wurden ins Zentrum getrieben und man ließ uns in einem Kreis versammeln. *Was sollte das alles?* Suchend sah ich mich um. Suchend nach meinen Freunden und wo war meine Mutter? Erleichtert entdeckte ich plötzlich Wise in der Menge. Allerdings verschaffte mir das nur für einen kurzen Augenblick

28

Erleichterung, denn auch er war genauso planlos wie ich.

Er hatte mich auch entdeckt und drängte sich zu mir durch. Besorgt schauten wir uns an, als wir voreinander standen. Dass wir gestern unsere Meinungsverschiedenheit hatten, war vergessen. «Was ist hier los?», fragte ich ängstlich. «Ich weiß es nicht!», antwortete er nur. Ich merkte wie besorgt und abgelenkt er dabei war.

«RUHE!», schrie plötzlich eine Stimme. Sie kam aus der Mitte unseres zusammengepferchten Kreises. Ich kannte sie. Jeder kannte sie. Die Gewehre waren von vorne und hinten auf uns gerichtet. Wir konnten nicht weg. «Mein Name ist Sacka. Ab sofort werdet ihr auf mein Kommando hören, wer sich dem widersetzt, mit dem wird kurzer Prozess gemacht!» Bitte was? Ein geschocktes Raunen ging durch die Menge, als die Stimme fortfuhr: «Ich habe lange genug gewartet.» Alle starrten zu Sacka vor ihnen. *Zeigte er jetzt sein wahres Gesicht?* Trotz ihren gebannten Blicken, war Ihnen die Angst noch viel deutlicher anzusehen. Genau wie meine eigene. *Was sollte der ganze Aufwand?* Die Situation war so absurd, so falsch. Sacka wirkte unzurechnungsfähig und das machte es so gefährlich.

Ich drängte mich durch die Menge, um einen Blick auf Sacka zu bekommen. Fast ganz vorne angekommen konnte ich ihn sehen. Er sah aus wie immer, war groß gewachsen und stand auf der Ladefläche eines Jeep artigen Fahrzeugs, das in der Mitte stand. Sackas blondes Haar war kurz, in seiner rechten Hand hatte er eine Waffe und mit der linken Hand hielt er sich an dem viereckigem Rahmen fest, der die Ladefläche einrahmte. Auf dem Arm, mit dem er die Waffe festhielt war ein schwarzes Tattoo zu sehen. Das war mir allerdings neu. Zunächst erkannte ich nur undeutliche Symbole, aber beim längeren Betrachten wurden sie immer deutlicher. Es sah aus wie eine große schwarze Krähe. Ihr Mund war weit verzerrt und die Augen funkelten bedrohlich.

Muskeln zeichneten sich deutlich an seinen Armen ab. So hatte er sich noch nie in der Öffentlichkeit gezeigt. Ich schluckte. Mit einem gespielten Grinsen fuhr er seine Rede fort: «Ich werde jetzt Namen aufrufen und wer seinen Namen hört stellt sich auf die rechte Seite. Verstanden? Ist wirklich nicht so schwer also...» Ein Mann trat aus der Menge, sofort umkreisten ihn die Soldaten aus dem inneren Kreis und richteten ihre Gewehre auf ihn. Sacka verstummte. Doch sein Blick schien sich davon nicht beirren zu lassen. «Warum sollten wir das tun?» Sacka stieg langsam von dem Jeep herunter. Es war eine Totenstille, als er sich vor dem Mann aufbaute. Dabei grinste Sacka ihn selbstgefällig an. «Deshalb!», entgegnete er und sofort

30

löste sich ein Schuss. Entsetzte Schreie lösten sich. Der Mann vor ihm sackte tot in sich zusammen. Bei dem Schuss hatte Wise schützend seinen Arm um mich gelegt, doch ich spürte ihn kaum, denn meine Aufmerksamkeit galt der Stimme des Mörders, die alles übertönte: «Will noch jemand etwas sagen?» Er erwartete keine Antwort, also fuhr er fort: «Also nochmal, wer seinen Namen hört geht auf die rechte Seite. Alice Bayer, Moritz Bayer ...»

Keiner sagte mehr etwas. Alle verhielten sich so wie Sacka es verlangte. Immer mehr Namen zählte er auf und immer mehr begaben sich protestlos auf die rechte Seite. «Wise Connor.» Wise!

Auch er zögerte keine Sekunde, schritt an mir vorbei und stellte sich zu den anderen. Ich stand einfach nur da und schaute ihm hinterher. *Was sollte ich anderes tun?*

Nach einer Weile kamen die Namen, dessen Nachname den Anfangsbuchstaben T hatten. «Mary Trima.» Meine Mutter schritt aus der Menge und stellte sich zu Wise. Erleichtert atmete ich durch, dass es ihr den Umständen entsprechend gut ging.

«Zoe Trima.» Als mein Name erklang, schlug mein Herz noch schneller. Ich löste mich aus den noch Wartenden und stellte mich ebenfalls auf die rechte Seite zu meiner Mutter. Es verging Zeit in, der sich weitere Personen zu uns begaben, bis es plötzlich stoppte.

«Gut. Das war der Letzte. Alle anderen bitte einmal dort stehen bleiben», rief Sacka. Erschrocken drehte ich mich zu meiner Mutter um: «Dad. Er steht noch dort!» Sie sah mich nicht an oder zeigte mir irgendeine Reaktion. Sie starrte nur zu meinem Vater rüber. Ich tat es ihr gleich. Vor die ungefähr 100 Leute uns gegenüber, hatten sich Bewaffnete gestellt. Die Anderen sahen ungläubig zu. *War das Sackas Ernst?* Wollte er wirklich...Ich schrie aus voller Seele. Auf Sackas Kommando kamen die Schüsse. Ein Schuss traf direkt in den Kopf meines Vaters. Ich stürmte los, wollte mich zu ihm durchschlagen, aber jemand stellte sich mir in den Weg. Es war der Gleiche der mich zuvor im Bad gefunden hatte. Seine starke Stimme war einer zurückhaltenden, aber bestimmten gewichen: «Da willst du wirklich nicht hin», entgegnete er und schob mich zurück in die entsetzte Menge. Ich sank zusammen. Mein Vater...ihm hatte einfach irgendein Fremder in den Kopf geschossen. Ich weinte so wie ich noch nie geweint hatte. Nur gedämpft nahm ich die Stimme von Sacka wahr, die nun weitersprach: «Es tut mir wirklich leid, aber der Zufall hat gewählt. So und jetzt liegt es an euch. Wollt ihr euch fügen oder müssen wir weiter eingreifen?» Er tötete Menschen und sagte, dass der Zufall gewählt hatte? Stellte die Frage wie wir es wollten? Meine Tränen verschleierten mir die Sicht. Der Schock ließ mich geistesabwesend auf die Füße kommen. Klare Gedanken konnte ich nicht fassen. Ich schritt einen Schritt nach vorne. Wieder stellte sich der Gleiche vor mich, doch ich ging an ihm vorbei. «Was soll das?», rief ich. Sofort schritt ich wieder zurück. *Was dachte ich mir dabei?* Erst vor wenigen Minuten wurde so jemand wie ich erschossen und Hundert weitere. Doch auf mich ging Sacka gar nicht richtig ein.

«Also müssen wir eingreifen!» Kaum hatte er das gesagt, stürmten die Soldaten auf die einzelnen Menschen zu. Ich rannte. Keine Ahnung wohin oder wie weit ich kommen würde, einfach nur irgendwie weg, doch es dauerte nur wenige Sekunden, da wurde ich zu Boden geworfen. Ein Soldat kam auf mich zu und wollte mir eine bläuliche Flüssigkeit in den Mund kippen, genau wie allen anderen. Ich hielt mir schützend die Hände vor den Mund. Doch ein Zweiter kam dazu, riss meine Hände weg und der andere flößte mir das Zeug ein. Es hatte keinen Geschmack. Es sah aus wie gefärbtes Wasser. Sofort spuckte ich es wieder aus. *Was war das für ein Zeug?* Die Flüssigkeit traf mitten in ein, daraufhin angewidertes, Gesicht. Der Bewaffnete den ich dabei traf, stieß mir mit voller Wucht sein Gewehr ins Gesicht und ich ging zu Boden.

Schweißgebadet schreckte ich auf. Es war stockdunkel. *Wo war ich?* Nur ein kleiner Lichtschimmer fiel durch ein Fenster gegenüber von mir. Regungslos wanderte ich mit den Augen den Raum ab. Es war mein Zimmer. *Ein Traum,* schoss es durch meinen Kopf. *Es war nur ein Traum.* Kurz atmete ich durch, dann schlüpfte ich geräuschlos aus meinem Bett und öffnete das Fenster. Ich brauchte frische Luft, um wieder einen klaren Kopf zu bekommen. Mir war unglaublich warm.

In den Nächten war es stockdunkel. Die Laternen gingen um Punkt 22Uhr aus, so wie Sacka es wollte. Wenn der Mond kein Licht spendete, war das einzige Licht ein heller Schein, der vom anderen Ende des Dorfes her schien. Dort befand sich das altes Fabrikgelände. Auf dem Gelände standen ein stillgelegtes Stahlwerk und rechts daneben ein alter Krankenhauskomplex. Auf einer großen asphaltierten Fläche, die die beiden Gebäudekomplexe verband, parkten die Transporter. Beide Gebäude wurden von Sacka genutzt, für sich und seine Soldaten. Das Betreten des gesamten Fabrikgeländes war Bewohnern strengstens untersagt, daher war das Gelände auch der einzige Teil der nachts beleuchtet wurde.

Ich atmete einen kräftigen Zug der frischen Abendluft ein. Dieser Traum war so intensiv und real gewesen. Ich hatte so viele Gesichter wiedererkannt. Sacka, meine Mutter, Wise, der Soldat von gestern, die kleine Lotta, Herrn Piller, meinen Vater.

Ich fuhr mir mit den Händen über mein Gesicht. Allmählich wurde mir alles zu viel. Selbst im Traum konnte ich alles um mich herum nicht angenehm verarbeiten. «Das kommt, weil gestern so viel passiert ist», hätte meine Mutter jetzt gesagt. Vermutlich stimmte das auch.

Ich schaute in die ruhige Umgebung, die vor mir lag. Am Tag hatte man von hier aus den Blick über die vielen weißen Häuser mit den roten Dächern und dahinter sah man die gewaltigen Baumkronen des Waldes, der das gesamte Dorf einrahmte. Weiter links konnte ich die Stelle des Waldes erkennen aus, der Sackas Soldaten marschiert sind und ein kalter Schauder ergriff mich.

Urplötzlich hörte ich ein Geräusch. Ich schaute in die Richtung aus der es gekommen sein musste, doch ich konnte nichts erkennen. Schnell schloss ich das Fenster wieder. Ein Tier vielleicht? *Oh bitte nur ein Tier.* Aus dem Augenwinkel sah ich ein Licht aufleuchten. *Wohl kein Tier.* Ich hatte mich geduckt und schaute jetzt vorsichtig wieder hoch. Doch das Licht war verschwunden und ich beschloss mich wieder hinzulegen. *Langsam wurde ich schon paranoid.* Niemand war um diese Uhrzeit draußen. Ich musste versuchen zu schlafen und zwar diesmal ohne zu träumen.

3 ZOE

Mein Zimmer war von der Sonne hell erleuchtet, das wusste ich selbst mit geschlossenen Augen, als ich diese dann schlaftrunken öffnete, ging mein Blick direkt an die Decke. Bilder von Sacka und Soldaten flackerten durch meinen Kopf. Bilder von heute Nacht, Bilder von meinem Traum. Plötzlich fing es neben meinem Ohr an zu piepen. Meine Hand schnellte los und beendete das nervige Klingeln des Weckers. Nachdenklich setzte ich mich auf, zog mir etwas Frisches an und ging die Treppe runter in die Küche. Meine Mutter war schon wach und bereitete das Frühstück vor. « Guten Morgen.»

«Guten Morgen», entgegnete sie fröhlich. «Und hast du gut geschlafen?»

Verneinend schüttelte ich den Kopf. Sie machte ein verständnisvolles Gesicht.

«Wegen dem Vorfall von gestern, hmm? Meine Nacht war auch unruhig.» Ich setzte mich auf einen Stuhl an den Tisch und sagte: «Ich habe verwirrendes Zeug geträumt und es hat sich ziemlich real angefühlt.» Ich machte eine kurze Pause, dann fragte ich: «Kann ich es dir erzählen auch wenn es mit Sacka zu tun hat? Ich muss es wenigstens einmal loswerden.» Sie atmete kurz ein und aus, so als ob es ihr schwerfallen würde, doch dann sagte sie: «Sicher. Das mit gestern tut mir leid, ich hätte ruhiger bleiben sollen.» Ich nickte um ihr zu zeigen, dass ich ihre Entschuldigung annahm, dann fing ich an zu erzählen: «Okay also, die Soldaten sind einmarschiert und haben alle aus ihren Häusern geholt.»

«Sackas Soldaten?», unterbrach sie mich.

«Ja und ich habe auch den wiedererkannt, der gestern bei Herrn Lente dabei war. Jedenfalls haben wir uns alle um einen Jeep versammeln müssen auf dem Sacka stand. Es war total erschreckend wie echt es wirkte. Sacka hatte irgendein Tattoo auf dem Arm, sogar das konnte ich genau erkennen.»

«Sacka hat kein Tattoo. Zumindest habe ich es noch nie gesehen.» Ich versuchte ihre erneute Unterbrechung einfach zu ignorieren und fuhrfort: «Plötzlich hat er jemanden erschossen und die Leute in zwei Gruppen geteilt. Die auf der einen Seite hat er...erschossen.» Meine Mutter hatte sich mittlerweile an den Tisch zu mir gesetzt. Ich atmete tief durch und sprach meine nächsten Worte schnell aus, denn für meine Mutter war es ein heikles Thema: «Dad war unter ihnen», fügte ich vorsichtig hinzu. Nachdenklich sah sie mich an, dann erwiderte sie: «Dein Vater hat uns verlassen, als er die Chance dazu hatte.» Das hielt sie mir so oft vor. «Ich weiß», entgegnete ich nur. «Aber es ist so verrückt, alle sahen so real aus. Ich konnte Dad genau erkennen und Wise und dich und Sacka. Er hatte sogar das gleiche typische Lächeln», überlegte ich laut.

«Das Gesehene von gestern hat dich anscheinend wirklich sehr mitgenommen. Das mit der Waffe war für alle ein Schock. Wir werden abwarten müssen, was es dazu zusagen gibt. Aber nur deshalb heißt das nicht, dass Sacka ein Massenmörder ist. Außer Reden halten, Formulare ausfüllen und sonstigen Kram hat er wohl kaum das Hobby, Leute umzubringen.» Ich sah meiner Mutter an wie unbehaglich sie sich fühlte, die Worte *Massenmörder* und *umbringen* in einem Zusammenhang mit Sacka zu erwähnen. Sie wirkte so eingeschüchtert. Dabei konnte sie auch nicht ihren umherschweifenden Blick unterdrücken, mit dem sie sich suchend umsah, obwohl wir in unserem eigenen Haus waren.

«Das ist mir alles schon klar, trotzdem...», versuchte ich sie wieder auf den Traum zu lenken. «Hier geht es nicht um irgendwelche Ansichten, verstehst du? Lass dich von so einem Traum nicht zu abwegigen und vor allem so gefährlichen Hirngespinsten verleiten. Und denk an meine Worte von gestern.» Abwartend hoffte sie auf meine Bestätigung, die ich ihr aber nicht gab.

«Zoe, Du sprichst außerhalb dieses Hauses mit niemandem darüber.» Ihre nachdrückliche Art, drängte mich zu einer Zustimmung. «Ja.» Ich wollte es nicht wahrhaben, aber in meinen Gedanken schlich sich etwas ein, das ihr zustimmte.

4 ZOE

Am nächsten Tag traf ich mich mit Wise nach seinem Gitarrenunterricht, den er gelegentlich gab und wir gingen ein Stück. «Und wie macht er sich?», fragte ich. Ich meinte den kleinen Jungen, den Wise unterrichtete. Sein Name war Henry. Ich war mir nicht mehr sicher seine wievielte Stunde es jetzt schon war. Die siebte? Oder achte? «Er macht tolle Fortschritte. Es ist wirklich klasse. Sein Bruder will es vielleicht auch bald mal ausprobieren.» Wise strahlte als er davon erzählte. Es machte ihm wirklich Spaß, das sah man ihm an und das wiederum freute mich, weshalb ich automatisch auch lächeln musste. «Scheint, als ob er Talent hat.» Wise sah mich stirnrunzelnd an. «Wieso Talent? Das hat doch nichts mit Talent zu tun. Er hat einfach den besten Lehrer aller Zeiten.» Dann konnte er seine ernste Miene nicht länger aufrechterhalten und musste lachen. Ich boxte ihm leicht gegen die Schulter. «Ach ja? Du selbstverliebter Lehrer. Das glaubst du doch wohl selber nicht.» Ich lachte auch.

Zwei Leute kamen uns entgegen. Beim Vorbeigehen schnappten wir ihre Worte auf, als sie miteinander redeten. «... mitbekommen, dass Herr Lente wieder zuhause ist?» Die zweite Person nickte vielsagend und antwortete: «Wer hat das nicht mitbekommen.» Als sie vorbei waren sah ich Wise an. Sein Lachen war verschwunden und auch ich war in Gedanken.

«Ich frage mich was sie mit ihm drei Tage lang gemacht haben.» Wise verzog sein Gesicht. «Daran denke ich gar nicht», antwortete er. Vermutlich war das auch bess…, mein Handy klingelte plötzlich. «Hi, Zoe Trima hier.» Die Stimme am anderen Ende klang aufgebracht und zittrig. «Zoe kannst du kommen?»

«Layla, Was ist passiert?» Ich hatte ihre Stimme kaum erkannt. Layla und ich waren Freundinnen. Sie war mit Wise und mir in eine Klasse gegangen. «Sie haben meinen Vater gefunden», sagte sie aufgelöst. Ich schluckte. Ihr Vater war einer der vier Vermissten. «Ich komme», sagte ich sofort.

«Johannes Bisching wurde gefunden. Ich muss zu Layla», erklärte ich Wise knapp. «Ist gut. Wir sprechen uns später», gab er nur zurück, dann war ich auch schon auf dem Weg.

Wenn man ihn gefunden hatte, bedeutete das dann auch, dass man Isabelle gefunden hatte?

An der nächsten Häuserecke rannte ich den Rest zu ihrem Haus.

Angekommen an ihrer Tür, brauchte ich nicht zu klingeln. Sie öffnete sofort und schloss sie danach wieder. Ohne dass sie es aussprechen musste, wusste ich was los war. Es waren fast fünf Wochen vergangen. Gerüchte waren im Umlauf und als sie sich in meine Arme sinken ließ und ich die Tränen an meinem Shirt spürte, bestätigte sie meine Vermutung. «Er ist tot.» Außer ihrem leisen Schluchzen war nichts weiter zu hören. Ich schwieg. Was sollte ich ihr auch sagen, was sie nicht eh schon wusste oder was ihr irgendwie hätte helfen können. Ich wusste nicht ob da überhaupt etwas war, was helfen konnte. Während ich versuchte ihr Trost zu spenden, gingen meine eigenen Gedanken zu Isabelle. Hatte man sie auch gefunden? Warum hatte man uns bisher nicht informiert? Oder gab es für uns noch Hoffnung?

Ich wusste nicht mehr wie lange wir in dieser Position standen, aber es musste eine Ewigkeit vergangen sein, als Layla sich jetzt löste. «Ich muss die ganze Zeit daran denken wie sehr er sich gefreut hat, als sie ihn gefragt haben.» Bei der Erinnerung an ihren Vater spielte ein Lächeln um ihre Lippen. Sie fuhrfort: «Klar, wer hätte sich nicht gefreut, wenn er die Möglichkeit bekommt, aber er hat sich echt *total* darauf gefreut.»

«Was meinst du?»

«Es war schon immer sein größter Wunsch gewesen. Das wusste er. Er wusste, dass er nicht ablehnen würde. Der perfekte Weg, ihn und die anderen aus dem Weg zu räumen.» Während sie sprach hatte sich ihr Gesichtsausdruck verzerrt. Sie sah verbittert aus. «Wovon redest du?», fragte ich wieder.

«Es ist kein Geheimnis was mein Vater für ein

41

Mensch war. Er wollte die Welt verbessern, wollte Gleichberechtigung. Er wollte Veränderung. Sacka kam vor sechs Wochen mit zwei seiner Soldaten bei uns vorbei. Ich bin von der Schule früher nach Hause gekommen und kam gerade aus meinem Zimmer, als es klingelte. Ich verharrte im Flur, mein Vater wusste nicht, dass ich schon da war, deshalb bekam keiner mit, dass ich alles hörte, was sie sagten. Sacka fragte ihn ob er einer von wenigen Auserwählten sein wollte, die mit offizieller Erlaubnis den Wald und das Gelände dahinter betreten möchten, es erkunden. Ein politisches Statement, hat Sacka es genannt. Wahrscheinlich wollte er damit zeigen, dass er durchaus bereit ist kooperativ zu handeln. Du hättest das Gesicht von meinem Vater sehen sollen, als sie wieder weg waren. Er war so glücklich. Meiner Mutter und mir sagte er nichts. Er redete nur von Umschwung und davon, dass er bald etwas Tolles vorhatte und uns danach alles erzählen würde, aber ich wusste es ja und freute mich daher umso mehr für ihn.»

«Moment du willst sagen, dass das Sackas Idee war? Dass er das angeleitet hat und sie trotzdem verschwinden konnten? Hätte sie dann nicht jemand begleiten müssen? Irgendetwas muss da schief gegangen sein.»

«Das hätte doch auch nichts geändert.»

«Doch vielleicht wären sie dann...»

«Zoe. Man hat meinen Vater mit einer tödlichen Schussverletzung gefunden. Es ging nie darum ein Statement zu setzen. Sacka hat sie erschießen lassen. Das und nichts anderes war sein Ziel.» Instinktiv sah ich mich um, ob uns jemand hören konnte, genau wie meine Mutter es immer tat. «Was!? Nein das...» Ich unterbrach mich selber, um meine Gedanken und Worte zu sammeln, doch anscheinend hatte meine Pause nichts gebracht, denn nur ein stockendes «Warum?», kam aus meinem Mund. «Alle vier Vermissten waren von Sacka ausgewählt. Alles Leute, die mehr oder weniger ihre Bedenken geäußert haben. Jetzt sind sie tot. Sacka sagt mit keinem Wort etwas über dieses «politische Statement», von dem er meinem Vater berichtet hat. Alle haben Angst vor der Gefahr, die angeblich draußen lauert und sie nehmen es dementsprechend einfach so hin, wenn Sacka die Vorfälle als Grund für noch mehr «Sicherheitsmaßnahmen» nimmt. Seine lautesten Gegenstimmen sind beseitigt, die Grenzen endgültig dicht und er steht als der mitfühlende Betroffene da. Denk mal darüber nach, hat es auch nur einen Nachteil für ihn? Das klingt mir einfach alles zu passend.» Konnte das wirklich sein? Ehrlich gesagt fühlte es sich nach meinem Traum gar nicht so abwegig an. Ich sah immer noch Sacka vor mir wie er mit dieser Waffe einfach so jemanden erschoss. Sofort verbannte ich diesen Gedanken. Das waren die *gefährlichen Hirngespinste* von denen meine Mutter gesprochen hatte. Das würde kein vernünftiger Mensch machen. Sacka hatte solche Mittel und Wege noch nicht einmal nötig, überlegte ich. Ihm standen ganz andere Möglichkeiten offen, als Menschen umzubringen. Aber im Grunde, wenn man darüber nachdachte, dann hatte ihm der Vorfall tatsächlich viel Aufstand und Empörung erspart, schließlich hatte er wirklich alles umgesetzt und keiner hatte sich großartig dagegen gewehrt. Sollte es stimmen, dann hatte Sacka den Schock und die Trauer, sowie die Angst von allen gekonnt ausgenutzt. «Mach dir deinen Gegner zum Freund und dann falle ihm in den Rücken. Aber das würde bedeuten, dass...», sagte ich geistesabwesend. «...er aussortiert und seine Macht erweitern will und zwar mit jedem Mittel. Er hat vier Menschen mit dem Ziel ihres Todes losgeschickt und einer dieser Menschen war mein Vater. Was ist das für eine Person?», beendete Layla meinen Satz. «Wenn das stimmt, dann...»

«...könnte jeder der Nächste sein.» *Vor allem bei solchen Anschuldigungen wie Layla sie gerade geäußert hatte*, dachte ich. «Erwähne das nicht vor anderen, okay? Sag es am besten keinem mehr, bevor wir richtig darüber nachgedacht haben.»

«Willst du mir den Mund verbieten?» Ich wollte nicht, dass ihr etwas passierte, aber sie verstand es vollkommen falsch. «Nein! Aber es ist nicht klug deine Anschuldigungen jeden hören zu lassen. Du hast keine Ahnung, ob das stimmt und wenn es stimmt, dann darf es erst recht niemand hören.» Jetzt klang ich genauso wie meine Mutter. «Moment mal *Anschuldigungen*? Glaubst du mir etwa nicht? Das ist doch genau das, was er erreichen will. Dass wir alle die Klappe halten und ihn machen lassen.»

«Du verstehst mich komplett falsch. Wenn das stimmt, dann weißt du doch wozu er fähig ist, ich...» Mein Handy klingelte. Wir beide starrten auf mein Display. Ich wusste nicht wen ich erwartet hatte, aber ich war sichtlich erleichtert als ich *Mama* auf dem Bildschirm aufleuchten sah. «Was ist los?», ging ich ran. «Was los ist? Es ist kurz vor 22 Uhr. Die Nachtruhe beginnt in 10 Minuten. Wo bist du?»

«Was? Nur noch 10 Minuten? Ich bin noch bei Layla.»

«Okay dann bleibst du heute Nacht bei ihr, ja?»

«Ich kann mich sofort auf den Weg machen», erwiderte ich.

«Du gehst jetzt nicht mehr los. Sicher ist sicher. Das ist zu knapp.» In 10 Minuten könnte ich es schaffen, wenn ich sofort losgehen würde. Ich könnte auch rennen. Neun Minuten vor 22 Uhr.

«Ich könnte rennen», wiederholte ich meinen Gedanken laut. «Nein. Das wirst du nicht. Spar dir doch

45

den Stress und bleib einfach bei Layla. Wenn sie dich erwischen, dann…» Noch acht Minuten bis 22Uhr. «Okay, dann bleibe ich bei Layla, wenn dir das lieber ist.»

«Das ist es. Danke, gute Nacht, Schatz.» ich hörte wie merklich erleichtert sie klang. «Ja, Gute Nacht.» Noch bevor ich aufgelegt hatte, wusste ich es besser. Ich wandte mich an Layla: «Ich hab zwar gerade etwas anderes gesagt, aber ich muss nach Hause.»

«Zoe du kannst wirklich hier bleiben. Das ist kein Problem.» Ich schaute dankend zu Layla. «Ich weiß, aber ich *muss* nach Hause.» Ein wirklich schwacher Grund, wenn man bedachte auf was ich mich einlassen würde, wenn man mich erwischte und vor allem auch nicht sehr freundschaftlich, schließlich hatte sie gerade erfahren, dass ihr Vater tot war. Aber bei Layla zu bleiben, fühlte sich einfach nicht richtig an. Nachdem was sie erzählt hatte, wollte ich irgendwie nach Zuhause und ehrlich gesagt auch etwas Abstand davon, um wirklich zu überlegen was ich selber darüber dachte. «Ich gehe los. Ich schaffe es noch und selbst wenn, was sind schon ein paar Minuten zu spät.» Ich grinste. Damit wollte ich sie beschwichtigen, aber uns war beiden klar, dass ein paar Minuten verdammt nochmal ein paar Minuten zu viel waren. Trotzdem stand meine Entscheidung fest.

Ich wartete auf keinen Kommentar von ihr, auf

keinen Versuch mich zu überreden. Wir schlossen uns in die Arme. «Sei vorsichtig, wir besprechen das alles noch. Bis dahin tu mir den Gefallen, mit niemandem darüber zu reden, okay?», sagte ich. Ich brauchte einfach ihre Bestätigung. «Okay, sei du auch vorsichtig und melde dich, wenn du zuhause bist. Ich bleibe wach.» Mein Nicken verschwand in meiner abwendenden Geste und ich trat auf die Straße. Ich ging los ohne nach links oder rechts geguckt zu haben. Dann begann ich zu rennen. Mir war egal wie laut meine Füße auf den Asphalt donnerten, ich rannte einfach so schnell ich konnte. Noch waren die Straßenlaternen an, selbst in einigen Häusern brannte noch Licht, doch desto mehr Sekunden verstrichen, desto mehr Lichter wurden gelöscht. In der nächsten Straße, in die ich bog, waren sogar bereits alle Lichter aus. Noch zwei weitere Straßen und ich war zuhause. Plötzlich das Kirchturmläuten. Mist! Punkt 22 Uhr. Die paar Minuten zu viel begannen nun. Schlagartig gingen die Straßenlaternen aus und ich wurde in völlige Dunkelheit gehüllt. Auch wenn meine Augen sich erst an die Dunkelheit gewöhnen mussten, stoppte ich nicht, wurde lediglich etwas langsamer und probierte leiser zu sein, wenn mich jetzt jemand sah... Ich hatte Angst, selbst wenn mir gleichzeitig klar war, wie bescheuert das eigentlich war. Es war nur eine einfache Straße. Doch trotz diesem Gedanken schlug mein Herz in einem rasendem Tempo. Dabei war ich den gleichen Weg erst ein paar Stunden vorher hergekommen und wäre ich vor 10 Minuten hier lang gegangen, wäre es das Normalste der Welt gewesen.

Ich probierte auszublenden in was für einer Situation ich mich befand und die Absurdität zu vergessen. *Es ist alles wie immer.* Ich zog die Luft ein. Die Dunkelheit schien sich wie ein Mantel über mich zu legen und es fühlte sich an, als wäre ich verborgen vor allen anderen, so als würde mich niemand bemerken. Eventuell standen meine Chancen doch nicht so schlecht, schließlich verbarg die Dunkelheit *mich* genauso gut, wie Sackas Soldaten und wenn hier welche in der Nähe waren, hätte ich sie garantiert schon bemerkt. Plötzlich rammte mich etwas, packte mich an den Schultern, zerrte mich in einen Häusereingang und drückte mich gegen die Fassade. Meine Schulter tat weh, mein Kopf dröhnte und selbst, wenn ich durch den Schock nicht so überfordert dagestanden hätte, war ich mir ziemlich sicher, dass ich nichts gegen die Arme ausrichten könnte, die mich in Position hielten. So viel zum Thema: *als würde mich niemand bemerken.* Erst als er- es war ein er- mir seine Hand auf den Mund presste, merkte ich, dass ich kurz davor gewesen war zu schreien. Mein Schrei erstarb in einem gedämpften Geräusch. Ich hatte die Bestätigung, dass seine Arme zu stark waren, um sich dagegen zu wehren, als ich probierte ihn weg zu stoßen und so stand ich hilflos vor diesem Fremden, der mich hier festhielt und konnte nichts dagegen tun. Auf einmal lockerte sich der Druck auf meinem Mund, kaum merklich, aber ich spürte es. Mit seiner anderen Hand deutete er mir an, leise zu sein. *Garantiert nicht.* Ich dachte gar nicht darüber nach, dass dann Soldaten auftauchen würden. Es war einfach ein Reflex, der mich dazu veranlasste, doch es kam kein Ton aus meiner Kehle. Denn abermals erstarb mein Schrei, noch bevor etwas zu hören war, als zwei Stimmen ertönten. *Er* drückte sich weiter in den Schatten und somit auch mich, denn im Gegensatz zu dem Druck auf meinem Mund hatte sich weiter nichts geändert, wodurch ich beeinflusst von seiner Bewegung war. Zwei Personen kamen direkt neben uns zum Stehen. Die dunkelblauen Uniformen waren sogar in der Nacht eindeutig zu erkennen, Sackas Soldaten.

Ich wusste nicht vor wem ich mehr Angst hatte. «Es ist sau kalt. Können wir nicht umdrehen?» Jetzt war ich es, die sich noch näher an die Wand presste, als die Stimme einer der Soldaten ertönte. «Och, ist der feinen Betty wirklich so kalt? Sollen wir zurückgehen? Damit Sacka uns eine Decke und einen warmen Tee gibt? Krieg dich gefälligst wieder ein, umso schneller sind wir fertig. Es ist 22Uhr, ich habe etwas gehört und wenn hier noch jemand herumschleicht, soll er es verdammt nochmal bereuen. Wäre schön Sacka mal wieder jemanden zu bringen, der sich nicht an die Regeln hält.» Okay ich hatte eindeutig mehr Angst vor den Soldaten. «Meine Güte Esh, krieg du dich doch erst mal wieder ein. Das ist Travers Bereich. Wenn er uns hier erwischt und es Sacka meldet sind wir dran. Das weißt du genau.» Sie machten sich keine Mühe leise zu reden. Wer sollte sie auch daran hindern?

Hätte ich sie dann nicht schon früher hören müssen? Oder lauerten sie nur darauf wartend, dass jemand wie ich durch die Straßen umherschlich und es nicht rechtzeitig schaffte? Ich schluckte, denn es hatte sich schwer danach angehört.

«Dann steht halt unser Wort gegen seines.»

«Pff, als ob Sacka interessiert, was wir sagen. Travers Worten schenkt er garantiert mehr Glauben. Er beauftragt ihn doch mit allem.»

«Werden wir ja sehen. Im Moment bin ich mir gar nicht mal so sicher, dass Sacka mehr auf seiner Seite ist. Außerdem hält er sich gerade ja nicht mal selber in seinem Bereich auf. Oder siehst du ihn hier irgendwo?»

Die Blicke der beiden Personen schweiften ständig umher, auf der Suche. Ob auf der Suche nach mir, dem, der vor mir stand oder nach besagtem Traver konnte ich nicht sagen. Das, was dieser Esh gehört hatte war ohne Frage ich gewesen. Ich kam mir so bescheuert vor. Der Typ vor mir war vielleicht auch deshalb auf mich aufmerksam geworden. Okay, oder einfach, weil ich mitten auf der Straße mich nicht hätte besser präsentieren können.

Er hielt mich immer noch in dem Hauseingang fest oder schützte er mich? Eventuell wartete er auch einfach nur bis sie weg waren. Waren die beiden Soldaten vielleicht doch die bessere Lösung? Ich wusste es nicht. Gerade wo ich dies dachte, stütze er sich von der Wand ab und bedeutete mir abermals ruhig zu sein. Diesmal stand es auf jeden Fall fest: Ich würde keinen Mucks von mir geben. Unerwartet trat er ganz aus dem Schatten und auf die beiden zu. *Was machte er denn da?* Instinktiv zog ich mich weiter in den Schatten, sodass ich sie jedoch noch gut sehen konnte. Er erhob die Stimme. «Sucht ihr mich?» *Trat er etwa an meiner Stelle zu ihnen? War er verrückt?* Wenn er sich nicht gezeigt hätte, wären sie vielleicht weiter gegangen.

Wie auf Kommando drehten sie sich gleichzeitig um. Die Hände hinterm Rücken. *Hatten sie dort ihre Waffen?* Bei seinem Anblick ließen sie sie sinken. Sie mussten ihn kennen. War er öfter draußen oder wieso? «Wir haben ein Geräusch gehört...» Er unterbrach den Redner. «Ich auch und zwar in eurem Bereich. In dem ihr gerade wie ich sehe nicht seid. Und erzähl mir jetzt nichts von *eurem Wort gegen mein Wort*. Kommt. Wir haben noch etwas zu erledigen.» Erst mit dem Abstand, konnte ich ihn näher betrachten. Er sah aus wie die beiden. Die selbe Kleidung, schoss es durch meinen Kopf. Er gehörte wie die zwei zu Sacka. Aber das verstand ich nicht...wieso?

Aus dem Augenwinkel sah ich wie einer von ihnen gerade in eine Richtung zeigte und sie sich zu dritt auf den Weg dorthin machten. Da verstand ich, dass das meine Chance war. Als ich sie nicht mehr sehen konnte, rannte ich so schnell, doch gleichzeitig so leise ich konnte zurück zum Haus. Meine Hand zitterte, als ich die Tür aufschloss. Es dauerte eine gefühlte Ewigkeit. Dann endlich war ich drinnen.

Ich hielt mir die Hand vor den Mund und konnte nichts anderes machen als an der Tür nach unten zu sinken. Das war verdammt knapp gewesen. Wer weiß wie es ohne ihn ausgegangen wäre. Blieb nur eine Frage: *Wieso hatte er das getan?* Ich hatte keine Antwort darauf, nur sein Name hallte noch durch meinen Kopf: Traver.

5 ZOE

«Zoe, was machst du hier?» Die Stimme meiner Mutter glich fast schon einem Schrei. Sofort schreckte ich in meinem Bett hoch. Es war taghell. Entsetzt blickte ich zu meiner Mutter. «Was ist los?»

«Wann bist du gekommen?» Sie war aufgebracht. Müde rieb ich mir die Augen. Die Erinnerungen an den Abend kamen ein paar Sekunden später. «Heute Morgen. Ich wollte dich nicht wecken, du hast noch geschlafen», log ich. Meine Mutter seufzte erleichtert. «Dann ist ja gut. Hast du Hunger? Ich mach uns Frühstück.» Das klang wirklich toll, aber ich musste vorher noch etwas erledigen. «Nein danke. Ich habe bei Layla noch meine Jacke vergessen, wenn ich jetzt schon mal wach bin, gehe ich sie am besten gleich holen.» Kaum war meine Mutter draußen, schwang ich mich auf die Beine und zog mich an. Meine Jacke lag nicht bei Lalya. Ich hatte gar nichts mitgehabt, was ich hätte vergessen können, aber ich musste so schnell es ging zu ihr. Gestern, als ich zuhause war, hatte ich sie angerufen. Wie vereinbart wollte ich mich bei ihr melden, aber sie ging nicht ran. Gestern hatte ich mir noch eingeredet, dass sie vielleicht schon schlafen würde, aber heute Morgen wusste ich es besser. So schnell wäre sie nicht eingeschlafen, noch dazu, weil sie mir gesagt hatte, dass sie wach bleiben wollte.

Ich zog mir noch schnell Schuhe an und verließ dann, ohne weiteres das Haus. Ich ging die gleiche Straße entlang wie gestern. Die gleiche Straße und trotzdem fühlte es sich so anders an. Ich konnte die Bilder von gestern und von jetzt nicht zusammensetzen. Es fühlte sich wie ein Traum an, nur diesmal war ich mir sicher, dass es keiner war

Wenige Augenblicke später stand ich vor Laylas Tür und klingelte. Niemand öffnete. Meine Anspannung stieg, obwohl ich in dem Moment erst bemerkte, dass ich überhaupt angespannt war. Ich klingelte noch einmal. Egal mit was ich gerechnet hatte, es verflog, als sich endlich die Tür öffnete. «Hey Zoe. Komm rein», begrüßte sie mich. Wir umarmten uns kurz und setzten uns auf ihr Sofa. «Ich habe gestern noch probiert dich anzurufen, um dir zu sagen, dass ich es gut nach Hause geschafft habe.» Dass es alles andere als gut und verdammt heikel gewesen war, erwähnte ich lieber nicht. Sie sagte: «Das ist gut. Es tut mir leid, dass ich das nicht mehr mitbekommen habe. Ich muss schon geschlafen haben. Die Sache mit meinem Vater erschöpft mich doch sehr.» Ich nickte langsam bei ihren Worten, dann sagte ich zögernd: «Wegen der Sache habe ich mir auch nochmal Gedanken gemacht. Ich finde es immer noch absurd, aber du hast recht, es klingt schon alles sehr fragwürdig. Ich finde wir sollten dem nachgehen, allerdings sehr, sehr vorsichtig.» Es war genau das, was ich laut meiner Mutter nicht machen sollte, doch die zusätzlichen Informationen, die Layla über den Tod ihres Vaters hatte, waren nicht zu ignorieren. «Wieso nachgehen? Er ist tot.» Wow, dass sie das einfach so stumpf sagte, überraschte mich. «Willst du denn keine Gewissheit?», fragte ich sie irritiert. «Worüber? Darüber wie er umgekommen ist? Ich habe da eine Theorie. Er wurde von einem der anderen drei erschossen. Er wollte sie aufhalten zu fliehen und sie haben ihn gehindert.» Jetzt starrte ich sie fassungslos an. Nicht nur ihre Worte trieben mich dazu, auch ihre monotone Stimme. «Was? Ist das dein Ernst? Das glaubst du doch selber nicht. Du hast doch gesagt, dass...» Ich stoppte, dann sah ich mich um und fragte: «Ist deine Mutter zuhause?» Anders konnte ich es mir nicht erklären. Das war der einzige Grund, der mir verständlich machte warum sie so reagierte. Lalya stand wütend vom Sofa auf. «Nein und das ist auch besser so. Wir versuchen mit allem klarzukommen und wollen nichts nachgehen, was das aufrüttelt. Ich denke es ist besser, wenn du jetzt gehst.» Mit einer Geste deutete sie Richtung Tür. «Ist alles in Ordnung? Gestern...», versuchte ich sie zu verstehen, doch sie unterbrach mich sofort. «Was willst du mit deinem Gestern? Gestern war gestern und heute ist heute. Bitte Zoe ich will so was, was auch immer das ist, nicht. Ich will damit nichts zu tun haben.» Sofort als ihr Satz beendet war, war die Tür hinter mir zu. Was war das bitte gewesen? Sie tat so als hatte sie keine Ahnung wovon ich redete. Wollte sie mich da raushalten und das alleine klären?

«Hallo Zoe, willst du zu Layla?» Erschrocken und verwirrt sah ich zu Laylas Mutter auf. Sie stand mit einer Einkaufstüte vor mir. Sie hatte Ringe unter den Augen und ihre Erscheinung wirkte so erschöpft. «Hal...lo», stammelte ich. *Reiß dich zusammen.* «Nein, da war ich gerade.» Auch wenn ich es versuchte, brachte ich kein Lächeln zustande. «Mein herzliches Beileid», fügte ich noch hinten dran. Bedauernd legte sie mir ihre Hand auf die Schulter und sagte mitfühlend: «Ihr werdet auch bald Gewissheit wegen Isabelle haben. Da bin ich mir sicher und glaube mir, Gewissheit ist besser als die unerfüllte Hoffnung.» Ich nickte stumm und ging ohne weitere Worte. Ich wollte einfach nur zurück nach Hause.

«Hast du deine Jacke wieder?», fragte meine Mutter, als ich mich zu ihr an den Essenstisch setzte. Was für eine Ja..? «Eh nein, ich muss sie wohl doch *hier* irgendwo haben.» Meine Mutter nickte. «Na ja, bestimmt findest du sie wieder. Hier, ich habe dir auch etwas zu essen gemacht.» Dankbar stürzte ich mich auf das Brötchen. Essen war jetzt genau das Richtige.

«Wie geht es Layla und ihrer Mutter?» Ich hielt kurz inne und schaute auf. Ich hatte nicht erwartet, dass meine Mutter das Thema ansprach. Damit konnten wir auch leicht auf Isabelle kommen und da wich sie immer aus, weil sie nicht wahrhaben wollte, dass ihr das gleiche Schicksal widerfahren sein könnte. Nach kurzem Zögern antwortete ich: «Ich denke sie probieren das Beste daraus zu machen. Layla hat gesagt, sie probieren klarzukommen, auch wenn das nicht so schnell gehen wird.» Nachdenklich nickte meine Mutter wieder. «Ich denke auch, dass...» Sie wurde unterbrochen. Es hatte an der Haustür geklingelt. Sie stand auf und ging zu Tür. Intuitiv hätte ich auf Wise getippt, doch dann schlich sich so ein leises Gefühl ein. War es vielleicht doch Layla, die sich entschuldigen wollte? Hatte sie eingesehen wie dumm ein Alleingang war?

«Guten Tag Frau Trima. Ist ihre Tochter auch zuhause?» Die Stimme klang selbstsicher und bestimmt. Mein Herz begann schneller zu schlagen, als ich aufstand und ebenfalls zur Tür ging. Zu Demjenigen der nach mir gefragt hatte. Sacka. Mit jedem Schritt, den ich näher kam, wurden meine Gedanken drängender. Warum war er hier? Hatte dieser Traver mich wegen gestern verraten und ich bekam doch noch die Folgen dafür zu spüren? Oder wusste er was für eine Meinung ich vertrat? Hatte Wise und mich, doch jemand bei unserem Gespräch gehört? *Würde er mich vor meiner Mutter abführen?* Abwartend, was davon geschehen würde, starrte ich direkt in seine grünen Augen. Gefühlte Minuten vergingen bis er fortfuhr und in dieser Zeit, galt sein Blick ebenfalls nur mir. Ein Schauer fuhr meinem Rücken hinunter. Nun richtete er sich an uns beide und sagte: «Es tut mir aufrichtig leid, aber auch Isabelle wurde gefunden.» Meine anfänglichen Gedanken waren wie weggeblasen und mein verzweifelter Wunsch, Isabelle würde noch leben, zerplatzte augenblicklich und fiel in Scherben zu Boden. Meine Mutter stützte sich an der Kommode ab, die neben der Eingangstür stand. Meine Augen füllten sich mit Tränen und meine Angst wich der Trauer. «Wie und wo hat man sie gefunden?», fragte ich geistesabwesend. «Man hat sie draußen, im Wald gefunden. Sie hat eine Schussverletzung. Wir vermuten, dass sie verblutet ist. Eine Beerdigung ist für übermorgen angesetzt. Natürlich nur wenn ihnen das passt. Ich werde mich selbstverständlich um alles kümmern.» Meine Mutter schaute noch einmal zu mir, um sich meine Zustimmung zu holen und dann sagte sie ruhig: «Übermorgen ist in Ordnung.»

«Die Beisetzung findet um 14Uhr statt. Mein herzliches Beileid nochmal.» Mit diesen Worten verabschiedete er sich und ging davon. Als wir die Tür schlossen, fielen wir uns in die Arme. Isabelle war tot. Wir würden sie nie wiedersehen. Ich konnte es nicht fassen. *Wie hatte es so weit kommen können?* Als wir uns lösten waren unsere Augen verquollen. «Was hat sie im Wald gewollt? Weißt du darüber etwas? Sie hätte uns doch von allem erzählt, was sie vorgehabt hätte. Warum davon nicht? Was hat sie da gewollt?», fragte meine Mutter mit einer, von Schluchzern unterbrochenen Stimme. Traurig sah ich sie an. «Ich weiß es wirklich nicht und ich verstehe es auch nicht.»

6 ZOE

In den beiden Nächten vor der Beerdigung schlief ich besonders unruhig. Mein Körper fand nicht wirklich die Kraft alles zu verarbeiten oder wollte es einfach nicht. Als es soweit war, konnte ich mich gar nicht mehr darauf konzentrieren. Es ging nicht in meinen Kopf, sodass ich das Ganze nicht begreifen konnte.

Es war nicht nur Isabelles Beisetzung. Es war die Beisetzung aller vier Vermissten. Man hatte sie alle im Wald gefunden und alle mit einer Schussverletzung. Auch Layla und ihre Mutter waren anwesend. Ich lächelte ihr mitfühlend zu, als sie in meine Richtung schaute, doch genauso schnell hatte sie auch wieder weggeguckt.

Bevor das eigentliche Prozedere losging, wandte sich Sacka an alle, die gekommen waren.

«Nicht nur die direkten Angehörigen, haben jemanden verloren. Wir haben alle, vier unserer Mitmenschen verloren. Wir werden die Bedrohung, die sich über uns alle legt finden und bald schon Gewissheit haben...» Er redete noch einige Minuten weiter, doch ich konnte ihm nicht richtig zuhören. Ich konnte nicht an Isabelle denken, so wie ich es eigentlich tun sollte. Das einzige was ich konnte, war Sacka anzustarren wie er seine mitfühlende und betroffene Rede hielt.

Und der einzige absurde Gedanke, den ich dabei hatte war: Wenn stimmt, was Layla gesagt hatte, dann probierte gerade niemand geringeres, als der Mörder der vier, uns Trost zu spenden.

7 ZOE

Pünktlich zum Glockenschlag wurden wir entlassen. Das war mein letzter Schultag gewesen. Nicht nur wegen der Ferien, die morgen anstanden, sondern auch wegen meinem Abschluss. Ich war offiziell durch mit der Schule. Jeder verließ sie mit 18 Jahren. So war die Regel. Bildung bis 18, danach ein Jahr Pause und dann «Einstieg in die Gesellschaft», wie es allgemein hieß. Jeder bewarb sich bei einem der vertretenen Berufsbereiche. Ich hatte mir nie richtig vorstellen können was für mich später in Frage käme, aber das brauchte ich auch gar nicht laut meiner Mutter. Sie war der festen Ansicht, dass ich ihren kleinen Laden weiterführen würde. Er lag ein paar Querstraßen von hier entfernt. Er unterschied sich in einem Punkt von den anderen. Meine Mutter bot neben der standardmäßigen Importware, auch noch heimische Produkte an. Die Ernte der Bäume, die in der Nähe des Waldrandes standen bildeten den Hauptteil davon. Zusätzlich hatten manche Bewohner hinter ihrem Haus kleine Baumansammlungen, die leckere Früchte trugen und einige züchteten sogar selber Gemüse im Garten. Jedes Mal wenn sie mehr, als nur für ihren eigenen Bedarf übrig hatten, gaben sie es meiner Mutter, die sie dankend zum halben Preis weiterverkaufte, da die heimischen Waren schneller schlecht wurden, als die,

die von Sackas Leuten ins Dorf geliefert wurden. Zumindest verliehen die Preissenkung und das heimische Angebot dem Laden meiner Mutter etwas Besonderes. Ich weiß nicht wie die Gesetze dazu standen, aber man duldete es. Ich hatte ihr schon oft ausgeholfen. Nicht nur beim Pflücken, sondern auch an der Kasse. Meine Mutter meinte dazu immer, dass ich so schon mal Erfahrungen sammeln konnte für später. Ich konnte mir nicht vorstellen für den Rest meines Lebens dort zu arbeiten, aber wie gesagt, konnte ich mir noch nie so richtig vorstellen, was für mich in Frage käme. Bis jetzt sah alles danach aus, dass sich der Wunsch meiner Mutter bewahrheiten würde. *Wer würde den Laden sonst übernehmen? Und was sollte ich stattdessen machen?*

Vor dem Gebäude wartete ich auf Wise. Wir wollten diesen Tag gemeinsam feiern. Das hatten wir uns fest vorgenommen und ich tat ihm den Gefallen. Wise kam wenig später auf mich zu, doch er sagte mir, dass er noch etwas zu erledigen hatte und ich später bei ihm vorbeikommen sollte. So trat ich alleine den Weg nach Hause an.

Kaum war ich losgegangen da kam ich auch schon an dem Fabrikgelände vorbei. Ein riesiger Maschendrahtzaun war um das Gelände aufgestellt. Auf der riesigen Asphaltfläche standen vereinzelt Transporter und Jeep ähnliche Wagen. Dunkelblaue

Uniformierte liefen vereinzelt herum. Innerlich lachte ich ironisch auf. Ausgerechnet das alte Krankenhaus diente ihnen als Unterkunft, dabei war ein Krankenhaus das komplette Gegenteil.

Ich ging meinen Weg weiter. Schienen führten rechts von mir aus dem Dorf raus und wieder rein, doch sie waren schon seit Jahren stillgelegt wurden. Züge waren lange nicht mehr im Einsatz. Früher wurde das Dorf so mit Lebensmitteln versorgt, doch Sacka hatte wohl einen, für ihn besseren Weg gefunden. Wahrscheinlich mit seinen Transportern.

Mein Weg führte mich ein Stück weiter nach rechts, dort gelangte ich direkt auf die relativ kleine Hauptstraße. Die größten Häuser und die meisten Läden mündeten an ihr. Als ich näher kam sah ich eine kleine Gruppe von Soldaten, die von einem ihrer Außeneinsätze zurückgekehrt war. Keiner hatte eine Ahnung, was sie dort draußen wirklich taten. *Wie auch?* Bewegungslos blieb ich stehen und beobachtete sie. Einige taten es mir gleich und jeder der hier Anwesenden machte den Eindruck als würden sie sie verehren und wollten einen guten Eindruck machen, aber ich kannte den wahren Grund: Angst. Sie hatten Angst vor ihnen und aus Angst machten sie alle das, was man mehr oder weniger von ihnen verlangte.

Ich kam wenig später zuhause an. Niemand war da.

Nichts anderes hatte ich erwartet. Meine Mutter arbeitete meistens bis fünf Uhr im Laden.

Auf dem Weg zur Treppe stoppte ich. Irgendetwas fühlte sich komisch an. Ich blickte mich im Raum um. Es war alles wie immer. Der Fernseher stand neben der Haustür und auch das rote Sofa zusammen mit dem großen Sessel stand wie gewöhnlich, dem Fernseher gegenüber. In der Küche dahinter, mit dem Essenstisch, konnte ich auch nichts erkennen was anders war. *Paranoid*, dachte ich. Ich bildete mir schon Sachen ein.

Ich löste mich aus der Starre und ging die Treppe hoch, verstaute meine Tasche und ging wieder runter. Vielleicht war Wise mittlerweile schon zuhause. Ich schnappte mir einen Apfel aus der Küche und schloss die Haustür hinter mir.

Zu Wises Haus war es nicht weit. Ich ging die Straße entlang, die in die entgegengesetzte Richtung vom Schulweg führte. Was mir auch ganz recht war. Am Ende der Straße bog ich links ab. Unbewusst ging ich mitten auf der Straße. Anscheinend war das eine Angewohnheit.

Am Ende der Straße war Wises Haus schon zu sehen. Ein kleiner Rosenstrauch wuchs im gepflegten Vorgarten. Sein Vater kümmerte sich immer darum, dass alles ordentlich aussah. Ich öffnete das Gatter und ging den kleinen gepflegten Weg zur Haustür und klingelte. Seine Mutter öffnete. Kurz nickte ich ihr, mit einem Hallo und einem Lächeln zu. «Ach schön dich zu sehen, Zoe. Wise ist nicht Zuhause. Wolltet ihr nicht was zusammen machen?»

«Ja genau, aber erst später. Er hat vorher noch was zu erledigen. Ich dachte er wäre vielleicht schon fertig, aber dann warte ich einfach im Park auf ihn.»

«Okay ist gut, ich richte es ihm aus. Schönen Tag noch. Grüß deine Mutter.»

«Ja mach ich und danke gleichfalls.» Auch kein Problem, dann würde ich mich einfach auf eine Bank setzen, warten und die frisch Luft genießen, bis er da war. Er wusste dann schon wo ich sitzen würde, schließlich saßen wir öfters dort.

«Hey.» Wise begrüßte mich schon von weitem. Seine Jacke war ihm etwas zu groß, was ihn direkt kleiner erscheinen ließ, als er in Wirklichkeit war. Sein Lächeln war aufrichtig und freudig.

«Hey», begrüßte ich ihn zurück, als er sich neben mich setzte.

«Wartest du schon lange?»

«Ich war nur kurz zuhause und bin dann los, also ich war sowieso zu früh dran, aber jetzt bist du ja schon hier. Anscheinend ging es ja schnell?», erwiderte ich lächelnd.

«Ja es hat tatsächlich nicht lange gedauert. Ich musste nur was abklären.» Anscheinend wollte er nicht näher beschreiben, worum es da ging und ich hakte auch nicht nach.

Dann schaute er mich von der Seite an. Sein Blick war mitfühlend als er fragte: «Wie kommst du klar?» Er meinte Isabelle und ihre Beerdigung. Das erkannte ich an seiner Stimme und der Haltung. Es war das erste Mal, dass er mich seit ihrer Beerdigung darauf ansprach und es hatte den Eindruck, dass er sich jetzt immer noch nicht sicher war, ob dies der richtige Augenblick war. Aber es war klar, dass es diesen Augenblick im Grunde nicht gab, also ersparte ich ihm meine tiefere Trauer, von der wir beide wussten, dass sie da war und probierte sachlich zu bleiben. «Es fühlt sich anders an, als die Zeit wo sie «nur» verschwunden war. Aber es ist nicht erleichternd oder besser wie Laylas Mutter gemeint hat. Es ist einfach nur beklemmend und zerrissen. Anders kann ich es nicht beschreiben. Aber ich denke insofern komme ich klar, ja.» Wise nickte verständnisvoll.

«Hast du nochmal mit Layla gesprochen? Wie geht es ihr?» Ich schüttelte den Kopf.

«Sie will abschließen, genau wie ich eigentlich, aber mich zusehen ist wohl im Moment nicht der beste Weg für sie.» Wise wusste nichts von Laylas Überlegungen

67

und auch nicht von ihrem seltsamen Verhalten. Erstens würde Wise sich darüber gar nicht mit mir unterhalten und außerdem wollte ich ihm keine Gedanken geben, die ihn in Gefahr bringen konnten.

«Hast du die Parade gesehen?» Ich vermutete, dass er mich ablenken wollte. Kein gutes Thema, aber es lenkte mich wahrlich ab.

Ich antwortete ihm mit einem abschätzigen Auflachen. «Parade trifft es gut. Dass darum so ein Wirbel gemacht wird. Ja habe ich gesehen.» Sein Blick wirkte kurz enttäuscht, aber wahrscheinlich wegen etwas anderem.

«Es ging plötzlich alles so schnell, findest du nicht auch?» Wise sprach es an.

«Was meinst du mit *Alles*?»

«Alles, einfach Alles. Ich weiß auch nicht.» Gleichzeitig veränderten wir unsere Sitzposition auf der Bank. Er setzte sich gerader hin und ich schlug meine Beine übereinander. Es wirkte fast wie einstudiert. Wenn es so etwas wie Synchronumsetzung gab, dann würden wir bestimmt den ersten Platz belegen. Diesen Gedanken hatte ich als Wise von dem «schnellen Alles» redete. Vielleicht meinte er das Leben oder die Welt oder die Zeit an sich. Ich wusste es nicht. Aber es brachte mich zum Nachdenken.

«Erinnerst du dich noch daran wie wir uns kennengelernt haben?», fragte ich plötzlich. Als ich sprach sah ich ihn nicht an und aus dem Augenwinkel sah ich, dass er ebenfalls nach vorne blickte. «Wahrscheinlich durch unsere Eltern oder so», sagte er beiläufig.

«Ja kann sein, aber ich meine erinnerst *du* dich noch daran? Ich tue es nämlich nicht mehr.» Skeptisch sah er mich von der Seite an.

«Ist das denn so wichtig?»

«Keine Ahnung. Vielleicht.» In meinen Händen hatte ich immer noch den Apfel aus der Küche. Er hatte eine geradezu verzaubernde rote Schale und er glänzte unwiderstehlich. Bei seinem Anblick knurrte mein Magen. Ich fasste es mal als Vorfreude auf. Wise hatte es auch bemerkt. Belustigt sah er mich an, als plötzlich auch sein Magen anfing Geräusche von sich zu geben. Der nachdenkliche Moment war vorbei und ich war irgendwie froh darüber.

«Da wird man ja glatt neidisch.»

«Tja, aber auch nur das, ab bekommst du nämlich ganz sicher nichts.»

«Will ich auch gar nicht.» Er schenkte mir eine Grimasse und verzog dabei seine hellen Augenbrauen in die unmöglichsten Positionen. Es wirkte so als wären sie außer Kontrolle. Das machte er oft. Besonders wenn er mich zum Lachen bringen wollte, was ich auch jedes Mal tat. «So? Und wie willst du dann deinen Hunger stillen?», neckte ich ihn. Mit meiner, den Apfel haltenden, Hand wedelte ich vor seinem Gesicht herum, um ihn noch mehr zu ärgern. Ich wartete auf den richtigen Moment wo er ihn fixierte und vermutlich am liebsten mir aus der Hand geschlagen hätte und dann biss ich rein. Mein ganzer Mund wollte sich am liebsten zusammenziehen. Aber ich machte noch einen Bissen und noch einen und bei jedem Mal machte ich ein seeliges Gesicht um ihm vorzugaukeln wie lecker er war. Innerlich hätte ich ihn am liebsten wieder ausgespuckt, denn er war super sauer. «Iss du nur deinen wahrscheinlich drei Tage alten Apfel, ich hole mir einen frischen, kommst du mit oder bist so tief in den Genuss gekommen?» Er spottete über mich, zwar spaßig, aber das konnte ich nicht auf mir sitzen lassen. Ich nahm noch einen großen Bissen und bereute es gleich wieder. «Ohh, Darling. Er ist einfach nur atemberaubend. Ich...ich kann kaum sprechen.» Ich konnte tatsächlich kaum sprechen. Mein Mund war voll, weil ich ihn nicht runterschluckte.

«Du spinnst doch.» Lachte er los und ich lachte mit. So sehr, dass beinahe alles wieder raus gekommen wäre. Woraufhin er mich noch mehr auslachte. «Ich meine es ernst. Kommst du mit, einen frischen holen? Bei den Millers müsste es doch noch welche geben, oder?»

«Ja, oder da hinten.» Ich zeigte in eine Richtung. Keine Ahnung ob da Apfelbäume waren oder nicht. Er musste einfach nur kurz weggucken, damit ich das Gesicht verziehen konnte, um die Stücke herunterzuschlucken. «Haha, wo sind da bitte Bäume?» Er drehte sich wieder zu mir und schon war mein saures Gesicht verschwunden.

«Wo willst du hin?», rief ich ihm hinterher als er plötzlich aufsprang. «Welchen Teil von; *einen frischen holen* und *ich meine es ernst, hast du nicht verstanden?*» In zwei Sekunden war auch ich aufgesprungen und ging neben ihm. «Wir können auch zu dem Laden meiner Mutter. Sie wird dir sicher einen geben.»

«Ja bestimmt, aber das wäre doch langweilig oder nicht?» Ein bedeutendes Grinsen seinerseits. Wise war auf einmal so euphorisch, so begeistert, dabei war es nur ein Apfel. Keine Ahnung warum, aber es gefiel mir. Es war mal etwas anderes als seine sonst so ruhige Seite, weshalb ich ihn nicht abhalten wollte. Während ich ihn von der Seite beobachtete, fiel mir auf, dass seine Hände in seinen Hosentaschen waren. Das machte er oft, eigentlich immer. Jeder hatte seine Angewohnheiten und das war seine. Er war ein netter lustiger Typ und noch dazu der beste Freund, den man sich wünschen konnte.

«Stopp.» Irritiert schaute ich ihn an, als er plötzlich stehen blieb, sich zu mir umdrehte, um seine Hände auf meine Schultern zu legen.

«Was ist?» Ich konnte nicht anders als zu lächeln, weil sein Lächeln so ansteckend war.

«Vorhin als ich meinte, dass ich noch etwas erledigen muss, da habe ich mit Sacka gesprochen.» Bei dem Namen verging mein Lächeln. Ich verkrampfte innerlich, konnte es nicht kontrollieren. Ich setzte schnell wieder ein Lächeln auf, auch wenn es vermutlich sehr gequält aussah. «Und ich hab ihn gefragt ob er noch Platz für jemanden wie mich hätte.» Ab jetzt konnte ich allerdings kein Lächeln mehr über mich bringen. Wovon sprach er? «Wo? Einen Platz wo?» Meine angespannte Haltung schien ihm nicht aufzufallen.

«*Das* meinte ich mit dem *schnell*. Wir müssen uns entscheiden und ich plane bereits meine Zukunft. Es ging um einen Platz bei der Soldateneinheit und weißt du was? Er hat gemeint, dass die Chancen gut stehen. Eigentlich wollte ich es dir noch nicht erzählen. Erst wenn es richtig feststeht, aber ich kann nicht länger warten. Ich bin so aufgeregt.»

«Was? Du willst einer von denen werden?» Ich sah, dass meine Worte ihn verletzten, aber das konnte er doch nicht ernst meinen. Er wollte einer von denen werden? Einer von denen, die dafür sorgten, dass wir hier drinnen blieben und die uns mit Waffen bedrohten? Er hielt doch selber nichts davon, zumindest hatte ich das immer gedacht. «Weißt du Zoe, Sacka kümmert sich außerdem außerordentlich gut um sein Gefolge. Es würde mir und meinen Eltern an nichts fehlen. Es sind nicht umsonst so viele Sackas Anhänger.»

«*Sackas Anhänger*, wie das schon klingt.»

«Versteh doch, dann sorge ich für Ordnung und all das.»

«Ordnung, dass ich nicht lache», lachte ich auf. Er klang nicht mehr so euphorisch und rechtfertigte sich stattdessen: «Die Leute werden mich feiern. So wie die Parade. Dann bin ich ein Held.» Seine Worte erinnerten mich an ein Kind, dass ein Superheld sein wollte, nur dass er kein Kind mehr war und die Soldaten in keinem Fall Helden. Seine Hände gingen runter von meinen Schultern und ich wurde wütend. Ich fuhr in einem sarkastischen Ton fort. «Wenn es dir nur darum geht, da gibt es ganz andere Wege, zum Beispiel uns aus dieser Gefangenschaft zu befreien. Ich will raus. Ich will endlich frei sein. Wir werden hier eingesperrt wie Tiere, dürfen nicht raus, werden kontrolliert und unterliegen einer Ausgangssperre. Das willst du unterstützen? Vielleicht hat Sacka sogar die vier Vermissten auf dem Gewissen.» Bevor ich merkte, dass wir uns in der Öffentlichkeit befanden, war es auch schon geschehen. Leute um uns herum starrten mich an. Ihre Blicke waren gemischt zwischen Entsetzen und Ungläubigkeit. Wises Blick war erschrocken. Ihm war genauso klar wie mir, in welche Gefahr uns das brachte.

Ich war mir nicht einmal sicher ob ich selber die Theorie mit den Vermissten glaubte, aber die Worte waren mir einfach so raus gerutscht.

«Komm los, lass uns hier abhauen.» Wise packte, ohne auf eine Reaktion von mir zu warten, die wahrscheinlich erst viel zu spät gekommen wäre, meinen Arm und zog mich hinter ihm her. Wir rannten eine Straße entlang und hielten erst hinter der nächsten Häuserecke an. «Oh Mann, wie konntest du das sagen?», fuhr er mich, außer Atem an. Der leichte Schock legte sich etwas. Herr Lente hatten sie wegen weitaus weniger abgeholt. Ich hatte Angst, was man mit *mir* machen würde, wenn man mich deshalb zu Sacka schicken würde. Doch trotz der Angst, kam auch mein Ärger wieder. «Ein Wunder, dass du mit mir abgehauen bist. Wenn du einer von ihnen werden willst, hättest du mich lieber zu Sacka bringen sollen.» Ich sprach leiser als vorher, trotzdem hörte man wie wütend ich war. «Was soll das? Warum sagst du so etwas? Ich würde das niemals machen!» Er war ebenfalls wütend. «Das wirst du aber müssen als Soldat. Das ist dir doch hoffentlich klar», setzte ich noch einen drauf. Er fuhr sich mit der Hand durchs Gesicht. «Ich versteh dich ja. Okay du fühlst dich verraten, aber verstehst du auch mich? Es wäre etwas Sinnvolles und außerdem steht doch noch gar nichts fest.» Etwas *Sinnvolles*? Natürlich kann jeder seine eigene Meinung haben, aber es war verdammt schwer die der anderen auch zu akzeptieren. Vor allem wenn sie wie Wises Meinung, für mich so unvorstellbar verdreht und unverständlich war. Wahrscheinlich hatte er meinen abwertenden Ausdruck gesehen, denn er fügte noch hinzu: «Und es tut mir leid, aber ich bin nicht deiner Ansicht.»

«Hab ich schon gemerkt.» Meine Antwort kam schnell, meine Stimme klang geschlagen und erdrückt. Plötzlich fühlte ich mich so allein und verlassen. Wir standen uns gegenüber und trotzdem war es so, als stand ich alleine hier. Erst als er seine Hände hob und mein Gesicht in sie nahm, war er wieder *da*. «Aber ich würde nie etwas tun, was dir schadet.» Mit diesen Worten kam er näher und seine Lippen berührten meine. Der Kuss kam unerwartet. Es fühlte sich an als trafen unsere Lippen aufeinander wie zwei fremde Welten, die sich zu einer einzigen zusammenschlossen. Seine Lippen schmeckten staubig und ich war mir nicht sicher, ob mir das gefallen sollte oder nicht. Aber um Himmelswillen, das war mein erster Kuss, ich wusste ja nicht mal, was mir überhaupt gefiel. Als wir uns lösten, trafen sich unsere Blicke. Etwas in seinem Blick hatte sich verändert, das spürte ich sofort als ich in seine Augen sah, aber keiner von uns sagte etwas dazu oder probierte es in Worte zu fassen, zumal ich es nicht mal beschreiben konnte. «Ich...ich denke ich muss jetzt los», stotterte ich, als es mir langsam unbehaglich wurde und ließ ihn stehen.

Unbehaglich hatte ich mich noch nie mit ihm gefühlt.

8 ZOE

In den darauffolgenden Tagen verstrich die Zeit unendlich langsam. Ich fühlte mich so alleine. Wise hatte ich seit dem Kuss nicht mehr gesprochen. Ich glaubte wir beide mussten uns erst einmal klar werden, was das für uns bedeutete. *Uns.* Irgendwie klang das so...seltsam, zumindest in diesem Zusammenhang.

Zu viele Dinge schwirrten mir durch den Kopf und jetzt war auch noch der Kuss dazu gekommen. Je öfter ich über Isabelle und Sacka nachdachte, desto öfter kam auch der Gedanke an den Soldaten Traver, der mir geholfen hatte. Ich hatte immer noch keine Antwort für sein Verhalten. Layla hatte mir, mittels aus dem Weg gehen und ignorieren, deutlich gezeigt, dass sie nicht nur mit meinen Worten, sondern auch mit mir nichts mehr zu tun haben wollte. Und zwar nicht nur für eine bestimmte Trauerzeit, so wie ich es anfänglich angenommen hatte, sondern wie es aussah generell.

Isabelle war tot und meine Mutter würde mir gar nicht bis zum Ende zuhören und mich ausreden lassen, falls ich mit ihr über Laylas Worte oder Isabelle reden wollte. Wenn ich so drüber nachdachte war Isabelle die Einzige, die mich verstehen könnte und meine Auffassung teilen würde. Ich vermisste sie.

«Ich hatte mich nicht verabschieden können», murmelte ich. Durch die lange Zeit in der wir gebangt hatten, fühlte es sich nicht wirklich an, dass jetzt ihre Beerdigung gewesen war.

«Was hast du gesagt?»

«Was?», erschrocken horchte ich auf. Meine Mutter hatte ich ganz vergessen, die mit mir am Essenstisch saß. «Äh nichts. Schon gut ich habe nur nachgedacht. Wolltest du mir nicht vorhin was erzählen?», lenkte ich auf sie.

«Ja und ich *habe* es dir auch schon gesagt. Die Mutter von der kleinen Lotta hat mich gebeten ihr am Nachmittag etwas auszuhelfen. Ich weiß zwar nicht wie lange genau das dauern wird, aber ich denke nicht länger als ein paar Stunden. Wenn du willst kann ich sie fragen was sie davon hält, wenn du mitkommst. Lotta würde sich bestimmt freuen.» Ich nickte.

«Bestimmt. Nur ich weiß nicht ob ich mich heute darauf einlassen kann.»

«Ach begleite mich doch einfach, dann siehst du es doch. Du kannst ja jederzeit wieder gehen.» Ich willigte ein. Allein schon, weil ich mich freute bei Lotta hoffentlich ein Lächeln zaubern zu können.

Wir klingelten bei Frau Piller an der Haustür. Mit einer Schürze umgebunden und Mehl an der Kleidung begrüßte sie uns. «Wie schön euch zu sehen. Kommt rein. Gerade rechtzeitig. Ich glaube ich habe beim

Bestreuen der Kuchenform mehr Mehl auf mir als in der Form verteilt und es ist noch so viel zu tun.» Ja der Meinung war ich auch. Speziell an mich, richtete sich Frau Piller in einem flüsterten Ton: «Gut, dass du da bist. Das lenkt Lotta davon ab, andauernd in der Küche vorbeizukommen, um nach ihrer Geburtstagstorte zu schauen. Sie ist in ihrem Zimmer.» Ich lächelte.

«Dafür bin ich da.»

Meine Mutter verschwand mit ihr in der Küche und ich ging zu Lottas Zimmer. An der geschlossenen Tür hingen Zeichnungen, die sie gemalt hatte. Bilder von Blumen und Sonnen, von großen Wiesen und dem Meer. Auch wenn es wahrscheinlich typische Zeichnungen für ihr Alter waren, hatte es den Anschein, dass sie sich mit ihren Bildern auch nach *mehr* sehnte. Ich klopfte. Ein leises «jaa?» drang durch die Tür. Ich hatte sie wirklich lange nicht mehr gesehen. Im Traum war sie aufgetaucht, doch an das letzte richtige Mal konnte ich mich schon gar nicht mehr erinnern. Früher hatte ich öfter auf sie aufgepasst.

Vorsichtig öffnete ich die Tür. Sofort stürmte Lotta auf mich zu, als sie mich erkannte und umarmte mich. Oder besser gesagt meine Beine. Dabei rief sie freudig meinen Namen: «Zoeeeee!!» Mit ihren mittlerweile fünf Jahren war sie immer noch so zuckersüß und hübsch wie beim letzten Mal, als ich sie gesehen hatte. Nur ihre blond-braunen Haare waren länger geworden und sie trug jetzt einen Pony, der ihr frech in die Stirn fiel.

«Hey meine Kleine. Wir haben uns lange nicht mehr gesehen.» Eifrig nickte sie, während sie sich löste. «Viel zu lange. Komm mit, ich zeig dir mein Zimmer.»

«Was? Aber ich kenne dein Zimmer doch schon», lachte ich.

«Aber nicht mein neues Spielzeug.» Sie zog mich an der Hand auf den Boden und ich hockte mich zu ihr. Ich wusste, dass Frau Piller die Sachen von anderen geschenkt bekam, trotzdem waren sie noch so gut wie neu. Lauter Figuren und Bauklötze lagen verstreut herum und Lotta begann alles hinzustellen und zu jeder Figur etwas zu sagen. Und zwar wirklich zu **jeder**.

So verging eine gefühlte Ewigkeit, in der ich ihr zuhörte und ihre Augen nur noch mehr leuchteten, wenn ich ihr eine Frage dazu stellte. Doch irgendwann lenkte ein Bild von ihr meine Aufmerksamkeit auf sich. Es zeigte sie, ihre Mutter und ihren Vater. Mein Blick wurde ernster. Leider war Herr Piller vor einiger Zeit gestorben, deshalb war ich auch so verwirrt gewesen, dass ich von ihm geträumt hatte und er lebte. In Wirklichkeit war er damals einfach umgekippt und war viel zu früh gegangen. Viel zu früh für die kleine Lotta. *Sie hatte schon viel durchgemacht*, dachte ich traurig. Sie musste es bemerkt haben, denn plötzlich hörte sie auf zu reden und schaute ebenfalls zu der Wand mit dem Bild.

«Magst du es nicht?», fragte sie mit großen Augen.

Sofort begann ich wieder zu lächeln.

«Doch sehr.» Trotz meiner Worte veränderte sich ihre Miene nicht. «Bist du müde?», fragte sie plötzlich. «Müde? Wieso?». Ich blinzelte erstaunt über diese Frage. «Manchmal bin ich wach geblieben und habe gewartet falls Papa wiederkommt. Aber Mama hat dann immer gesagt, das ist jetzt etwas anderes. Papa ist jetzt in der Traumwelt und wartet da auf mich und dafür muss ich schlafen. Bleibst du auch manchmal wach falls Isabelle wiederkommt? Sie ist jetzt auch in der Traumwelt und es ist jetzt genau andersherum. Du musst schlafen um sie zu sehen.» Ich sah in ihre zuckersüßen Augen, als sie mir diesen Rat gab damit umzugehen. Ich konnte nicht anders, als sie in den Arm zu nehmen und ihr zu sagen: «Das werde ich mir merken. Danke.» Es klopfte an der Tür, als ich mich von ihr löste. Frau Piller schaute herein. «Es wird Zeit gleich ins Bett zu gehen.» Lotta blickte entsetzt und wollte gerade protestieren, da kam ich ihr zuvor. «Du willst doch früh wach sein und die ganzen Geschenke auspacken.» Meine Worte wirkten perfekt, denn ihre Augen weiteten sich diesmal vor Freude und sie stürmte ins Bad, um ihre Zähne zu putzen. Mit Zahnpastaschaum überall um ihren Mund und der Zahnbürste zwischen den Zähnen kam sie nach zwei

Sekunden wieder zurück und nuschelte: «Mama, kann Zoe mich ins Bett bringen? Bitte, bitte.» Frau Piller konnte nur lächeln bei diesem Anblick und sagte: «Das habe ich mir schon gedacht. Natürlich.» Mit den Worten verschwand sie wieder und auch Lotta verschwand im Bad, um alles zu erledigen. Währenddessen zog ich ihre Vorhänge zu. Als sie wieder kam, sprang sie von alleine ins Bett und wartete. Ich setzte mich zu ihr an die Bettkante und deckte sie zu. «Morgen früh wird ein aufregender Tag, also schlaf gut, damit du auch viel davon hast.» Lotta sah mich mit ihren Kulleraugen an. «Zoe, du musst keine Angst haben.» Wie kam sie darauf? Erweckte ich den Eindruck Angst zu haben? Denn um ehrlich zu sein, hatte ich die. Schweigend sah ich zurück. Sie meinte es ernst. Ich nickte und lächelte bei den starken Worten.

«Träume schön, Kleine.» Danach lehnte ich ihre Tür an und ging zu den anderen in die Küche.

«Lotta ist jetzt im Bett», sagte ich. Sofort sprangen mir die zwei Kuchen und einige Geschenke, die auf dem Tisch lagen ins Auge. Ich zeigte darauf. «Darüber wird sie sich tierisch freuen. Es sieht fantastisch aus.» Fast im Gleichklang sagten beide freudig: «Danke.» Nach einer Pause wandte ich mich an meine Mutter: «Ich gehe dann jetzt los. Ich muss noch was erledigen. Viel Spaß euch morgen.»

«Ist gut. Ich komme dann auch demnächst, wenn wir

82

hier alles weggeräumt und noch etwas geschmückt haben.»

«Dich wiederzusehen tat ihr gut», sagte Frau Piller zu mir beim Rausgehen und ich erwiderte: «Mir auch.»

Mir auch. Sie wusste ja gar nicht wie sehr diese Worte gewichtet waren. Lotta hatte mich auf eine Idee gebracht. Ich wollte mich von Isabelle verabschieden und zwar richtig. Nicht diese Beerdigung mit all den vielen Leuten. Obendrein noch von *Sacka* arrangiert. Das war kein richtiger Abschied gewesen. Nicht für sie und nicht für mich. Mir fiel nur ein Ort ein, an dem ich das am besten machen konnte. Der Ort an dem sie zuletzt gewesen war. Der Wald.

Mein Verstand registrierte die Gefahr und die Folgen, die das mit sich ziehen konnte. Aber durch mein Gefühl konnte ich an nichts anderes denken, als den Umstand, dass niemand mir verwehren konnte, Abschied zu nehmen. Kein Verbot, kein Sacka. Ich musste das einfach machen. Und da die Stimmen der Vernunft ausblieben hörte ich nur Lottas Stimme, die nachhallte: *Zoe, du musst keine Angst haben.*

9 ZOE

Zugegeben, auf dem Weg zum Waldrand wurde ich allmählich immer langsamer und ich merkte wie mein Herzschlag anfing schneller zu werden, aber ich hatte diesen Entschluss gefasst und deshalb drängte ich meine Beine Straße für Straße weiter. Ich wusste nicht in welchem Teil des Waldes Isabelle genau gewesen war, daher machte ich mir auch keine Gedanken darüber, wo ich ihn betreten sollte.

Nur wenige Augenblicke später hatte ich ihn auch schon erreicht und ich hielt mich nicht daran auf, mich noch einmal umzudrehen. Ab jetzt wäre so oder so jedem der mich gesehen hätte klar, was ich vorhatte. Über mir bildeten die Bäume ein schützendes Dach und komischerweise fühlte ich mich geborgen. An dem Ort wo vier Menschen tot aufgefunden wurden.

Es war zwar noch Sommer, doch die ersten Blätter lagen schon auf dem Boden. Das Knistern und Rascheln einzelner fallender Blätter erfüllte mich und ich zog meine Jacke noch ein wenig enger, als ein leichter Abendwind um die Stämme wehte. Die Luft verspürte ich als viel milder und frischer. Die ganze Atmosphäre war auf eine wunderbare Weise so atemberaubend, dass ich mir wie an einem anderen Ort vorkam. Die Bäume unterschieden sich in ihrer Größe, wie in ihrer Art. Mal dicke Stämme und mal dünne.

Vorsichtig ging ich zum nächsten dickeren Baumstamm und strich mit meinen Fingern über die raue Rinde. Sie war uneben und bröckelig.

Ohne ein Ziel oder einen Plan ging ich einfach immer weiter geradeaus. Als ich mich nach einer Weile umdrehte, konnte ich nur noch Bäume und Sträucher sehen. Das Dorf verbarg sich dahinter.

Zwischenzeitlich ließen Vögel mich auf der Stelle verharren und ich blickte mich angestrengt um, ob es sich nicht doch um Etwas anderes oder sogar um einen Menschen handelte? Aber ich konnte nie etwas erkennen, daher probierte ich meine Angst und die Unbehaglichkeit beiseite zu schieben, um mich dem zu widmen, weshalb ich hergekommen war. Meine Gedanken wanderten zu Isabelle. Hier war sie gewesen, zwischen den Bäumen und Blättern. Eigentlich ein schöner, ruhiger Ort, doch trotzdem kamen mir Tränen oder gerade deshalb. *Wer konnte schon wissen wie es wirklich passiert war?* Sacka hatte gesagt, dass auch sie angeschossen wurde. Dass sie verblutet sei. War das überhaupt so möglich? Hätte sie die Wunde nicht stillen können? Plötzlich hielt ich inne. Diesmal war ich mir sicher keinen Vogel gehört zu haben. Ich horchte ein zweites Mal. Das waren eindeutig Stimmen und zwar von vorne. Sofort ging ich hinter den nächstgelegenen dicken Stamm in Deckung. Mein Herzschlag raste. *Waren das Sackas Soldaten?* Was für eine dumme

Frage, natürlich waren sie das. Sonst wäre niemand so dumm hierher zu kommen. Krampfhaft versuchte ich zwischen den Baumreihen vor mir etwas zu erkennen. Aber ich konnte niemanden sehen. Rein gar nichts schien sich zu bewegen. *Kamen sie überhaupt von Vorne?* Vorsichtig blickte ich hinter mich. Aber da war auch niemand. Bevor ich das nicht wusste, konnte ich mich unmöglich hier weg bewegen. Wieder waren die Stimmen zu hören. Diesmal konnte ich deutlich lokalisieren, dass sie wirklich von vorne kamen. Sie mussten näher gekommen sein. Vielleicht war es eine Patrouille. Unerwartet wurden die Stimmen wieder leiser. *Patrouillierten sie außerhalb oder innerhalb des Waldes?* Das ließ sich einfach herausfinden, wenn ich es bis zum Waldrand schaffte. Dann würde ich sie sehen können, wenn sie tatsächlich draußen patrouillierten. Zu wissen wo sie waren war auf jeden Fall besser, als unwissend weiterzugehen oder mich zu verstecken. Zusätzlich war trotz der Gefahr, meine Neugier geweckt. *Was befand sich hinter dem Wald?* Vorsichtig schlich ich zu einem Baum weiter vorne und von dort zum nächsten. Ich war so oder so in Gefahr, warum sollte ich nicht probieren vielleicht dabei noch etwas herauszufinden. Langsam kam ich soweit voran, dass ich sehen konnte wie die Bäume weiter vorne nicht mehr so dicht beieinander standen und sich lichteten. Doch das war nicht das Einzige. Ich sah zwar keine Menschen, aber ich sah einen Zaun. Einen Zaun aus Gittern, der das ganze Stück einzäunte. Von einem Zaun war nie die Rede gewesen. Natürlich war klar, dass die Verbote uns einsperrten, aber dass wir es tatsächlich die ganze Zeit waren, war für mich wie ein Schlag ins Gesicht. Mein Magen verkrampfte. Ich wollte zu dem Zaun rennen und versuchen ihn zu überwinden. Wollte sehen ob ich es schaffen konnte, doch genauso gut wusste ich, dass ich schon viel zu weit gegangen war. Über meine Brust legte sich ein drückendes Gefühl. Ich fühlte mich wie ein Tier in einem Käfig und so schlimm und real hatte es sich noch nie angefühlt. Ich hatte Sackas Worte ernst genommen, glaubte auch, dass Sinn und Zweck dahinter nach wie vor, seine Machterweiterung war. Aber ich hatte noch nie das Ausmaß so klar und bewusst vor mir gesehen wie ich es jetzt verspürte. Es war wie, wenn man etwas Schlimmes erzählt bekommt. Man ist erschrocken, entsetzt und man weiß es ist schlimm, aber man hat nicht die gleichen Eindrücke und Gefühle, wie Derjenige, der es erlebt hat. Für den Erlebten ist es nicht einfach nur eine Erzählung, es ist die Realität.

Ich zwang mich auf die Beine und ging wieder zurück in die Richtung, aus der ich gekommen war. Plötzlich hörte ich wieder die Stimmen. Mein Herzschlag verdreifachte sich. Sie waren nicht außerhalb des Zauns. Sie waren innerhalb. Ich konnte sie sehen, ihre bekannte dunkelblaue Kleidung hätte mir schon früher auffallen müssen. Schnell zog ich meinen Kopf ein und wollte mich zittrig an dem nächsten Baum festhalten, doch da war kein Baum. Erschrocken fiel ich zu Boden ins raschelnde Unterholz. Es war zu spät, um sich zu verstecken. Sie hatten mich gesehen. Sofort rannte ich in irgendeine Richtung, nur weg von dem Zaun. Denn dort war klar, dass ich in der Falle sitzen würde. Die Stimmen riefen: «Stehen bleiben!» Ich blendete sie aus und rannte einfach weiter. Blind vor Panik. Äste schlugen mir ins Gesicht. Bis mich plötzlich etwas an der Schulter traf. Ein brennender Schmerz breitete sich an der Stelle aus und ich versuchte mich hinter einem Baum zu schützen. Entgeistert stand ich dort. *Das konnte doch nicht deren ernst sein.* Sie hatten tatsächlich auf mich geschossen!! Ohne mich umzuschauen rannte ich weiter. Doch ich hatte keinen Plan wo ich hin sollte. Ich stolperte schon bald über den nächsten Ast, wollte mich hoch stemmen, doch ich benutzte den Arm, der angeschossen wurde und knickte weg. *Wo waren sie? Waren sie schon da?* Eine Hand legte sich wie aus dem Nichts um meinen Mund und ich wurde über den Boden gezogen. Ich strampelte wild, konnte sie immer noch nicht sehen und plötzlich hörte ich ein energisches: «Psst!» Augenblicklich hörte ich auf mich zu wehren. Das waren nicht die Soldaten. Eindeutig wurde mir gerade geholfen. Ich wurde in ein hüfthohes Gestrüpp gezogen und dort verweilten wir.

Alles spannte sich an, als die Soldaten direkt auf unserer Höhe vorbeikamen.

Erst nachdem ihre Stimmen fast verklungen waren, ließ langsam der Druck von meinem Mund ab und als endgültig kein Geräusch mehr zu hören war, verschwand die Hand ganz. Mit einer abwehrenden Haltung drehte ich mich schlagartig um. Ich wusste schließlich nicht wer mit mir hier war. Verwundert starrte ich in das Gesicht meines Retters. Es war das Gesicht einer Frau mittleren Alters, die blonden Haare hatte sie zu einem praktischen Zopf nach hinten gebunden und ihre dreckige Kleidung ließ sie fast wie ein Element des Waldes wirken. «Was hast du hier im Wald zu suchen?» Ihre Stimme klang rau, so als hätte sie lange nicht mehr gesprochen, doch trotzdem war der Tonfall ruhig und weich. Ungläubig starrte ich in ihr Gesicht. Meine Augen waren irritiert aufgerissen, als mein Gehirn versuchte das, was ich sah, zuzuordnen. *Das konnte nicht sein. Wie konnte sie vor mir stehen? Lebendig?*

«Du bist tot! Wir waren auf deiner Beerdigung...das kann nicht sein.» Leicht hysterisch rückte ich ein Stück von ihr weg. «Zoe vieles, was du dachtest zu wissen oder gesehen zu haben entspricht nicht der Wahrheit und ich hoffe genau aus diesem Grund bist du hier!!!»

«Was soll das bedeuten?» Meine Stimme war das komplette Gegenteil von ihrer. Ich war aufgebracht und immer noch hysterisch, während sie ruhig blieb. «Das soll heißen, dass wir in einer großen Lüge und Manipulation leben. Mein Verschwinden und das der anderen war eine einzige Lüge.» Wirr starrte ich sie an, dann kamen mir Tränen und ich fiel ihr um den Hals. «Oh mein Gott. Du lebst», wimmerte ich. So innig sie konnte erwiderte Isabelle meine Umarmung und strich mir über den Rücken. «Oh meine Kleine», sagte sie zart. «Ich erkläre dir alles gleich, aber erst einmal sollten wir verschwinden. Hier werden sie bestimmt bald alles durchsuchen, wenn sie zurückkommen.» Wir lösten uns. Ohne auf eine Reaktion von mir zu warten zog sie mich auch schon an meinem Arm hoch. Wegen der Schussverletzung biss ich mir auf die Lippe. Sie hatte mich ausgerechnet an *dem* Arm hochgezogen. Mein verbitterter Gesichtsausdruck konnte ihr nicht entgangen sein, denn schnell wechselte sie die Seite und warf mir einen entschuldigenden Blick zu. Während des ganzen Laufes sprachen wir kein Wort, auch wenn ich so viele Fragen an sie hatte. Ich wusste, dass die Soldaten uns jeder Zeit auf die Fersen kommen konnten, also übte ich mich in Geduld und schlich weiterhin geduckt neben Isabelle her, die mich nun immer weiter weg von meinem Haus und somit auch immer weiter von dem Dorf, in einen dunkler gelegenen Teil des Waldes führte. Als wir endlich ankamen, wo Isabelle mich hinführen wollte, fiel ich erleichtert zu Boden. Der Schmerz von meinem Arm erschöpfte mich doch mehr als erwartet.

Am Boden hatte ich eine geschützte Position und konnte mein Umfeld sicher betrachten. Es war hier viel dunkler als in dem vorderen Teil, in dem wir zuvor gewesen waren, so bot er mehr Sicherheit, da man aus größerer Entfernung nicht so leicht durch die Baumreihen zu sehen war. Selbst die Luft war hier anders, viel kühler, aber durch die Dunkelheit wirkte er auch um einiges bedrohlicher. Hinter uns erstreckten sich einige höhere Sträucher. Mit ihrem Finger deutete Isabelle durch eine Lücke in das Innere der Sträucher. *Hatte sie sich etwa hier die ganze Zeit versteckt?* Aber eigentlich hatte ich einen anderen Gedanken im Kopf: «Warum hast du uns im Dunkeln gelassen?» Sie kroch durch die Lücke mir hinterher. Im Grunde war es ziemlich lächerlich. Wir saßen zusammengekauert in einem bauchhohen Gestrüpp und hofften nicht entdeckt zu werden.

«Du kannst dir die Antwort denken, oder? Damit hätte ich euch in Gefahr gebracht.» *Wer weiß ob sie uns mehr in Gefahr gebracht hätte, als ich es gerade tat.*

«Ja das kann ich mir denken, aber wir waren auf

deiner Beerdigung. Wir haben um dich getrauert und bis dahin noch jeden Tag gehofft du würdest wiederkommen. Ich...» Mir fehlten die Worte, als ich daran dachte. «Glaub mir, so habe ich das niemals gewollt», sagte sie ohne mich anzugucken. «Was ist mit den anderen drei. Die, die auch verschwunden sind. Laylas Vater. Lebt er auch noch?» Hoffnung keimte in mir hoch. «Nein. Sie sind wirklich tot.» Ein Schleier legte sich über ihr Gesicht, dann fuhr sie irgendwann fort: «Sacka hat mich aufgegriffen. Er hat davon geredet das Kriegsbeil zu begraben. Dabei war das alles nur eingefädelt. Er hatte schließlich keine andere Wahl. Immer mehr Leute fanden Ungereimtheiten. Zwar nicht offiziell, aber das Gemurmel wurde laut. Laut genug um auch Sacka zu erreichen. Er ist nicht blöd. Er musste seine Stärke beweisen und dafür sorgen, dass das Gemurmel verstummt. Dafür hat er die ganze Sache anders angegangen. Er hat mich und die anderen drei eingeladen. Wir waren einfach nur Teil seines Plans, mehr Anerkennung zu erlangen. Zumindest, wenn man seinen Worten glaubte. Aber ich habe geahnt, dass das nicht alles sein konnte. Als wir im Wald waren mit einem Aufgebot von Soldaten, war ich vorbereitet. Die anderen wurden wegtransportiert, aber nicht weit genug, um die Schüsse nicht zu hören. Ich bin einfach nur gerannt und habe versucht mich zu verstecken, wollte raus, aber dafür gab es keine Möglichkeit mehr.

Ein Zaun umgrenzt den äußeren Waldrand. Ich kann dir nicht genau sagen, wie lange er schon existiert, aber zumindest weiß ich, dass er nicht gerade erst fertig gestellt wurde.»

«Oh mein Gott. Das würde ja bedeuten, dass es stimmt was Layla gesagt hat. Sacka hat alle umbringen lassen.» Ich zögerte. «Ich glaube mir wird schlecht. Was wird er mit dir machen, wenn er dich findet? Mit uns? Er kann doch niemanden das Leben nehmen.» Mein Herz begann angstvoll zu rasen. «Du musst dich beruhigen, okay. Sacka kann und er wird. Daran musst du immer denken. Aber sag mir, was meinst du mit, *es stimmt was Layla gesagt hat*? Hast du mit ihr darüber geredet? Oder irgendetwas in der Art?» Isabelles Stimme verriet bereits, dass meine Antwort nicht das war, was sie hören wollte. «Sie hat mitbekommen wie Sacka zu ihrem Vater gekommen ist. Sie hat eins und eins zusammen gezählt», erwiderte ich. Isabelle fuhr sich erschöpft übers Gesicht.

«Du solltest nur mit den richtigen Leuten darüber sprechen. Zieh sie da nicht mit rein. Sie werden dich im Auge behalten, alleine schon wegen mir und Layla wegen ihrem Vater.» Wie bitte? *«Mich im Auge behalten?* Glaubst du sie wissen, dass ich Diejenige bin, die im Wald ist? Was ist, wenn sie mich holen kommen?»

«Denk an meine Worte: beruhigen. Du musst

93

verdammt vorsichtig sein, okay? Rede mit niemandem darüber, außer mit...» Sie strich über meine Schulter, verweilte dort kurz, dann wiederholte sie, «...den Richtigen.» *Sehr lustig woher sollte ich denn wissen wer die* Richtigen *waren?*

«Aber wer sind...» Isabelle stoppte mich abrupt und sie schaute sich unruhig um. Ich probierte zu horchen ob sie etwas gehört hatte, aber außer dem Rascheln der Bäume konnte ich nichts hören. *Oder doch?* Vielleicht waren das doch nicht alles nur Geräusche von Bäumen. Plötzlich deutete sie mit Nachdruck hinter mich. «Du musst hier verschwinden. Schleiche da durch und halte ja nicht an», flüsterte sie so leise sie konnte. Ich zögerte. Ein Knall ertönte, Isabelle warf sich schützend über mich und auf einmal spürte ich etwas Nasses an meinem Arm. Ich konnte im letzten Moment meinen Schrei unterdrücken. Angestrengt schaute ich sie an, in der verzweifelten Hoffnung auch nur das leiseste Lebenszeichen von ihr zu erhaschen. Zum Glück. Sie atmete flach und hob ihren Kopf zu mir. «Geh», formte sie mit den Lippen. Doch ich rührte mich nicht. Tränen schossen mir in die Augen. Ich sah ihre Qual. Ich wollte ihr helfen, aber ich wusste nicht wie. Immer noch schaute sie mich an und es sah unwirklich aus wie sie ihren Mund öffnete und Worte zu hören waren. »Du musst nach draußen, erst dann weißt du wofür du kämpfst. Folge den Schienen, hinter der Fabrik.» Mir wurde immer klarer, dass das ihr letzter Augenblick war. Ihr wirklich letzter und diesmal kein Pseudo-Tod. Noch einmal öffnete sie unscheinbar den Mund «Danke, dass ich dich noch einmal sehen durfte. Jetzt geh, du musst für mich weiterkämpfen.» Ihre Stimme wurde immer leiser. Ich wollte sie nicht verlassen, aber wenn ich bleiben würde, würde ich auch sterben und niemand würde von Isabelles Tod erfahren. Niemand würde von all den anderen Taten erfahren. Sie hatte Recht. *Ich musste für sie weiter kämpfen.* Doch trotzdem rührte ich mich nicht vom Fleck. Wie sollte ich es über mich bringen, einfach so zu verschwinden und sie liegen zu lassen? Isabelle sah mich an. Mit einem Kraftaufwand, stemmte sie sich hoch und schleppte sich den Soldaten entgegen. Sie musste ahnen, dass ich mich nicht bewegen würde. «Nein», flüsterte ich erschrocken. Mit so vielen Tränen in den Augen, dass es mir die Sicht verschwamm, sah ich ihr hinterher. Sie war nur knapp außer Sichtweite, als die Stimmen deutlich nah waren. Zu nah. «Da haben wir sie endlich. Will Sacka sie tot oder lebendig?»

«Ich meine, ihre Beerdigung war schon, wir sollten das Schicksal nicht austricksen.» Ein Schuss und ich verfiel in eine Schockstarre. «Glaubst du Sacka wird ihren Sarg wieder ausgraben, um sie tatsächlich reinzulegen?»

«Wozu die Mühe und jetzt komm lass sie hier erst

mal wegschaffen. Sie hätte besser im Spuren verwischen sein müssen.» Mit verzerrtem und offenem Mund hörte ich wie sie ihren leblosen Körper hochzogen und aus dem Gestrüpp schleiften. Nur wenige Meter von ihnen entfernt lag ich im Gestrüpp. Mich hätten sie genauso gut finden können und sie hätten ein leichtes Spiel gehabt, denn ich war nicht mehr in der Lage mich zu bewegen.

10 ZOE

Benommen wachte ich auf, mein Kopf, mein Arm, einfach alles tat mir weh. Mit immer noch geschlossenen Augen, spürte ich die kühle Luft. Langsam öffnete ich sie, es war noch Morgendämmerung. Erschöpft blickte ich nach oben, die wenigen Wolken, die am Himmel zu sehen waren, zogen schnell vorüber und von irgendwoher hörte ich Vogelgezwitscher. Ich schloss meine Augen wieder, wollte einfach nur liegen und mich um gar nichts sorgen. Das Gras unter mir fühlte sich weich an und ich zerrieb es zwischen meinen Fingern. Der Boden wärmte mich und ich fühlte mich fast sicher. Fast. *Warum spürte ich Gras? Sollte ich nicht eigentlich mein Bettlaken spüren und vor allem keine Wolken sehen?* Mühsam rappelte ich mich auf und setzte mich aufrecht hin. Vor mir erstreckte sich eines der Felder und an dessen unterem Rand das Dorf. Ich befand mich direkt vor dem Waldrand, am oberen Ende des Feldes. Wie hatte ich es noch bis hierher geschafft? Ich hatte keine Ahnung. Aber Fakt war, dass ich schleunigst so viel Abstand wie möglich gewinnen sollte. Und noch eines war klar. Ich musste etwas unternehmen, damit Isabelles Tod nicht umsonst gewesen war.

Auf dem Weg nach Hause, konnte ich nicht klar denken. Ich konnte an gar nichts anderes denken, außer an Isabelles Worte. *Dann weißt du wofür du kämpfst.* Hätte sie mir statt diesem Satz nicht einfach eine Antwort geben können? Und nicht diesen Auftrag. Was konnte in der Siedlung sein und wie sollte ich das jemals herausfinden, ohne erwischt zu werden? Waren dort Leute zu denen Isabelle Kontakt gehabt hatte? Allerdings stellte sich dann die Frage: Wie konnte sie Kontakt aufnehmen? War sie selber draußen gewesen? Wenn ja wie hatte sie das geschafft? Im Dunkeln würde man im Wald kaum auffallen und ich glaubte auch nicht, dass Patrouillen in der Nacht im Wald unterwegs waren, schließlich wäre jemand, der sich durch das Unterholz schleicht nicht zu überhören. Dafür reichten auch die Wachleute *hinter* dem Zaun.

Vorausgesetzt man würde es schaffen, selbst dann wäre es noch schwer genug unauffällig eine Stelle zu finden an der keine Soldaten postiert waren. Geschweige denn noch zusätzlich unbemerkt *über* den Zaun zu gelangen.

Plötzlich stieß ich gegen etwas Großes, woraufhin ich erschrocken zur Seite sprang. Ich hatte die Person gar nicht gesehen, in die ich rein gerannt war. «Geht's noch? Pass doch auf.» Die Frau war sichtlich sauer. Ohne einen Kommentar sah ich ihr ins Gesicht. Ihre Miene änderte sich schlagartig von wütend zu...besorgt.

Ja es war besorgt. «Ist alles in Ordnung?», fragte sie urplötzlich. Diesmal mit einem weicheren Ton. Ich kannte sie nicht, aber die Tatsache, dass eine Fremde sah, dass etwas nicht mit mir stimmte, beunruhigte mich. *Sah man mir so sehr an, was ich erlebt hatte?*

Zuhause angekommen, schloss ich mich im Badezimmer ein und begann mein Shirt auszuziehen. Der Stoff streifte meine Verletzung am Arm und die Wunde brannte. Vorsichtig schöpfte ich Wasser auf die Stelle und probierte sie so zu reinigen. Danach fiel mir nichts anderes ein, als ein Pflaster darüber zu kleben. Woher sollte ich auch wissen wie man eine Schussverletzung richtig behandelte? Die Haustür wurde aufgeschlossen.

«Zoe bist du da?» Sofort zog ich mein Shirt wieder an und verließ das Bad, um durchs Treppenhaus zu rufen: «Jaa.» Ich wollte nicht zu meiner Mutter runter gehen. Wenn selbst eine Fremde sah, dass etwas nicht stimmte, hätte sie es sofort bemerkt und ich wusste nicht was ich hätte antworten sollen.

«Du es tut mir leid, dass ich jetzt erst komme, aber bei Lotta hat es doch noch länger gedauert und dann habe ich da einfach geschlafen. Du hättest Lottas Gesicht heute Morgen sehen sollen. Super süß. Ich hoffe du hast gestern nicht noch auf mich gewartet?» Bedeutete das etwa, dass sie gar nicht zuhause gewesen war die Nacht. Das hieße sie wusste gar nicht, dass ich ebenfalls nicht dagewesen war. Das erleichterte die Sache ungemein. Ansonsten hätte ich mir irgendetwas einfallen lassen müssen. Irgendetwas, dass ich bei Layla geschlafen hatte oder so ähnlich. «Nein, alles gut. Ich habe früh geschlafen gestern», rief ich ihr zu. Ich hörte noch ein: «Gut», dann ging ich in mein Zimmer.

Stunden vergingen. Oft hatte ich zum Wald gestarrt, hatte fast schon erwartet Isabelle raus spazieren zu sehen, weil ihr Tod einfach so unwirklich war. Meine Gedanken waren um das Geschehene gekreist und ich hatte mich kaum von der Stelle bewegt. Ich hatte tatsächlich mit dem Gedanken gespielt alles meiner Mutter zu erzählen. Ihr zu sagen, dass Isabelle noch gelebt hatte, doch ich wusste wie dumm diese Idee war. Ich konnte mir gut vorstellen, dass sie mir nicht glauben würde. So etwas war auch kaum zu glauben. Und vor allem würde es nicht helfen. Was könnte meine Mutter tun? Genauso wenig wie ich und dieser Gedanke würde sie nur zweifeln lassen und in Gefahr bringen. Eines könnte ich jedoch tun. Ich könnte Isabelles Forderung folgen. Es war die einzige Möglichkeit irgendwie voranzukommen. Einfach in der Nacht rauszugehen und da mein Glück zu versuchen, basierte viel zu sehr auf diesem *Glück*. Ich würde das bedeutendste Gesetz brechen. Geschweige denn von der Nachtruhe und dem zwangsläufigen Betreten des Waldes. Andererseits hatte ich letzteres bereits beides getan. Das war mir vorher noch gar nicht richtig aufgefallen. Um die Liste komplett zu machen fehlte mir nur noch der Ausbruch. Aber das war zu wahnsinnig. Ich sollte mich glücklich schätzen, meine beiden Regelbrüche unbemerkt und nach dieser Nacht vor allem *lebend* überstanden zu haben. Das war nicht normal. Nichts von alldem war normal, doch genauso wie es verrückt war, konnte ich es nicht einfach vergessen und weitermachen. Ich hatte es probiert. Aber der Versuch war von vorneherein zum Scheitern verurteilt gewesen, denn alles in meinem Körper war klar, dass ich es durchziehen musste. Ich musste zu der Siedlung gelangen, von der Isabelle gesprochen hatte. Dabei blieb nur immer noch die große Frage, wie ich das anstellen sollte?

Meine Mutter hörte ich von unten in der Küche hantieren. Doch ich hörte auch noch etwas anderes. Das Radio. Und genau das, ließ mich plötzlich aufhorchen und die Treppe zu meiner Mutter runter rennen. Gerade als ich bei ihr ankam, war sie dabei es lauter zu schalten. Es war eine Ansage von Sacka: «...scheint es sicherer zu sein. Seit die Sicherheitsmaßnahmen aktiv sind, hat sich kein weiterer mutwilliger Vorfall, wie der

101

der vier Vermissten und mittlerweile tot aufgefundenen Menschen ereignet. Und dank meiner Maßnahmen wird sich in Zukunft auch nichts dergleichen wieder ereignen. Noch in tiefer Trauer und nur mit wärmsten Gedanken an die Opfer, ist es uns möglich diese Zeit zu überwinden. Schritt für Schritt. Mit Zeit zu...» Ich konnte nicht länger zuhören. Ich hatte nicht einmal bei allem richtig hingehört. Mein Verstand war bei *mutwillig* hängen geblieben. Mutwillig!? Ein kleines Wort versteckt in seinen weiß-Gott-was-für-Bekundungen. Mit so einer Bedeutung, die mich kochen ließ und gleichzeitig traurig machte. «Zoe, was ist los? Geht es dir gut? Du siehst plötzlich so starr aus.» Mit meiner Antwort fütterte ich nur noch ihre Besorgnis, aber ich konnte an nichts anderes denken. «Wie kann man das unfreiwillige Opfer in einer Opferung, als mutwillig bezeichnen?» Vermutlich hielt sie mich gerade für verrückt, denn mit einem seltsamen Blick begutachtete sie mich. «Ist alles in Ordnung?» Wahrscheinlich hatte sie nicht einmal gehört wie Sacka dieses Wort benutzt hatte. «Es ist alles okay. Ich bin nur...müde.» Mein Stimme war freundlich, mein Lächeln wirkte echt und ihr Blick wurde normal, doch meine Gedanken waren nur noch beschäftigt mit zwei Worten: Morgen Nacht.

11 ZOE

Lange darüber nachzudenken, hatte keinen Sinn. Jetzt oder nie. Ich war bereit. Es konnte losgehen. Auch wenn ich eine Heidenangst verspürte, musste ich es tun. Für Isabelle und für mich selbst. *Um zu wissen wofür ich kämpfe.* Ich würde rausgehen! Heute Nacht. Abwarten würde nichts verändern. Abwarten würde mich nur noch unsicherer werden lassen. Mit einem Rucksack auf dem Rücken begab ich mich in die, nun schon dunkle Nacht. Der Mond bot mir etwas mehr Licht als üblicherweise. Ein Vorteil und ein Nachteil. Meiner Mutter hatte ich gesagt, dass ich mich mit Wise treffen wollte und auch bei ihm übernachten würde. Eine simple Idee, aber mehr war mir nicht eingefallen. Wise selber wusste nichts von alledem.

Ich hatte den Weg genau im Kopf. Er führte mich durch schmale Straßen und verwinkelte Wege. Den Hauptpatrouillenwegen versuchte ich aus dem Weg zu gehen. Der Plan war: In den Wald zu kommen, den Schienen zu folgen, einen Ort zu finden, um unbemerkt über den Zaun zu kommen und dann die Siedlung zu finden. Es klang so leicht, dabei war es ein bescheuert leichtsinniger Plan, aber mein einziger.

Ich war ein gutes Stück gegangen, als ich aus einer Gasse trat und sich direkt vor mir die Fabrik erstreckte.

Ich schluckte. An ihr führte kein Weg vorbei. Isabelle hatte schließlich *hinter der Fabrik* gesagt.

Mein Atem ging schnell. Das Licht vom Fabrikgelände ließ den Blick auf einzelne Gewährträger zu. Es waren weniger als am Tag, denn die Meisten hatten um diese Zeit Wachdienst und hielten sich vermutlich an der Zaungrenze hinter dem Wald oder auf den Straßen auf.

Vorsichtig schlich ich in einer geduckten Haltung aus meiner Deckung und kam im Schatten einer etwas entfernten Häuserwand zum Stehen. Alles war still und ich meinte fast mein Herzklopfen zu hören, so schnell wie es raste. Nur eine Straße trennte mich von dem Maschendrahtzaun, hinter dem Sackas Soldaten auf dem Gelände marschierten. Wenn sie mich sehen würden, hatte ich nur eine Straßenbreite Vorsprung. Ich löste mich aus dem Schatten und rannte zur nächsten Deckung.

Mein Rucksack verfing sich an einem Blumentopf. Es schepperte laut, als er unaufhaltsam zu Boden fiel. Nein! Ich hatte keine Zeit zu Überlegen. Ich warf mich einfach nur auf den Boden, so wie es der Blumentopf zuvor getan hatte. Das Entsichern von Waffen war zu hören und als ich meinen Kopf etwas in ihre Richtung neigte, sah ich, dass sie alle in meine Richtung gerichtet waren. Schweiß lief meine Stirn runter, ich durfte kein Geräusch machen. Sie würden nicht schießen, das würde zu viel Lärm verursachen und doch könnten sie mich gefangen oder den Lärm in Kauf nehmen. Schließlich würde mir ja doch niemand helfen. Still lag ich da, doch auch die Soldaten verharrten in ihrer Haltung. Sie warteten auf das, was ihnen den Grund für das Geräusch lieferte. Im Film wäre jetzt eine Katze vorbei gelaufen oder ein Vogel. Warum jetzt nicht?

Einer von ihnen war näher an den Zaun getreten. Es war eine Frau. Sie stützte sich an einem der Zaunpfosten ab und schwang sich über ihn. Mist, ich musste versuchen irgendwie wegzukommen. Ganz langsam robbte ich Stück für Stück nach vorne, dabei schürfte ich mir die Knie auf. Es brannte als kleine Steinchen in der Wunde hängen blieben.

Die Soldatin war an dem Blumentopf angelangt. Ich erstarrte, als das Licht einer kleinen Taschenlampe in meine Richtung fiel. Hatte sie mich bereits gesehen? Konnte ich es riskieren einfach weiter regungslos liegen zu bleiben oder war das genau das was sie wollte? Mein Abstand zu ihr wurde immer geringer, als sie mit wenigen Schritten in meine Richtung kam. Was würden sie mit mir machen? Irgendwie musste ich davonkommen. Krampfhaft überlegte ich. *Na los denk nach.* Ich könnte mich ihr stellen und sie mit ein paar gezielten Schlägen außer Gefecht setzen. *Alles klar. Sehr witzig, als ob. Ich war schon von Sinnen.* Der Überraschungseffekt wäre vielleicht auf meiner Seite, aber ich war wohl kaum in der Lage sie K.O. zu schlagen. Wahrscheinlich noch nicht mal genug um sie aus der Verfassung zu bringen. Außerdem würden die anderen nicht lange auf sich warten lassen. Ich sah nur eine Möglichkeit: Laufen, ich musste so schnell wie möglich weglaufen und hoffen, dass ich so entkam. Denn mit jedem Schritt kam sie stetig auf mich zu. Verdammt ich wollte es wenigstens versucht haben, bevor sie mich schnappten. Sie kam noch einen Schritt näher. Mein Verstand setzte aus, ich reagierte einfach. Ich stemmte mich vom Boden auf und rannte so schnell ich konnte. Adrenalin gab mir die Kraft und ließ mich ungeahnt vorankommen. Der pure Selbsterhaltungstrieb übernahm die Kontrolle. Davonkommen war mein einziges Ziel. Füße schlugen auf Asphalt und hinterließen ein donnerndes Geräusch. Durch die schlechte Sicht, wäre ich fast wieder an etwas hängen geblieben. Ich wagte es nicht mich umzudrehen, als hinter mir die Stimme ertönte: «Hey du da. Stehen bleiben!» Sie nahm die Verfolgung auf und ihr wiederum folgten ihre Komplizen. Vor mir konnte ich die schattenhaften Bäume ausmachen. Ich lief weiter, als ich plötzlich über etwas stolperte. Es hatte sich wie eine kleine, dünne Stufe angefühlt, welche aus der Erde ragte. Sofort kam ich wieder auf die Beine, dabei stützte ich mich an der stufenartigen Wölbung ab. Ich erkannte es sogleich, es waren die Eisenbahnschienen.

Erleichtert atmete ich auf, genau hierher wollte ich. *Nur noch den Schienen folgen, immer geradeaus,* dachte ich. Ich spurtete wieder. Dabei drehte ich mich um. Drei verfolgten mich und sie kamen immer näher. Die Schienen waren mein direkter Weg nach draußen, allerdings war das Problem, dass ich meine Verfolger bis zum Wald Ende abgehängt haben musste, sonst würde man mich dort ebenfalls sofort entdecken. *Die sind trainiert, wie soll ich die jemals abschütteln?* Für gut durchdachte Gedanken hatte ich keine Zeit. Austricksen, verwirren, irgendwas. Meine Füße machten eine scharfe rechts Kurve, dann lief ich wieder geradeaus, um hinter der nächsten Ecke wieder scharf abzubiegen. Ich hatte gerade noch genug Zeit um hinter einem großen Baum stehen zu bleiben. Meine Hand legte ich über den Mund, was mich zwang durch die Nase zu atmen. Jeden Moment konnten sie auftauchen. Kaum hatte ich das gedacht, hörte ich auch schon ihr Stimmen: «Mist ich sehe niemanden mehr.» Es war die Frau, die sprach. Ein anderer reagierte darauf: «Hast du die Person erkannt?»

«Nein, aber ich glaube es war ein Mädchen, durchschnittlich groß. Sie trug einen Rucksack», antwortete sie außer Atem und wieder reagierte einer. «Ok gut. Das geben wir den Außenposten und den Wachen innerhalb der Grenze weiter. Sollen die sich drum kümmern. Hier im Wald könnte sie überall sein.»

«Ok ist gut, Mike.» Daraufhin entfernten sich die Schritte. Ich löste die Hand von meinem Mund und atmete durch. Ich lachte leise auf. Es war nicht meine Absicht gewesen zu lachen, doch die Erleichterung ließ es einfach aus mir raus. Ich hatte es geschafft.

Mit beschwingtem Schritt kam ich hinter dem Baum hervor. «Zu früh gefreut», sagte eine Stimme hämisch. Schlagartig verging mein Lachen. Vor mir standen noch zwei meiner Verfolger. Irritiert schaute ich mich um, die Schritte hatten der dritten Person gehört. Wieder wollte ich losstürmen doch sie waren schneller und hielten mich fest. Die Frau zog ihre Waffe und sagte: «Bevor ich dich zu Sacka bringe, wüsste ich noch gerne, was du hier zu suchen hast?» Doch ehe ich antworten konnte, war ein lauter Knall zu hören. Ich zuckte zusammen. Die Soldatin vor mir fiel regungslos zu Boden. Ihr Komplize löste seinen Griff und hatte seine Waffe ebenfalls gezogen. Verwirrt suchte er nach dem Täter. Sein Blick schweifte durch die Dunkelheit. Plötzlich fiel noch ein Schuss und auch er ging zu Boden. Ein Wimmern stieg in mir hoch, sie waren einfach tot, kein Leben war mehr in ihnen und wieder überkam mich die Angst. Sofort spurtete ich los. *Wer auch immer geschossen hatte, konnte auch mich treffen.* Andererseits hatte diese Person mich gerade gerettet. Doch ich rannte, ohne mich noch einmal umzudrehen, einfach weg. *Wer konnte das gewesen sein, ein Bewohner?* Es musste ein Bewohner sein. Kein Soldat würde auf seine eigenen Leute schießen. Allerdings stellte sich dann die Frage: *Wenn es ein Bewohner war, was für ein Interesse hatte er an mir, dass er mich rettete?* Ich verdrängte den Gedanken. Ich musste mich auf mein Vorhaben konzentrieren, auch wenn es selbst jetzt schon aus dem Ruder lief.

Wieder folgte ich den Schienen, sie führten mich zum Zaun, bis ich schließlich sah, dass sie in ein gewaltiges Tor führten, was mit dem Zaun verbunden war. Ich stoppte ab und schlich hinter den nächsten Baum. Vorsichtig lugte ich durch die Äste, die rechts und links aus dem Baum ragten. Etwas verschwommen konnte ich einzelne Soldaten ausmachen. Sie kontrollierten anscheinend die Grenze. An einem kleinen Turm, sammelte sich eine Gruppe von ihnen. Ich musste mir einen Plan überlegen. Wie kam ich unbemerkt an ihnen vorbei? Warum führten die Schienen auch direkt auf das Tor zu? Es fuhren doch schon lange keine Züge mehr.

Der Zaun stand unmittelbar am Waldrand, sodass ich, wenn ich mich von Baum zu Baum schleichen würde und in ihrer Deckung blieb, nah genug rankommen würde um den Zaun zu berühren. Ich musste mich langsam bewegen, denn auch wenn es dunkel war, würde man eine schattenhafte Gestalt durchaus erkennen. Ich löste mich von meinem derzeitigen Baum und schlich zum nächsten. Für mehrere Sekunden war ich deckungslos, doch niemand schien mich zu bemerken.

Nur noch wenige Schritte trennten mich von dem Zaun. Das änderte allerdings nichts daran, dass ich am Zaun angelangt, nicht weiterkam. Man würde mich sofort entdecken, wenn ich versuchen würde über den Zaun zu klettern, aber eine andere Möglichkeit blieb mir nicht. Ich schaute mich noch weiter um. Das war das erste Mal, dass ich einen Blick über die Grenze werfen konnte. Links war ein kleines Feld und dahinter wieder ein Waldstück zu sehen. Ich wusste nicht, ob ich enttäuscht über den Anblick war, weil ich mir mehr erhofft hatte. Es wirkte auf eine seltsame Art vertraut und doch fremd. Auf der rechten Seite befand sich kahles Ödland, zumindest ging von dort kein Schatten aus. Das erschwerte mein Vorhaben um einiges. Selbst wenn ich es unbemerkt über den Zaun schaffen würde, gab es kaum Versteckmöglichkeiten. Sie würden mich sofort sehen, wenn ich mich in Bewegung setzen würde.

Ich konnte ja nicht einfach dadurch marschieren. Wenn sie mir einfach keine Beachtung schenken würden oder noch besser, ich unsichtbar wäre... Ich stutzte. Warum nicht? Ich würde einfach durchmarschieren. Ich brauchte nur eine geeignete Tarnung und ich hatte auch schon eine Idee. Ich war nicht Stolz auf mein Vorhaben, aber ich hatte keine andere Lösung und vor allem keine Zeit.

Schnell schlich ich wieder zurück, wieder weiter rein in den Wald. Ich rannte den Weg zurück, den ich gekommen war. Immer den Schienen folgend. So verrückt wie es klang, ich hoffte die beiden Toten auf meinem Weg wiederzufinden. Ich verschwendete keinen Gedanken an den Schützen von vorhin.

Sie lagen unverändert. Die Schuldgefühle, die ich fühlte in Gedanken an mein Vorhaben, versuchte ich einfach zu ignorieren. Ich legte meinen Rucksack ab und begann die Jacke der Soldatin auszuziehen. Während ich das tat, schloss ich die Augen. Es war meine einzige Idee. Ich würde die Klamotten anziehen und mich als eine von ihnen ausgeben. Ein komisches Gefühl überkam mich, als ich die dunkelblaue Jacke in meinen Händen hielt. Sofort verbannte ich mein Gefühl. Ich kannte diese Frau nicht, läge sie jetzt nicht tot vor mir, hätte ich vermutlich irgendwann tot vor ihr gelegen. Doch trotzdem fühlte ich mich nicht wohl dabei ihr die Kleidung zu rauben.

Ich brauchte nur die Jacke, meine Hose war in einem dunklen Ton. Das musste reichen. Vom Boden hob ich die Waffe auf. Ich hatte noch nie zuvor eine Waffe in der Hand gehabt. Erstaunlicherweise fühlte es sich nicht ungewohnt an, doch es löste bei mir kein Gefühl von Macht aus, nicht einmal ein Sicherheitsgefühl. Im Gegenteil, ich verspürte Abscheu gegenüber dem Gegenstand, der einem Menschen so leicht das Leben nehmen konnte und ich hoffte inständig, dass ich nie in eine solche Lage geraten würde es selbst zu tun. Am liebsten hätte ich sie liegen gelassen, aber ohne sie würde ich schneller auffallen, als ich auch nur einen Schritt über die Grenze machen konnte. Schnell steckte ich sie in meinen Hosenbund.

Aus dem Rucksack kramte ich die wichtigsten Gegenstände und verstaute sie in mehreren Taschen, die an meinen Klamotten befestigt waren. Trinken und Essen ließ ich drinnen. Den Rucksack in der Hand, lief ich den Weg wieder zurück. Nichts an ihm verriet seine Herkunft und so wurde er zum perfekten Beweismaterial für die Geschichte, die ich erzählen würde. Vorsichtig beugte ich mich nach unten und schmierte mir zusätzlich etwas Erde ins Gesicht. Es konnte losgehen.

Durch wenige Zweige konnte ich den Zaun schon wieder sehen. Den Rucksack nahm ich in die linke Hand. Es musste so echt wie möglich wirken. Doch ich stoppte ab. War ich plötzlich total durchgedreht? Wie kam ich auf diese irrationale Idee? «Hey. Wer ist da?», erklang aus der Dunkelheit eine männliche Stimme. *Sollte ich weglaufen?* Ich konnte doch nicht einfach vor sie treten. Aber weglaufen würde sie nur auf mich hetzen. Jetzt musste ich es durchziehen.

Kaum war ich am Zaun angelangt, drehten sich die Wachen mit gezogenen Waffen zu mir um und richteten sie auf mich. Es waren mehrere, doch wie viele genau konnte ich nicht erkennen. Ich versuchte meine Nervosität runter zu schlucken, was mir nicht sonderlich gut gelang, stattdessen wurde ich noch aufgeregter, als die Stimme wieder rief: «Stopp! Stehen bleiben!» Meine Füße folgten dem Befehl. «Was ist da drinnen los?», war zu hören. Krampfhaft überlegte ich meine nächste Reaktion. Ich könnte auf sie zugehen mit erhobenen Händen zum Zeichen meiner friedlichen Absichten, aber das erschien mir dann doch eher unpassend. Also nahm ich meinen Mut zusammen und ging einen Schritt weiter nach vorne. «Ganz ruhig, nehmt erst mal die Waffen runter oder soll ich meine gleich auch noch ziehen?», sagte ich, bemüht locker zu klingen. Ich musste echt verrückt geworden sein. Was tat ich hier?? Meine Stimme bebte trotz meiner Bemühungen. Ich konnte nur hoffen, dass sie es als Zeichen meiner Erschöpfung annahmen.

Er schien wohl irritiert zu sein, denn für einen kurzen Augenblick war nichts zu hören, bis er seine Stimme wiederfand: «Wir haben Schüsse gehört. Was ist los?» Hielt er mich für eine von ihnen? «Habt ihr die Meldung noch nicht bekommen? Wir haben einen der Bewohner entdeckt und in den Wald verfolgt. Doch die Spur hat sich verlaufen.» Ehrlich gesagt war ich schon etwas stolz auf mich, dass die Worte einfach aus mir herauskamen und sogar Sinn ergaben. Keine Selbstverständlichkeit bei dem Pulsschlag, den ich hatte. Mit einer schnellen Geste hob ich den Rucksack in die Luft.

Plötzlich strahlte ein unglaublich helles Licht direkt in meine Augen. Zutiefst erschrocken schloss ich sie und hielt schützend die Arme davor. «Bist du verrückt, du kannst mich doch nicht einfach anstrahlen», rief ich. Seine Reaktion darauf war: «Was ist das für ein Rucksack?» Was sollte ich sagen? Plötzlich fehlten mir alle Worte. Ich probierte Zeit zu schinden: «Könntest du bitte dieses Licht weg machen?» Er schaltete es aus und meine Augen mussten sich erst wieder an die Dunkelheit gewöhnen. Dann sagte ich: «Den Rucksack konnten wir erwischen.» Während ich das sagte, hob ich ihn noch höher. Hoffentlich fragten sie nicht nach, wie man den Rucksack, aber nicht die Person, die ihn trägt kriegen kann. Das Licht ging wieder auf mich, doch danach sofort aus. Was mich erleichtert durchatmen ließ, denn desto dunkler es war, desto sicherer fühlte ich mich. Soweit ich mich in dieser Situation überhaupt sicher fühlen konnte. «Wo sind die anderen? Du warst doch sicher nicht alleine.» Ich schluckte, dann sagte ich: «Mike.» Meine Stimme zitterte wieder und ich hoffte inständig, dass niemand es bemerkte. Es war vielleicht hirnrissig einfach den einzigen Namen zu erwähnen den ich gehört hatte, aber wenn ihnen der Name bekannt vorkam, machte das meine Geschichte glaubwürdiger. Ich verdeutlichte es nochmal: «Mike war noch bei mir.»

«Wo ist Mike jetzt?» Ich musste nicht lügen, ich musste nur die Wahrheit sagen. «Er ist zurückgegangen, um die Meldung auf dem Gelände zu machen und an euch weiterzuschicken. Ich habe weiter nach ihr Ausschau gehalten, konnte aber nichts mehr sehen.» Ich schien es tatsächlich zu schaffen sie zu überzeugen, oder? «Und jetzt?», war eine weitere Frage von ihm. «Lasst mich durch. Ich will von außen schauen, ob ich was entdecken kann. Das Rascheln der Person muss doch auffällig genug sein und von außen ist eine Person viel besser zu erkennen, als in dem dichten Wald.» Schweigen auf beiden Seiten. Okay, denk nach Zoe, was könnte ein Soldat jetzt noch von sich geben? «Wenn jemand das Dorf verlässt sind wir dran», sagte ich kurzer Hand.

Mit etwas, das wie ein Nicken aussah signalisierte der Redner einem anderen, dass er das Tor öffnen konnte. Was er auf Anhieb tat. Geschah das gerade wirklich? Ich konnte es nicht fassen. Als ich

115

durchgetreten war, überreichte ich einem den Rucksack und ging an ihnen vorbei. Es lief viel reibungsloser, als ich dachte. Meine Worte am Ende waren sehr gewagt gewesen. Aber ich war durch, ich hatte abgeliefert. Mit einem gewaltigen Herzklopfen war ich nun auf der anderen Seite des Zauns und das Tor wurde hinter mir wieder geschlossen. Definitiv wollte ich so viel Raum wie möglich zwischen mich und die bewaffneten Soldaten bringen, also ging ich schnellen Schrittes an ihnen vorbei. Entlang des Waldes, um meine Geschichte glaubhaft zu erhalten. Als mich die Stimme noch einmal erstarren ließ: «Denkst du es ist eine gute Idee alleine loszuziehen?»

«Ja, doch...Ich schaff das schon. Passt ihr lieber hier auf,» stammelte ich, aus dem Konzept gebracht.

«Nein, warte ich werde dich begleiten.»

«Was?» Ich konnte mein Entsetzen nicht überspielen, für alle war es deutlich hörbar. «Das...ist absolut nicht nötig...einer...einer...»

«Klar ist das nötig. Alleine kannst du viel leichter angegriffen werden.» Endlich fand ich meine Worte wieder: «Einer alleine macht weniger Lärm, wollte ich sagen und fällt weniger auf. Außerdem...hat Sacka mich extra damit beauftragt Ausreißern zu folgen.» Meine Stimme zitterte wahnsinnig, um das zu überspielen fügte ich noch hinzu: «Und ich verliere jetzt schon wahnsinnig viel Zeit.» Kurze Zeit Schweigen, dann kam: «Okay, dann viel Glück. Wir halten hier die Augen offen.» Ein knappes «Danke», war alles was ich erwidern konnte. Ich ging sofort weiter, doch wieder löste sich eine Stimme, diesmal war sie weiblich: «Wie sieht die Person überhaupt aus?» Ich drehte mich nicht mehr um und reagierte auch sonst nicht auf den Ruf. Ich schritt einfach meinen Weg weiter. Den Teil hatte ich bewusst vermieden. «Hey!» Es war eine fordernde Stimme, die nur noch gedämpft zu hören war. «Lass gut sein, Meira. Sie hört dich vermutlich nicht mehr. Die Meldung muss bald kommen, dann wissen wir Genaueres», beruhigte sie der Soldat, der bei mir das Reden übernommen hatte. Er klang ruhig im Vergleich zu ihrem misstrauischen Ton. Sie wirkte alles andere, als hätte sie mir meine Geschichte abgekauft. «Findest du das etwa nicht komisch, Liam?», war das letzte was ich von ihr hörte, dann hatte ich mich weit genug entfernt.

Als ich mich nach einiger Zeit umdrehte, waren sie nicht einmal mehr vor dem dunklen Wald zu erkennen. Ich musste mich beeilen, denn ich war nicht gerade überzeugt, dass mir noch jemand meine Lügengeschichte abkaufte, wenn ich sie ihm erzählen würde. Außerdem müsste dieser Mike, tatsächlich schon längst die Meldung gemacht haben und die Meldung würde mich entlarven, vor allem wenn herauskam, dass zwei Soldaten tot im Wald lagen und der einen ihre halbe Ausrüstung fehlte.

In dem fahlen Mondlicht konnte ich gut Furchen im Boden erkennen, die zu den Transportern gehören mussten, die sie machten, wenn sie zu den Siedlungen fuhren. Ich folgte ihnen, wie zuvor den Schienen. Plötzlich wurde es stockdunkel. Nach einem Grund suchend schaute ich nach oben. Der Mond war verschwunden, vermutlich hinter einer dicken Wolkenwand. Es war fast so dunkel, dass ich meine eigene Hand kaum noch lokalisieren konnte. Orientierungslos stolperte ich weiter. Das einzige was mir verriet, dass ich richtig war, waren die Furchen. Sobald ich zu weit rechts oder links ging verriet mir die leichte Steigung meinen Fehltritt. Wie riskant es war, mitten auf der vermutlichen *Hauptstraße* zu gehen, war im Moment nicht zu ändern.

Langsam wurde ich immer erschöpfter, ich war nun schon einige Zeit unterwegs gewesen und so etwas war ich nicht gewohnt. Eine Pause hätte mir sicher geholfen, aber ich wollte nicht anhalten, ich wollte so schnell wie möglich ans Ziel kommen.

Doch die Kraft dafür schwand mir immer mehr, bis ich schließlich ausrutschte und hinfiel.

Stützend wollte ich mich hoch stemmen, als meine

Hände plötzlich glatten Boden unter sich spürten. Panisch tastete ich den Boden ab. Wo waren die Furchen? Das durfte doch nicht wahr sein. Sie waren weg und ohne sie konnte ich mich nicht orientieren. Immer panischer klopfte ich alles unter mir ab. Ich ging mehrere Schritte zurück, doch auch da war der Boden eine gerade Ebene. Wie und vor allem Wo hatte ich sie verloren? Es sah überall gleich aus und meinen einzigen Orientierungspunkt hatte ich verloren. Ich hatte mich verlaufen und das auch noch wo ich keine Zeit verlieren durfte.

Stehend versuchte ich meinen Weg fortzusetzen, doch als ich noch einmal stolperte und fiel, blieb ich kraftlos liegen.

12 TRAVER

«Traver komm her.» Sackas Ruf schreckte mich auf und ich gehorchte. «Was ist los?» Fragend sah ich ihn an. Er funkelte wütend. «Noah hat Amy und Case im Wald gefunden. Sie sind tot. Amys Jacke und ihre Waffe sind verschwunden und Liam hat gemeldet, dass er eine weibliche Person durch das Tor gelassen hat. Der Witz ist, dass Amy die einzige weibliche Verfolgerin war und genau die liegt, wie ich gerade gesagt habe, tot im Wald. Ich kann nicht glauben, wie blöd er ist. Er hielt sie für eine von uns. Hat er denn keine Augen im Kopf? Meira war bei ihm. Laut ihr hatten sie die Meldung über die Flüchtige noch nicht bekommen. Ich kann nicht fassen, dass es jemand tatsächlich raus geschafft hat. Ich will, dass du sie wiederholst und zu mir bringst. Ich will wissen wer das ist. Die Person soll mich kennenlernen. Und wehe du findest sie nicht.» *Respekt.* Jemand hatte sich tatsächlich raus getraut und es sogar geschafft? Oder hatte Liam seine Finger mit im Spiel? Jemand Fremdes wäre doch leicht zu enttarnen gewesen. Sacka wartete auf eine Reaktion. Ich nickte ernst. «Aber halte das mit Amy und Case noch geheim. Noah kümmert sich darum, sie wegzubringen. Ich will nicht, dass sich jemand voreilig rächt, bevor ich weiß wer dahinter steckt», hängte er noch hinten dran. «Ja», erwiderte ich knapp und holte meine Ausrüstung. Liam würde sich ganz schön was anzuhören haben von Sacka. Es war klar, dass es alles andere als ein netter Kaffeeklatsch werden würde. Bevor ich mich auf den Weg machen konnte, hielt er mich noch einmal zurück. «Warte mal.» Mit einer Geste stoppte er zwei Ankommende und wandte sich an sie. «Esh, du und Betty begleitet Traver. Nehmt Mike am besten auch noch mit. Er hat sie gesehen und kann euch zeigen bis wohin er sie verfolgt hat.» Ausgerechnet Esh. Warum musste gerade er es sein? Der Typ ließ keine Sekunde aus, um zu beweisen, dass er der Beste war und Betty folgte ihm überall hin. Innerlich rollte ich mit den Augen, doch äußerlich verzog ich keine Miene. «Ich will, dass ihr genau den Weg verfolgt den sie genommen hat. Verfolgt ihre Spur. Redet mit Liam, dem Versager. Fragt ihn was genau sie gesagt hat und wie zur Hölle er zulassen konnte, dass es so weit kommt. Ich will, dass ihr sie findet! Ich will, dass ihr sie überall sucht. Wenn es sein muss im ganzen Wald. Ich will, dass ihr sie herbringt. Verstanden? Vier waren geplant. Jede nächste Person geht auf eure Kosten.» Ich nickte wieder, genauso wie Betty. «Keine Sorge. Wir finden das Miststück», sagte Esh. Seine Augen leuchteten. Er konnte es kaum erwarten sie zu finden, das sah man ihm an. Hatte er verstanden, dass Sacka sie lebend wollte?

121

Wir holten Mike und machten uns dann schleunigst auf den Weg Richtung Wald. «Okay, wo genau habt ihr sie entdeckt und bis wohin habt ihr sie verfolgt?», fragte ich und richtete mich damit an Mike. «Wer hat dich zum Anführer gemacht?», entgegnete Betty. «Ist das dein Ernst? Du hast Sacka doch gehört. Besser ist es, wir finden sie so schnell wie möglich.»

«Das setzt noch lange nicht voraus, dass du das Kommando hast», kam als Antwort, diesmal von Esh. Wollten sie das wirklich durchziehen? Ein Blick in ihre Gesicht verriet mir: Sie wollten es definitiv durchziehen. Ich gab nach. «Okay. Meinetwegen. Mach du die Ansagen.» Nachdem Esh im Grunde nur meine Worte an Mike wiederholt hatte, machten wir uns auf den Weg ihm zu folgen. Ich war erstaunt wie gut Mike sich noch an den Weg erinnern konnte, bis ich bemerkte, dass er sich an den Schienen zu orientieren schien. Keine dumme Idee, sie führten direkt nach draußen.

Es dauerte nicht lange bis Mike stehen blieb und sagte: «Hier habe ich sie zum letzten Mal gesehen.» Genau wie Amy und Case, dachte ich. Ich fragte mich ob er wusste, dass sie tot waren. Zumindest deutete nichts auffällig an diesem Ort daraufhin. Noah hatte ganze Arbeit geleistet die Spuren und die Körper verschwinden zu lassen. Plötzlich hörte ich Schritte hinter uns. Sie näherten sich. War es die Flüchtige?

Kehrte sie zurück? Würde sie uns direkt in die Arme laufen? Die anderen hatten es auch gehört und duckten sich schlagartig. «Beruhigt euch. Ich bins nur.» Noah kam aus den Bäumen hervor und hielt direkt vor uns an. «Was machst du hier?», fragte Esh als sich alle wieder entspannten. «Ich habe nach Spuren gesucht», antwortete Noah. Ich sah ihn an und Noah erwiderte den Blick. Ich fragte mich ob er wusste, dass Sacka Amys und Cases Tod geheim halten wollte. «Und hast du was gefunden?» Abwartend sah ihn Betty an. Was würde er antworten? *Definitiv* hatte er Etwas gefunden. Ein Schatten überzog für einen kurzen Moment sein Gesicht, dann wurde es wieder normal und er antwortete: «Mehr oder weniger.» Betty und Dave sahen ihn fragend an. Bevor sie jedoch nachfragen konnten, fügte Noah hinzu: «Nichts, was auf ihren Aufenthalt schließen lässt.» Sie sahen immer noch verwirrt aus.

«Von hier aus muss sie direkt zum östlichen Wachpunkt gelaufen sein. Dort wo Liam den Grenzposten hat», sagte ich deshalb schnell. Esh sah mich zerknirscht an, ersparte uns allen allerdings einen bissigen Kommentar. «Okay, lasst uns nicht noch mehr Zeit verlieren.» Immerhin hatte es Esh davon abgehalten bei Noah weiter nachzuhaken, dafür nahm ich auch seine Blicke in Kauf, schließlich kamen sie so oder so. Ich fragte mich, wie Esh reagieren würde, wenn er wüsste, dass Case und Amy tot waren. Vermutlich wäre er dann noch wilder darauf aus, die Flüchtige zu finden.

Als wir uns auf den Weg machten, schloss Noah sich uns an. Keiner sprach. Wir machten so wenig Geräusche wie möglich, schließlich wollten wir sie nicht aufscheuchen, falls sie es wieder rein geschafft haben sollte. Wobei fragwürdig war, ob jemand überhaupt freiwillig wieder reinkommen wollen würde, wenn er es einmal raus geschafft hatte.

Wie zu vermuten war, fanden wir den ganzen Weg über keine Spur. Wir sahen weder sie, noch Dinge, die auf sie schließen ließen. «Was glaubt ihr erwartet Liam? Ich meine, *er* hat sie raus gelassen. *Er* hat es versaut», brach Noah die Stille. «Wenn Sacka ihn umbringt, will ich dabei sein.» Noah und Esh passten echt gut zusammen. «Haltet die Klappe. Ihr macht viel zu viel Lärm und außerdem wird Sacka Liam deswegen nicht umbringen.» Wer hätte gedacht, dass ich mal mit Betty einer Meinung sein würde.

Bis wir das Tor erreichten, durch das sie auch durchgegangen war, blieben dank Betty alle leise.

Wir kamen an dem Tor an und Mike wollte gerade rufen: «Wir sinds, macht...», da wurde er einfach von

Noah übertönt, der lauthals rief: «Hey Liam, flüchtige Bewohnerin hier draußen. Verkackst du das einzige, weshalb du hier draußen stehst und machst das Tor auf?» Es interessierte ihn nicht im geringsten, dass Liam mit Sicherheit auch ohne seine Stichelei, sich vollkommen im Klaren darüber war, was er verbockt hatte. Von der anderen Seite kam keine Antwort. Kurz wurden wir angeleuchtet, bis man uns daraufhin das Tor öffnete. Liam und 3 weitere Personen standen uns entgegen. Als Noah an Liam vorbeikam, blieb er stehen und provozierte ihn weiter. «Sag mir, hat sie es so gemacht? Hat sie einfach gefragt: hey, kannst du mir kurz das Tor aufmachen und mich raus lassen? Ich würde gerne draußen einen Sparziergang machen. Und du dachtest dir, hey ja warum nicht, ein Spaziergang klingt harmlos, also los.» Noah verstellte seine stichelnde Stimme, sodass sie höher klang. Liam hielt seinem Blick stand. «Spar dir das, Noah.» Noah machte unverzüglich einen Schritt auf ihn zu. Er war wenige Zentimeter größer als Liam. Seine Stimme fauchte angriffslustig und genauso funkelten seine Augen. Wenn er ein Tier wäre, hätte ich ernsthafte Bedenken, ob er sich auf ihn stürzen würde. Obwohl, die hatte ich selbst jetzt.

«Ich muss hier raus in der Nacht und im Dreck nach ihr suchen und noch dazu ihren Scheiß wegräumen, also Nein. Ich spare es mir ganz sicher nicht.»

Daraufhin erwiderte Liam nichts mehr. Das war vermutlich auch besser so. Als Noah ihn in Ruhe ließ und mehr Abstand gewann, ging *ich* auf Liam zu. Er sah erschöpft und müde aus. Er wusste genau wie schwerwiegend sein Fehler war. Mit einem zögernden und leicht verunsicherten Blick sah er mich an. «Hast du mit Sacka gesprochen? Wie hat er reagiert?» Angst schwang in Liams Stimme mit. Wer konnte es ihm verübeln?

«Das kannst du dir doch denken oder?», antwortete ich. Liam wandte sich kurz ab, als ich seine Gedanken bestätigte. Doch schon kurz darauf straffte er seine Schultern. Seine Stimme war verzweifelt und wütend, während er wieder sprach. «Sie hat sich für eine von uns ausgegeben. Woher sollte ich wissen, dass das ein Trick ist? Niemand kann verlangen, dass ich weiß wie jeder aussieht. Außerdem, warum tun alle so, als ob ich der Einzige war, der hier stand? Wir waren zu viert. Die ganze Zeit. *Denen* hätte genauso gut etwas auffallen müssen.» Wartend sah Liam mich an. Wartend auf eine Antwort, eine Bestätigung von mir. Jemand anderes kam mir zuvor. «Liam, zieh uns da nicht mit rein. *Du* hast das Tor geöffnet. Außerdem hab ich sie nochmal zurückgerufen, aber du hast mich beschwichtigt.»

«Ja, danke Meira. Reite mich noch weiter rein.» Meira kam näher zu uns. Eine Strähne ihrer roten Haare fiel ihr ins Gesicht und sie strich sie hinter ihr Ohr, bevor sie sagte: «Ich sag nur wie es ist. Aber keine Sorge, am Ende sind wir wahrscheinlich so oder so *alle* dran. Da spielt das auch keine Rolle mehr.» In ihrer Stimme schwang so etwas Harsches mit, aber das tat es schon immer. Mit der Zeit bemerkte man es schon gar nicht mehr. «Warum habt ihr sie nicht verfolgt, nachdem die Meldung bei euch ankam?», fragte ich die beiden. «Woher sollten wir wissen, dass sie es war? Immerhin hat sie uns selber von der Flüchtigen erzählt. Es wurde uns erst klarer, als wir erfuhren, dass Case und Amy sie eigentlich verfolgt hatten und wir sicher wussten, dass das nicht Amy war, die wir durchgelassen hatten.»

«Außerdem wollten wir nach *der* Nummer, nicht auch noch unseren Posten verlassen. *Ein* Fehler in einer Nacht reicht massig. Wer weiß wie viele dann vielleicht noch gekommen wären», ergänzte Meira Liams Worte.

Während ich fragte, ob sie irgendwelche Informationen hatten, die uns helfen konnten, traten die anderen näher heran. Liam antwortete gerade: «Sie hat gemeint, dass sie von außen nach der Flüchtigen schauen will und den Rand abgeht.»

«Und das kam dir nicht komisch vor? Oh Mann, dass Sacka dich hier überhaupt postiert hat.» Liam ignorierte Noah und Meira schaltete sich ein. «Es wäre dumm von ihr, genau das zu sagen, was sie auch macht. Mit dem Waldrand wollte sie bestimmt nur eine falsche

Fährte legen.»

«Außer sie hat vermutet, dass wir so denken», sagte Esh.

«Glaubt ihr wirklich, dass sie so weit im Voraus geplant hat?» Betty antwortete auf Mikes Frage: «Ihr ganzes Vorgehen war so durchdacht, um überhaupt raus zu kommen. Ich für meinen Teil traue ihr das zu.»

«Betty hat Recht. Wir sollten am besten den Wald abgehen.» War das Eshs Ernst? Ich sagte: «Den Waldrand abzusuchen ist reine Zeitverschwendung. Die Posten werden sie bemerken, wenn sie sich dort aufhält. Warum sollte sie so nah bleiben?» Esh funkelte mich an. Oh man, was passte diesem Typen nicht? Klar, dass er bei meinen Worte gleich probierte zu kontern: «Wenn du dich das fragst, kannst du dich auch gleich fragen warum sie sich für eine von uns ausgeben sollte? Warum sie das Risiko eingehen...?»

«Weil es klappt», sagte Noah prompt. Ich musste grinsen bei seiner Bemerkung. Nicht nur, weil er Esh die Worte abgeschnitten hatte, sondern auch weil es stimmte. Sackas System hielt genau dem nicht stand, was er so sehr probierte zu vermeiden. Als wieder Esh sprach verschwand mein Lächeln. «Sacka hat gesagt, dass wir jeder Spur nachgehen sollen. Das ist die Spur, die sie uns hinterlassen hat.»

«Offensichtlich ist das *nicht* ihre Spur», sagte Liam.

«Woher willst du das wissen?»

«Sie wird garantiert nicht als Ziel haben sich den Wald von außen anzuschauen.»

«Was ist denn ihr Ziel? Kann mir das bitte einer verraten?»

«Abhauen. So weit wie möglich weg von hier.»

Ich hörte nicht genau genug hin, um zu wissen wer was sagte. Ich wusste nur, dass die ganzen Spekulationen und Diskussionen uns Zeit kosteten. Doch bei den nächsten Worten horchte ich auf.

«Wenn es Tag ist, muss sie sich irgendwo einen Unterschlupf suchen, sonst ist sie ungeschützt im freien Land. Zusätzlich braucht sie Verpflegung um weiter zu kommen. Sie muss Hilfe haben oder sucht Hilfe», endete Mike. Er hatte Recht. Ohne Hilfe würde sie nicht weit kommen. Das war es. «Die Siedlung. Dort könnte sie Kontakte haben.» Liam sah mich zustimmend an. Es war das einzig Logischste. Woher sollte sie sonst Hilfe bekommen? Doch trotzdem waren nicht alle überzeugt. «Woher soll sie wissen wo die liegt. Vor allem im Dunkeln.»

«Ich habe keine Ahnung, aber ihr habt selber gesagt, dass sie alles gut durchdacht hat. Warum sollte sie also nicht auch den Weg kennen? Sie hat ungefähr 3 Stunden Vorsprung. Wenn sie wirklich unterwegs zur Siedlung ist, kann sie noch nicht angekommen sein und falls sie den Weg wirklich nicht kennt, sind die Chancen umso höher sie vorher abzufangen», sagte ich voller Hoffnung alle zu überzeugen. Wenn ich richtig lag, könnte das meine Chance sein es Sacka zu beweisen. Ihm das zu zeigen, was er verlangte, als er mich beauftragt hatte. «Wir sollten uns aufteilen. Traver und ich gehen zur Siedlung und ihr anderen geht den Waldrand ab, wenn ihr nicht mitkommen wollt», schlug Liam vor. Ein guter Plan, fand ich. Fragend blickte Liam in die Runde. Aber mich interessierte nur eine Reaktion. Eshs. Zweifelsohne passte ihm der Vorschlag nicht. Nicht auszudenken für ihn, wenn wir sie vor ihm finden würden. Aber ich wusste genauso gut wie er, dass es keinen vernünftigen Grund gab, etwas dagegen zu haben. Noah antwortete für alle: «Okay. So machen wir es.»

«Du willst den Posten verlassen, Liam?», meldete sich Meira zu Wort. «Ich kann an deiner Stelle hier bleiben», bot Mike freundlicherweise an und Liam stimmte dankend zu. Dann machten wir uns auf den Weg. Noah, Esh und Betty um den Wald herum und Liam und ich in Richtung der Siedlung.

13 ZOE

Verwirrt und benommen öffnete ich die Augen. Blinzelnd versuchte ich meine verschwommene Umgebung, zu erkennen. Ein staubiger Geruch umhüllte mich. Es war Tag, denn durch ein kleines Fenster an einer schrägen Seitenwand, fielen einzelne Sonnenstrahlen. Der Raum, in dem ich mich befand, war mit lauter bunten Tüchern und kleinen Keramikfiguren in Regalen ausgestattet. Selbst ich war in ein solches Tuch gehüllt und lag in einem Bett.

Als ich mich aufsetzte, spürte ich immer noch meine Erschöpfung. Das letzte woran ich mich erinnern konnte war, dass ich die Orientierung verloren hatte und ermattet gestürzt war.

Ohne Kraft mehr, um mich wieder auf die Beine zu schwingen. Wie war ich hierhergekommen? Hatte mich jemand gefunden? Okay, bessere Frage: Wo war ich überhaupt?

Ein Glas Wasser stand neben meinem Schlafplatz. Gierig stürzte ich es herunter. Es tat unbeschreiblich gut. Ich fühlte im wahrsten Sinne des Wortes, wie die kühle Flüssigkeit mir den Hals hinunter glitt und mich mit neuer Energie zu befüllen schien.

Ich schwang das Tuch zur Seite und stellte mich hin. Das Dach verlief schräg, sodass ich mich erst in der Mitte des Raumes aufrecht hinstellen konnte. Die

131

kleinere Version eines Zirkuszeltes beschrieb die Form am treffendsten, doch es bestand nicht aus Stoff oder Leinen, stattdessen aus braunem Stein. Drei schräge Fenster spendeten Licht. Die Art von Haus wirkte eher unmodern, schien jedoch alles Wichtige zu beinhalten.

Zwei weitere Betten befanden sich an der Wand mir gegenüber. Daneben waren kleinere Regale, gefolgt von einer kleinen Küchenzeile. In der Mitte stand ein runder Tisch mit vier Stühlen. Zusammengewürfelte Kommoden und Regale füllten die restlichen Lücken an den Wänden. Und über einer dieser Kommoden hing ein kleiner Spiegel. Links in der Wand, neben einer der Kommoden sah ich ein viereckiges Loch. Vermutlich hatte einmal eine Tür diese Lücke gefüllt, statt ihr hing nun ein großes schwarzes Tuch davor. Zielsicher ging ich auf dieses Tuch zu und schob es zur Seite.

Überall waren Steinhütten zu sehen, manche größer und manche kleiner, manche in braun und manche in weiß. Sie alle sammelten sich versetzt an einer langen Straße, die direkt durch die Mitte führte. Auf irgendeine Weise erinnerte es mich an das Dorf und es versetzte mir einen Stich. Nicht aus Heimweh oder dergleichen. Es war einfach dieses Gefühl, dass sich alles verändert haben könnte, wenn ich wieder drinnen war. *Falls* ich wieder rein kam.

Misstrauische Blicke verfolgten mich, als ich zwischen den Hütten ging. Warum starrten sie mich so an? Es waren Frauen, Männer und Kinder verschiedenen Alters zu sehen. Sobald ich an ihnen vorbei kam, verschwanden sie in ihren Häusern. Ein kleines Kind stand vor mir und musterte mich mit großen Augen. Es sah aus als hatte es...Angst. Sofort rief eine Frau nach ihm und schnell rannte es zu ihr. Warum hatten sie Angst? Verwirrt schaute ich an mir herunter. Die dunkelblaue Jacke! Ich trug sie immer noch und dazu die Waffe. Kein Wunder weshalb sie sich so verhielten. Doch ehe ich Anstalten machen konnte etwas an meinem Aussehen zu ändern, kam eine kleine Frau mit einer dünnen Decke auf mich zu. Ihr Lächeln wirkte freundlich, doch es reichte nicht ganz aus, um den Hauch Misstrauen zu überspielen, den man ihr ansah. Sie schwang mir die Decke um den Körper, sodass das Tuch meine Kleidung vollständig verdeckte. Mit den Worten: «Komm mit», schob sie mich den Weg zurück, den ich bis hierher gegangen war und hielt erst an als wir hinter dem schwarzen Vorhang verschwunden waren. In dem Raum, in dem ich aufgewacht war. Mit einer stummen Geste deutete sie zu dem Tisch. Wortlos setzte ich mich.

Nach einer kurzen Weile tat sie es mir gleich und nahm mir gegenüber Platz. «Wo bin ich? Wie bin ich hergekommen?», fragte ich prompt. Ihre zarte Stimme antwortete mir: «Das hier ist eine der Siedlungen. Ich war auf der Suche nach Nahrung in den Feldern, da habe ich dich nicht weit von dort gefunden. Du sahst ziemlich erschöpft aus. Erst dachte ich, du wärst eine der Soldaten, wegen der...» Sie deutete auf meine Jacke, die unter dem Tuch hervor blitzte. «...aber dann habe ich das da gesehen.» Sie deutete wieder auf mich, diesmal auf meine rechte Schulter. Irritiert folgte ich ihrer Geste. Sie zeigte auf ein kleines Muttermal, das ich dort besaß. Es war nicht breiter als ein Daumen. Ich schaute in den kleinen Spiegel, der mir gegenüber an der Wand hing. Das Muttermal hatte die Farbe meiner Haut und setzte sich lediglich in der Höhe leicht ab. Die Form war schwer zu definieren. Es war eine Mischung aus rund und eckig. «Du bist keine Soldatin oder?», fragte sie. «Nein. Aber Warum…» Sie unterbrach mich: «Ich kannte jemanden der das gleiche Mal hatte und sie sagte mir, dass ich jedem vertrauen könne, der es auch hat. Ich frage mich nur was du hier machst? Du kommst von drinnen, nicht wahr?» Jemand hatte genau das gleiche? Ich nickte bestätigend, dann sagte ich: «Ich brauche Antworten.»

«Worauf?»

«Was führen die im Schilde? Sacka meine ich. Was plant er? Leute verschwinden, sterben sogar. Wir sind eingesperrt und ihr lebt hier draußen in Freiheit.» Auf einmal änderte sich ihre Haltung. Sie spannte sich an.

«Wir leben hier nicht in Freiheit. Wir sind draußen, ja das stimmt, aber wir stehen genauso unter deren Befehlen wie ihr. Mit dem Unterschied, dass sie es uns tagtäglich spüren lassen. Wir ernten unser Essen selber. Alles wovon wir uns ernähren, müssen wir selber züchten und es bleibt nur ein kleiner Teil für uns. Sacka verlangt von uns eine bestimme Ernte, was übrig bleibt ist unser Rest. Ich kann dir sagen das ist kein großer *Rest*. Also sage mir bloß nichts von eingesperrt sein. Wir sind es genauso auch ohne Zaun. Ich wundere mich nur warum sie es dir nicht erzählt hat, wenn du doch das da trägst.» Wieder zeigte sie auf mein Muttermal. Sie redete andauernd von *sie*. Ich hatte eine Ahnung, aber ich musste es genauer wissen. Sie sollte es selber aussprechen, damit ich sicher sein konnte ihr zu vertrauen. «Wer ist mit *sie* gemeint*?*» Ihr Blick wurde noch misstrauischer. Sie zögerte, doch dann antwortete sie. «Isabelle.» Ja, ich war genau bei der richtigen Person gelandet. Die Frau vor mir musste einer ihrer Kontakte sein. Hatten sie sich vielleicht sogar persönlich getroffen? Wenn ja, war Isabelle öfters draußen gewesen?

«Sie hat mich geschickt. Ich...» Ich wurde unterbrochen.

«Wann soll das gewesen sein? Isabelle lebt nicht mehr. Warte wie ist dein Name?»

«Ich...» Ein lauter pfeifender Ton schnitt mir das

Wort ab. Die Frau sprang auf.

«Sie kommen. Du bleibst hier drinnen!» Wer waren *Sie?* Soldaten? Sacka persönlich? Sofort verschwand die Frau hinter dem Vorhang nach draußen. Ich hatte keine Chance auf ihre Frage zu antworten. Hätte ihr mein Name etwas gesagt? Hatte Isabelle von mir gesprochen? Ich musste ihr hinterher. Egal was sie gesagt hatte, egal wer dort wartete. Ich war nicht den weiten Weg gekommen und hatte so viel auf mich genommen nur um jetzt zu scheitern. Unverzüglich folgte ich ihr, lugte vorsichtig hinter den Vorhang, beobachtete. Ich sah die Menschen umher laufen. Zu ihren Häusern, zu ihren Familien. Sie postierten sich vor ihren Eingängen. Mit meiner ersten Vermutung hatte ich Recht behalten. Zwei Soldaten kamen auf die Siedlung zu und als sie ankamen, begann einer von ihnen sich in jedem Haus einzeln umzusehen. Der andere wartete draußen. Wartete er, ob die Person, die sie suchten aus einem der hinteren Häuser fliehen würde? So oder so, das wäre meine erste Reaktion gewesen. Sofort aus diesem Haus zu verschwinden. Aber jetzt saß ich in der Falle. Ich hatte nicht die Kraft vor ihnen wegzurennen, geschweige denn schneller, als sie zu sein.

Ich taumelte rückwärts in den Raum zurück. Nirgendwo war ein zweiter Ausgang. Die Fenster waren zu klein und sahen nicht danach aus, dass sie zum Öffnen gedacht waren.

Vor dem Zelt konnte ich plötzlich die zarte Stimme der Frau hören. Sie rief: «Was ist der Anlass für diese Durchsuchung?» Verdammt, waren die schnell. Erst als es zu spät für irgendwelche Reaktionen war, drehte ich mich noch um. Nur um bei dem Versuch, mich noch irgendwo zu verstecken, ertappt zu werden.

«Was machst du hier?», ertönte eine Stimme hinter mir. Ich wurde stocksteif, alles in meinem Körper spannte sich an. Ich kannte die Stimme. «Zoe, was machst du hier?» Sofort drehte ich mich zu der Person um. «Woher kennst du meinen Namen?», fragte ich verblüfft und fordernd. Eigentlich sollte ich Angst verspüren, doch die Art wie er vor mir stand wirkte genauso entsetzt wie ich es war. Wer war er? Forschend sah er mich an. «Wer bist du? Woher kennst du mich?», fragte ich zum zweiten Mal auffordernd. Ohne eine Miene zu verziehen seufzte er leise auf. «Dafür ist keine Zeit. Ich werde dir helfen, Okay?»

«Was? Warum?», entgegnete ich fast schon erschrocken. Von draußen kam plötzlich eine Stimme und durch den Vorhang kam eine zweite Person rein. Da stellte sich der Soldat vor mich. Interpretation oder nicht, aber es schien so, als stellte er sich *schützend* vor mich. Er, ein Soldat von Sacka, der nur hier war um mich zu finden. Sein Rücken war vor meinem Gesicht. Das T-Shirt lag eng an seinen Armen an, wodurch sich seine Muskeln abzeichneten. Seine Schultern waren gestrafft und gespannt. Die Luft nahm seinen Geruch an. *Dieser Geruch...* Plötzlich versetzte mich dieser Moment in die Nacht, in der ich von Layla nach Hause gerannt bin. Die Erkenntnis traf mich unvorbereitet. Er war der Soldat, der mir geholfen hatte. Sofort wich ich einen Schritt nach hinten und versuchte, mir ihn in der Nacht vor Augen zu rufen. Ich erkannte breite, muskulöse Schultern und braune, weich aussehende Haare. Warum auch immer ich mir diese Kombination gemerkt hatte, ich war mir sicher. Vor mir stand Traver, der mir geholfen hatte und der jetzt bereit war, es wieder zu tun.

Ich konzentrierte mich wieder auf das Geschehen. «Du hast sie. Endlich!», hatte der zweite Soldat gesagt. «Liam, warte», kam Travers besorgte Stimme, während er vortrat. Ich erstarrte. Liam. Dieser Name und diese Stimme. Es war der Wachmann von gestern, der mich durchgelassen hatte. Vorsichtig lugte ich hinter Travers Rücken hervor und begegnete Liams aufgehetzten und verwirrten Blick. Sein Aussehen bestärkte mich in der Vermutung. «Traver, du kennst Sackas Anweisung. Wir haben sie. Wir bringen sie zu ihm.» Liam schien es ernst zu meinen. Schlagartig stieg in mir kalte Angst hoch, man würde mich ausliefern. Traver war noch einen Schritt vorgetreten und sah ihm tief in die Augen. «Bitte Liam. Sag nicht, dass sie hier ist. Sacka wird sie töten.» Traver schien es ebenfalls ernst zu sein und bei seinem Tonfall glaubte ich ihm aufs Wort, dass man mich töten würde, so wie Isabelle kaltblütig erschossen wurde. Liam sah ihn prüfend an, dann schaute er zu mir. Nach kurzer Zeit sagte er: «Verlangst du das gerade wirklich von mir? Wir sind extra los, um sie zu finden und jetzt machst du einen Rückzieher? Wenn du ihr hilfst wird das Folgen haben! Du bringst nicht nur dich in Gefahr, sondern uns alle. Und überhaupt vielleicht nimmt er ihr auch einfach nur die Erinnerung.» Ich spannte mich an. Traver sprach, mit leiser und geschlagener Stimme: «Und ist das alleine nicht schlimm genug?» Liam war sichtlich nachdenklich geworden. Immer wieder wechselte sein Blick zwischen mir und Traver. Richtig überzeugt war er jedoch noch nicht und so fügte Traver noch die Worte hinzu: «Was bringt es, dass wir genau gegen so etwas kämpfen und du es trotzdem zulässt?» Liam reagierte angemessen auf Travers aufgebrachte Stimme, denn er hatte sich zu voller Größe aufgebaut, sein zorniger Blick schwang zum wiederholten Male zwischen mir und Traver hin und her. Als er sich mit einem flüchtigen Blick zum Eingang vergewisserte, dass kein Fremder dort stand, entgegnete er ebenso zornig: «Von Anfang an war klar, dass wir die Ausreißerin finden und zurückbringen müssen. Warum verhältst du dich jetzt so?»

«Du weißt wieso.»

«Versteh doch wie hirnrissig das ist! Was willst du machen? Mit ihr fliehen? Probieren sie einzuschleusen? Man wird merken, dass du nicht mehr da bist. Wir liefern sie aus und werden dafür sorgen, dass sie nicht getötet wird.» Mein Mund öffnete sich und automatisch schnappte ich nach Luft. Er redete hier über mich wie irgendetwas Nebensächliches, was man einfach dem Schicksal überlassen sollte. Travers Rücken straffte sich noch mehr und eindringlich beobachtete er Liam bis er ihn anfuhr: «Was ist los mit dir? Wie kannst du das sagen und vor allem wie kannst du das glauben? Du weißt was er mit Leuten wie ihr macht. Ich kenne ihn und nach allem was sie sich geleistet hat, wird er nicht zimperlich sein. Sie hat sein stärkstes Gesetz gebrochen, hat es bis hierher geschafft und noch dazu denkt er, dass sie Amy und Case umgebracht hat.» Was?! Ich könnte doch niemals... «Angenommen du schaffst es wirklich sie unbemerkt zurückzubringen, glaubst du es ist dann vorbei? Nach wie vielen Tagen denkst du wird Sacka uns aufhören lassen zu suchen? Nach 3 Tagen, nach 10 Tagen? Nach einem Monat? Er wird nicht ruhen bis er sie hat.» Liam zeigte auf mich, um seine Worte zu untermalen. Ich wich seinem Blick aus. Er hatte Recht. Die Beklemmung, die allmählich in mir hochstieg, konnte ich nur schwer unterdrücken und ich konnte außer der Angst über nichts anderes mehr nachdenken. «Das ist etwas um das ich mich dann kümmern werde. Es ist zweitrangig.» Die Verachtung in Travers Stimme war kaum zu überhören. Liam entfuhr ein entnervter Laut und raufte sich durch die blonden Haare. Ein letzter skeptischer Blick, dann sagte er: «Ich hoffe du weißt, was du da tust.» Sie nickten sich kurz zu. Doch noch ehe Liam draußen war rief Traver ihn noch einmal zurück und als er sich umdrehte und ihn ansah, fragte Traver nachdrücklich: «Kann ich auf dich zählen?» Liams Miene war wie eine einzige Wand und ohne es zu merken hatte ich den Atem angehalten. Langsam nickte er und brummte: «Wenn nicht auf mich, auf wen dann?» Liam verschwand durch den Vorhang. Traver wollte gerade folgen, als plötzlich eine Stimme zu hören war. Es war nicht Liams Stimme, trotzdem war sie elitär. Traver schien mehr zu wissen, denn er fluchte: «Mist! Ich dachte sie wollten nicht kommen.» Wer wollte nicht kommen? Wer war da? Er schob mich in die hinterste Ecke zu den Betten und sagte eindrücklich: «Versteck dich irgendwie und warte bis ich wiederkomme.» Ich bebte vor Angst, als von draußen die Stimme noch einmal zu hören war: «Wo ist Traver?» Traver schritt durch den Vorhang und dann hörte ich ihn sagen: «War der Plan mit dem Waldrand doch nicht so effektiv?» Die Stimme antwortete wieder, diesmal in einem missbilligenden Ton. Es war eine männliche Stimme. «Wie ich sehe deiner genauso wenig.»

«Noch haben wir nicht alle Häuser durchsucht», entgegnete Traver. Eine andere Stimme war zu hören: «Wie kann das sein? Ihr seid viel früher als wir aufgebrochen und habt noch nicht alles durchsucht?»

«Wir haben Spuren gesehen, die zu einem Feld führten. Denen sind wir vorher noch nachgegangen.» Ich erkannte Liams Stimme und direkt hinten dran Travers: «Tut euch keinen Zwang an. Ihr könnt gerne mithelfen.» Es entstand eine kurze Pause und ich wusste nicht was da draußen vor sich ging. *Versteck dich irgendwie,* hatte Traver gesagt. Ich sah mich um. Hier gab es kein Versteck. Höchstens unter dem Tisch oder unter einem der Betten. Aber ganz ehrlich, jeder guckt zuerst an diesen Plätzen. Mir fiel nur eine andere Möglichkeit ein. Ich schlich zum Eingang. Zum Glück hörte ich sie draußen wieder reden, so übertönten sie meine Geräusche, die ich auf dem Boden machte. Die fremde Stimme war wieder zu hören. «Habt ihr auch die Leute überprüft? Vielleicht hat sie sich ja verkleidet. Wäre ja nicht das Neuste von ihr.» Ich kam beim Vorhang an, während meine Hände zitterten. Der Stoff staute sich an der Seite, so als ob er viel zu breit gewesen war und man sich nicht die Mühe gemacht hatte ihn zu minimieren. Er bedeckte somit nicht nur den Eingang, sondern auch einen Teil der Wand. Ich nahm das zusammengeschobene Stück, stellte mich dahinter und verdeckte mich damit. Nicht gerade einfallsreich, wenn man genau hinsehen würde, würde man mich sofort entdecken.

«Wenn sie sich verkleidet hat, müssen ihre Klamotten hier irgendwo sein», wieder die Stimme. Ich erschrak, weil sie plötzlich so unglaublich nah war. «Denkst du das wäre uns nicht aufgefallen, Esh?», sagte Liam. Esh antwortete: «Ich meine ja nur.» Und schon schritt er durch den Vorhang. Der Stoff vor mir wackelte. Er hatte doch gesehen, dass Traver hier bereits gewesen war. Warum kam er noch einmal rein? Durch den Stoff konnte ich schemenhaft seine Gestalt erkennen. Ich drückte mich näher an die Wand und hielt die Luft an. Doch mein Körper forderte sie sofort wieder ein.

Esh stand mitten im Raum, drehte sich einmal um sich selbst und ging dann zu den Betten. Er bückte sich und schaute drunter. Punkt für mich, gut dass ich nicht darunter gegangen war. Danach nahm er sich die Decken und Kissen vor, warf sie auf den Boden, bevor er sich zu den Regalen an der Wand aufmachte. Ich zuckte zusammen, als er eines davon plötzlich umschmiss. Die Gegenstände fielen klirrend aus den Fächern zu Boden. Dann wandte er sich zur anderen Seite und warf auch da eines der Regale um. Offensichtlich nicht um etwas zu finden, sondern nur wegen seiner vermeintlichen Macht. Dieser Typ machte mir Angst. Auf keinen Fall wollte ich von ihm gefunden werden. Plötzlich stellte er sich gerade hin und kam direkt auf den Eingang zu. Mein Herz bebte, genau wie der Vorhang von meinem Herzschlag. Esh machte einen letzten Blick in den Raum, dann bewegte er sich nach draußen, doch abrupt stoppte sein Körper, bevor er ganz draußen war. Nur wenige Zentimeter von mir entfernt, raunte seine Stimme: «Ich bin nicht blöd.» Ich öffnete den Mund, wusste nicht was ich tun sollte. Er stand direkt neben mir, in dem Eingang. «Was soll damit gemeint sein?» Es war die zarte Stimme der Frau. Ich kannte nicht einmal ihren Namen. Ein elendig langer Moment und dann ging Esh ganz nach draußen. Meine Lungen forderten sofort wieder Luft und ich gab sie ihnen. «Damit meine ich, dass ich wissen will, ob irgendjemand Fremdes hier vorbeigekommen ist!?» Liam reagierte vor jedem anderen: «Wenn sie hier ist werden wir sie finden, also beruhige dich.»

«Ich bin ruhig. Ich will den Prozess doch nur ein wenig beschleunigen. Du da, wenn ich bis drei gezählt habe, sagst du es mir! Eins...»

«Dann sage ich was? Was soll ich sagen?» Die Panik der Stimme war nicht zu überhören. «Zwei...» «Esh, hör auf.» Wieder Liam. «Drei...» Dann ein Schuss. Ich konnte mich nicht bewegen. Mein Körper wurde stocksteif. Ich kannte das Geräusch nur zu gut. «Neinnn!» Die Stimme der Frau, eindeutig. «Hmm.

144

Anscheinend hatte ich Recht mit der Annahme, dass sie nicht hier ist. Anderenfalls hätte das hier wohl kaum jemand tatenlos zugelassen.» Esh klang, als hatte er gerade eine total nebensächliche Feststellung gemacht. Ich hielt mir den Mund zu. Hatte er jemanden angeschossen oder...erschossen? *Wegen mir!* Ich konnte mich nicht rühren. Zu groß war meine Angst entdeckt zu werden oder die Siedlungsbewohner noch mehr in Gefahr zu bringen. Wenn ich mich jetzt zeigen würde, würde Esh sie vielleicht alle als Strafe verletzen oder schlimmeres. Mich wunderte, dass niemand etwas dazu gesagt hatte. Nicht Liam und auch nicht Traver. Waren sie zu entsetzt? Oder war es Routine für sie? Wie konnte so etwas jemals zur Routine werden? «Wir sollten trotzdem die anderen Häuser auch noch überprüfen. Man weiß ja nie», sagte Liam verbittert. Selbst wenn ich ihn nicht kannte, war klar, dass er verbittert über den Schuss war.

Noch eine Weile stand ich schweigend hinter dem Vorhang. Ich verhielt mich so bewegungslos wie ich nur konnte. Jedes Mal wenn ich Stimmen hörte, presste ich mich näher an die Wand. Schon lange konnte ich nicht mehr sagen wie viel Zeit vergangen war. «Zoe ist alles in Ordnung?» Ich erkannte Travers Stimme und ich sah ihn durch den Stoff, als er nun in dem Raum

145

stand. «Die Luft ist rein!», hängte er hinten dran. Vorsichtig kam ich aus meinem Versteck. Traver musterte mich von Kopf bis Fuß, so als erwartete er, dass ich jeden Moment zusammenbrechen würde. Dann wandte er den Blick ab und sagte: «Ich schaue kurz ob sie wirklich nicht zurückkommen und dann gehen wir.» Traver verschwand wieder nach draußen. Ich wollte ihm folgen. Doch bevor ich auch zu dem Vorhang kam, erweckte etwas anderes meine Aufmerksamkeit. Links von mir sah ich ein rechteckiges Papier. Es musste in einem der Regale gelegen haben, das Esh umgeworfen hatte. Mit einer geschwungenen Schrift, stand mein Name mitten in der Mitte. Vorsichtig zog ich es zwischen den anderen Sachen am Boden hervor. In meinen Händen erkannte ich, dass es kein einfaches Papier war. Es war ein Brief. Traver kam rein und signalisierte mir, dass wir los konnten. Schnell steckte ich den Brief ein. «Komm.» Er griff nach meiner Hand und wollte mich mit sich ziehen. Ich stemmte mich gegen seine Kraft, rammte meine Füße in den Boden und versuchte ihn aufzuhalten. «Nein! Erst will ich Antworten!» Ich wollte nicht mehr unwissend sein. Fassungslos sah er mich an. «Nein! Wir müssen los. Sie könnten jederzeit zurückkommen.»

«Ich bin den ganzen Weg hierher gegangen nur um Antworten zu finden und die will ich jetzt auch. Glaubst du nicht, dass ich auch gerne wissen würde was hier läuft? Was hatte...» Traver kam prompt auf mich zu und hielt mir den Mund zu. Ich wand mich fürchterlich. Seine Hand schmeckte nach Staub und plötzlich spürte ich seinen Atem an meinem Ohr und seine Stimme flüsterte: «Psssst, da sind Stimmen.» Er hatte recht, da waren Stimmen, ich konnte sie auch hören. Es waren Kinderstimmen. Weinende Kinderstimmen und wie aus heiterem Himmel ging ein lautes Geschrei ganz in der Nähe los. Traver sah mich an. «Wir gehen jetzt.» Sein Tonfall duldete keine Widerrede und bevor ich es doch probierte, hängt er ein nachdrückliches: «Sofort», hinten dran. Sollte ich wirklich mit ihm mitgehen? Ich wusste gar nichts über ihn. Klar er hatte mir schon einmal geholfen, aber trotzdem war noch nicht klar warum er das tat. «Warum sollte ich mitgehen? Ich kenne dich doch gar nicht. Liam hat doch recht, du riskierst so viel und das für mich, warum?» Er sah mich eindringlich an. «Ich trage diese Uniform und ich führe Befehle von Sacka aus. Das stimmt, aber ich bin nicht seine Marionette, die unüberlegt alles tut was er sagt. Es gibt Dinge, die ich nicht unterstütze und dementsprechend handle ich. Ich riskiere viel, aber wenn ich es nicht mache dann riskiere ich dein Leben. Ich werde dir nichts tun. Ich will dir helfen. Reicht dir das fürs Erste?» Ich stemmte mich nicht mehr gegen ihn und das war Antwort genug. Die Art wie er es gesagt hatte vermittelte einen Hauch

147

von Sicherheit und das war alles, was ich gerade brauchte.

Der Anblick, als ich nach draußen trat war gespenstisch. Niemand rannte herum, niemand war zu sehen. Ich hatte gehört wie Liam ihnen allen angeordnet hatte in ihre Häuser zu gehen. Nur vier Personen waren nicht dieser Aufforderung gefolgt, weshalb sie sich auf der Straße befanden. Ein Mann lag am Boden, eine Frau kauerte über ihm. Sie probierte gleichzeitig zwei kleine Kinder weg zu scheuchen, die heulend direkt auf die Leiche starrten. Bei unserem Auftreten wandte sich die Frau um, es war Isabelles Kontakt. Ihr Gesicht war schmerzverzerrt, die Kinder weinten und schrien, doch ich selbst hörte nichts. Ich hörte nichts anderes außer meinem schweren Atem und meinem Herzschlag. Es hämmerte in meiner bebenden Brust. Meine Hand legte sich vor Schreck um meinen Mund. Ein leises entsetztes: «Mein Gott», löste sich aus mir und ich versuchte nicht genau hinzusehen. Doch so sehr ich mich auch dagegen sträubte, ich konnte nicht wegsehen, konnte meine Augen nicht vor dem Elend verschließen. Es stank nach Blut und Schweiß. Erst jetzt mit dem Geruch, kamen auch die Geräusche wieder in mein Gedächtnis. Die zuvor geräuschlosen Schreie, schwollen wieder zu voller Traurigkeit und Schockirrung an. Die Frau, die mir geholfen hatte, die

148

mich hierher gebracht hatte, in ihr Haus, in ihr Leben, hatte einen Menschen verloren. Wegen mir! Ihre Augen waren aufgerissen, es war ein entsetzlicher Anblick. *Das war meine Schuld!* Dieses Gefühl, dieses unaushaltbare Schuldgefühl, drückte plötzlich mit einer so gewaltigen Kraft auf meine Brust. Ich konnte den Blick nicht von der Blutlache wenden, die sich auf dem Boden ausgebreitet hatte. «Meine Schuld, alles meine Schuld, ich hätte nicht herkommen sollen. Es...s...tut mir leid...» Ich stammelte die Worte immer und immer wieder, wie benommen. «Los, komm.» Traver zerrte mich einfach mit sich und ich war ihm unheimlich dankbar, dass er mich endlich von diesem grauenhaften Ort wegbrachte, auch wenn es ein komisches Gefühl war einfach so abzuhauen und alles zurückzulassen.

14 ZOE

Blindlinks und immer noch unter Schock war ich ihm gefolgt oder eher gesagt hatte er mich hinter sich hergezogen, denn alleine wäre ich wohl kaum weiter als ein paar Meter gekommen. Während des gesamten Laufs, hatte ich versucht es zu verdrängen, das zu verdrängen, was wir gerade gesehen hatten, aber wenn ich meine Augen schloss kam es mir immer wieder in den Sinn. Der Geruch stieg mir wieder in die Nase und ich sah das Blut. Ich hörte die Schreie der Kinder, die sich erst aus weiterer Ferne mit dem Wind verflüchtigt hatten. Ich stürzte vor Überwältigung, vor Erschöpfung? Ich wusste es nicht. Traver half mir auf, zog mich nach oben und zerrte mich weiter. Ich musste es verdrängen, das Bild aus meinem Kopf kriegen, mich konzentrieren. Ich war auf der Flucht mit Traver. Einer von Sackas Leuten flüchtete mit mir. Weg von der Siedlung, weg vom Elend. *Flucht!* Das Wort war mir erst jetzt in den Sinn gekommen, dabei war ich schon, bevor ich das Dorf verlassen hatte auf der Flucht gewesen. Vor der Soldatin und ihren zwei Kollegen, die jetzt...tot waren! *Oh mein Gott.* Auch sie waren tot. Ich stürzte wieder. Diesmal vor Überwältigung der Gefühle. Traver zog mich hoch, doch er rannte nicht sofort weiter, sondern ließ einen kurzen besorgten und ich meinte, mitfühlenden Blick über mich schweifen, bis er sich und damit mich, wieder in Bewegung setzte. Der Gedanke an die Menschen die..., die nun nicht mehr da waren, wegen mir, schnürte meine Kehle zu und ich wusste, dass ich es verdrängen oder mich ablenken musste. Zumindest für den Moment.

Wir waren ein Stück über das offene Gelände gerannt, zum Glück unbemerkt. Danach durch kleine Baumansammlungen bis wir bei einem Stück ankamen, was man schon fast als kleinen Wald bezeichnen konnte. Nach nur noch wenigen Schritten hielten wir endgültig an. «Klettere da rauf», wies er mich an. Ich folgte seiner Anweisung und erklomm Ast für Ast. «Setz deinen Fuß als nächstes auf den Ast dort», kam seine Stimme. Mit meinen Händen krallte ich mich so gut es ging fest, um meinen Blick zu ihm zu wenden, der seinen Finger in die Richtung des besagten Astes hielt. Ohne mir den Ast vorher genau anzuschauen, hatte ich auch schon meinen Fuß auf ihn gestellt. Ein lautes Knacken war zu hören und der Ast brach mit einem Mal weg. Erschrocken schrie ich kurz auf. Vor Schreck war auch mein zweiter Fuß abgerutscht und wie ein unbeholfener Seesack, der von einem Sturm her gewirbelt worden war, hing ich im Baum. Krampfhaft versuchte ich mich mit meinen Händen weiterhin festzuhalten, während meine Füße immer wieder an der Baumrinde abrutschten. Panik ergriff mich. Lange konnte ich mich nicht mehr halten. Hilflos rief ich Travers Namen. Doch das war gar nicht mehr nötig, schon hatte er seine rechte Hand von einem Ast, an dem er sich vor kurzem noch gehalten hatte, gelöst und umfasste meine Taille. Ich verspürte ein Kribbeln an der Stelle, wo er mich berührte. Mit einem leisen, Stöhnen schob er mich soweit es ging nach oben. Ich holte noch zusätzlich etwas Schwung und hievte mein Bein auf einen höheren Ast, als den zuvor. Dankend schaute ich zu Traver runter, der seine Hand wieder weggezogen hatte und ich meinte mich dabei erwischt zu haben wie ein Schwall Enttäuschung in mir aufgestiegen war, als, anstatt seiner Hand, lediglich ein kalter Windstoß mich berührte. «Höher gehen wir nicht.» Dankend lehnte ich mich an den Stamm. Meine Arme hingen dabei schlaff zur Seite runter, wobei ich froh war, dass mein Streifschuss mir keine Probleme mehr machte. Während ich mich anlehnte, hatte Traver sich mir gegenüber auf einen Ast gesetzt, wo eine gebogene Gabelung ihm eine Lehne bot.

Die Blätter boten uns Schutz. Erschöpft schloss ich die Augen und ließ für einen kurzen Moment die letzten warmen Sonnenstrahlen auf meiner Haut wirken. Dann öffnete ich sie wieder und sah ihn an. Ich brauchte Antworten und zwar viele. Auch wenn er mir geholfen hatte, begutachtete ich ihn misstrauisch. «Wer bist du überhaupt und woher kennst du meinen Namen?

Verfolgst du mich?», fragte ich geradeheraus. Die Frage klang ziemlich seltsam, als ich sie selber hörte, denn durch unser erstes Aufeinanderstoßen fühlte es sich so an, als würde ich ihn bereits kennen. Er lächelte kurz und verzögerte so seine Antwort. «Meinen Namen scheinst du doch auch schon zu kennen.» Dabei fuhr er sich mit der Hand über den Nacken. Ich schwieg kurz, dann sagte ich: «Ich habe ihn in der Nacht gehört, wo ich nach der Nachtruhe draußen gewesen bin. Wo du mir das erste Mal geholfen hast. Ich verstehe nur nicht wieso.» Jetzt war er es, der schwieg und ich fuhr fort: «Du bist einer der Soldaten. Deine erste Reaktion sollte sein, mich an Sacka auszuliefern.»

«Ich treffe meine eigenen Entscheidungen. Ich hechle nicht wie alle anderen Sacka hinterher, um seine Anerkennung zu bekommen. Ich entscheide selbst, was ich für richtig halte», sagte er ernst. «Also tust du das hier, weil du dich ihm widersetzen willst und insgeheim ein Rebell bist oder wie soll ich das verstehen? Willst du dir etwas beweisen?» Ich wusste nicht ob ich zu weit ging, schließlich riskierte er viel. Traver sah mich eindringlich an. «Es geht nicht darum etwas zu beweisen oder sich zu widersetzen. Ich weiß, was die Konsequenz ist, wenn ich dir *nicht* helfe und das ist schon Grund genug.» Über die Konsequenz wollte ich gar nicht erst nachdenken. «Dieser Liam schien das ganz anders zu sehen. Ist er dein Freund? Vertraust du ihm?» Eigentlich hätte ich fragen müssen ob *ich* diesem Liam vertrauen konnte, aber aus irgendeinem Grund reichte es mir, dass dieser Fremde vor mir ihm vertraute. «Ob Liam vertrauenswürdig ist kommt ganz drauf an aus welcher Perspektive man es betrachtet. Schließlich war er es, der dich raus gelassen hat. Daher würde ich sagen, dass er nicht unbedingt einer der besten Soldaten ist, aber sonst vertraue ich ihm blind. Seine Bedenken sind nur, weil er genau weiß wie riskant es ist, dass ich dir helfe.» Ich nickte. Einerseits zustimmend wegen dem Risiko und andererseits zum Verständnis was Liam betraf. «Wie geht es jetzt weiter?» Er wandte den Blick ab, bei meinen Worten. «Ich kenne die Zeiten der Patrouillen. Wir werden einen geeigneten Moment brauchen, um dich unbemerkt rein zu schaffen. Ich weiß nicht wie lange wir dafür warten müssen. Jetzt werden alle besonders wachsam sein, aber spätestens in zwei Tagen sollten wir es wagen. Länger könnte uns zum Verhängnis werden.» Wieder nickte ich. Nach einer Weile erhob ich die Stimme. «Danke.» Traver, der in die Ferne gestarrt hatte, schaute auf. Unsere Blicke trafen sich.

«Beim ersten Mal hatte ich noch gedacht, dass du wahnsinnig mutig bist, aber jetzt glaube ich, dass die Betonung doch eher auf wahnsinnig liegen sollte!» Er schmunzelte, was an ihm so natürlich wirkte. «Ich weiß.»

«Warum tust du es dann?»

«Weil ich muss.» Seine Augen wirkten kurz überrascht, dann strahlten sie so viel Ruhe, auf irgendeine Weise auch Geborgenheit aus. Er machte keine Anstalten den Blick abzuwenden. Mein Herz begann schneller zu schlagen und das Pochen erfüllte meine Adern. Langsam stieg es nach oben zu meinem Hals. Ich fragte mich ob es ihm genauso ging. Irgendetwas war da zwischen uns, etwas Undeutliches, Ungewisses. Der Gedanke machte mir Angst und ich war froh als er schließlich wegschaute. Erleichtert rang ich nach Luft. Ich hatte gar nicht gemerkt, dass ich sie angehalten hatte.

Warum tust du es dann? Seine Worte hallten in meinem Kopf nach. Ich war kurz davor gewesen mehr herauszufinden. Ich hätte das alles vielleicht verstehen können. Hätte Antworten gefunden. Doch statt Antworten war da nur noch mehr Leid. Meine Gedanken wanderten wieder zu den beiden Toten, die mich verfolgt hatten. Ich hatte keine Ahnung wer noch mit mir dort draußen gewesen ist. Aber ehrlich gesagt wollte ich auch nicht weiter darüber nachdenken. Ich fühlte mich immer noch so schäbig einer Toten die Jacke geklaut zu haben. Ein Blick an mir herunter, zeigte mir, dass ich sie immer noch trug. Auch wenn ich noch etwas darunter anhatte, fühlte es sich plötzlich so an, als würde ich den Stoff der Jacke direkt auf meiner Haut tragen. Es war ein unangenehmes Gefühl. Als klebte der Tod selbst an mir. Ich musste aus dieser Jacke raus, ich hielt es sonst nicht mehr aus. Und ihre Waffe! Ich musste ihre Waffe loswerden. Das Ding wollte ich nicht länger am Körper tragen. Traver bemerkte meine Versuche aus der Jacke zu kommen. «Ich will aus der Jacke raus.» Ich wurde immer hektischer, weil es nicht klappte. Mein Arm wollte einfach nicht rausgehen, dabei wollte ich sie so schnell wie möglich abkriegen. Gleichzeitig beschleunigte sich mein Atem. Lauter Gedanken von Blut, Tod, Leichen, Angst, Flucht...ließen Bilder in mir hochsteigen, die ich nicht ausblenden konnte. «Ich will aus der Jacke raus!» Plötzlich bekam ich immer schlechter Luft. Es fühlte sich so an, als hatte mein Körper verlernt zu Atmen. Der panische Ausdruck in meinem Gesicht, traf auf Traver, als ich ihn hilfesuchend ansah. Er reagierte sofort, legte seine Hand auf meine Schulter und drückte sie. Der Druck half mir etwas ruhiger zu werden, in dem ich mich darauf konzentrierte. «Ich muss aus der Jacke raus», war das Einzige was ich noch erwidern konnte, dann nahm er den Ärmel und zog daran, bis er die Jacke und zum Glück auch endlich diese entsetzliche Waffe in die Hand bekam. «Beruhige dich. Atme tief durch. Fürs erste ist es vorbei.» Bei seinen Worten sah ich ihm tief in die Augen und ahmte seinen Atmung nach, die er vormachte. «Ich kann nicht ausblenden, was es gekostet hat hier herzukommen.»

«Wenn du das könntest, hätte ich schon lange das Weite gesucht, denn dann wärst du kein Mensch mit dem ich etwas zu tun haben wollen würde.»

Nach einigen Minuten nickte ich und Traver ließ die Hand von meiner Schulter sinken. Jacke und Waffe hängte er an einen Ast, an dem auch schon seine Ausrüstung hing. «Willst du meine Jacke?», Es war kalt, wenn der Wind kam, dennoch lehnte ich ab. Es fühlte sich nicht richtig an. Ich verfolgte Travers Blick wie er nach einiger Zeit zur Jacke auf dem Ast wanderte. Es war klar, dass er es wusste, trotzdem fragte er nach: «Das ist Amys Jacke oder?» Ich konnte ihn nicht ansehen und auch nicht länger zur Jacke. Ich musste an seine Worte von vorhin denken: *noch dazu denkt Sacka, dass sie Amy und Case umgebracht hat.* Ich war vorhin erst erstaunt gewesen, doch natürlich dachte Sacka es. Es sah alles danach aus. Wer würde mir glauben, wenn ich es verleugnen würde? Es klang auch einfach viel zu abwegig. Ich schaute nicht hoch, als ich leise sagte: «Ich war das nicht.» Ich dachte, dass nach meinen Worten eine längere Pause von ihm kommen würde. Eine Pause, in der er überlegte was er sagen sollte. In der er sich Argumente überlegte warum gerade das, die dümmste Aussage war, die er je gehört hatte, doch stattdessen sagte er: «Ich weiß.» Seine Stimme klang aufrichtig. Stutzig sah ich ihn an. «Das hast du schon zu Liam gesagt. Wie kannst du dir so sicher sein?» Seine Antwort kam sofort. «Dafür muss man skrupellos sein, so wie Esh oder einen guten Grund haben und zwar einen verdammt guten. Auch wenn es den eigentlich nicht gibt.» Ich nickte zustimmend und erleichtert, dass er mir glaubte und mich nicht für einen skrupellosen Menschen hielt. Erst traute ich mich nicht zu fragen, doch etwas in mir drängte es zu wissen. «Hast *du* schon...Wie viele?» Traver wich meinem Blick aus, doch er antwortete. «Zwei.»

«Und war es das wert?»

«Das kann es niemals sein. Aber in dem Moment habe ich keinen anderen Ausweg gesehen.» Ich war erstaunt über seine Ehrlichkeit und beließ es dabei.

Die Zeit, in der ich probierte zu schlafen war eine Qual. Jedes Mal, wenn ich kurz davor war meine Augen zu schließen und endlich in einen Schlaf zu verfallen, schreckten mich Bilder vom Tag wieder hoch. Zusätzlich plagte mich die Ungewissheit über alles mögliche. Es ging so lange, bis ich endgültig aufgab es weiter zu versuchen. Ich öffnete die Augen und mein Blick wanderte automatisch in Travers Richtung. Er riskierte so viel. Ich wollte mehr über ihn wissen, um wenigstens bei ihm meine Ungewissheit abstreifen zu können. Er hatte die Augen geschlossen und atmete regelmäßig durch die Nase. Konnte er etwa schlafen? Zurück gelehnt saß er mir gegenüber. «Traver?», fragte ich vorsichtig. Erst dachte ich er schlief wirklich, doch dann öffnete er die Augen. Er schaute mich an und ich hatte das Gefühl, dass er auch noch nicht richtig geschlafen hatte. Das Öffnen seiner Augen genügte mir als Antwort. «Kann ich dich was fragen?» Er wirkte gedankenverloren. So als musste er erst eine Überlegung abschließen, bevor er sich zu mir wenden konnte. Dann lächelte er kurz und sagte: «Klar.»

«Wenn du so dagegen bist, warum bist du dann einer der Soldaten?» Sein Lächeln verschwand wie auf Knopfdruck und er wandte den Blick ab. Eine endlose Pause schien zwischen meiner Frage und seiner Antwort zu liegen, dann wandte er sich zu mir. «Dadurch hat man den Bonus jeden Sonntag eine extra Portion Nachtisch zu bekommen», lachte er kurz. «Ich meine es ernst. Du könntest doch…» Traver unterbrach mich ernst: «Was? Hier draußen leben? Nein, das kommt nicht in Frage.» Nachdenklich sah er sich um. «Und was ist mit da drinnen?», fragte ich und zeigte auf das Dorf. Am liebsten hätte ich noch *so wie ich* dran gehängt, aber ich verkniff es mir. Kurz folgte er meiner Geste, dann schüttelte er den Kopf. «Ich kann es eh nicht mehr ändern, also brauche ich auch nicht darüber zu spekulieren.»

«Hat es was damit zu tun, dass du Sacka kennst?»

159

Leicht fürchtete ich mich vor seiner Antwort. Ich fragte mich inwieweit er ihn kannte. Besser als alle anderen? Aber er lachte nur auf und fügte dann hinzu: «Nein, ganz sicher nicht, aber ich war so etwas wie seine rechte Hand. Nicht offiziell, aber er hat mich mit anderen und wichtigeren Dingen beauftragt.» Dieser Satz machte mich misstrauisch. «Und dann hintergehst du ihn?» Die Rinde bohrte sich in meinen Rücken, als ich mich ein Stück von Traver entfernte. Er war so etwas wie Sackas rechte Hand? «Wie schon gesagt. Ich treffe meine eigenen Entscheidungen und ich unterstütze nicht alles. Aber ich versuche mich respektvoll zu verhalten, weil er bei mir früher oder später keine Ausnahme mehr machen wird, wenn es darum geht wer seine angedrohten Konsequenzen zu spüren bekommt.» Hieß das so viel wie, dass Sacka auch vor ihm kein Halt machen wird? «Es ist auch egal was ich jetzt noch mache, er misstraut mir so oder so schon. Deshalb habe ich auch gesagt, ich *war* so etwas wie seine rechte Hand. Er zeigt es nicht, aber ich weiß es. Früher oder später wird das Folgen haben und ich kann nur hoffen, dass es eher später als früher passiert. Ich denke deshalb hat er auch mich geschickt. Das hätte meine Chance sein können ihm zu beweisen, dass ich noch auf seiner Seite bin. Ich kann nur hoffen, dass er uns nicht erwischt, denn dann weiß ich nicht wie ich das noch retten soll.»

«Klingt nach den besten Voraussetzungen, um mir zu helfen. Warum misstraut er dir?» Er seufzte. «Sag ich dir morgen. Ok?» Ich nickte, wollte seine Antwort nicht erzwingen, vor allem, weil ich sah wie ihm das Thema nicht behagte. Wie lange kannte ich ihn gerade mal? Und da konnte ich erkennen, dass er sich nicht wohl bei dem Thema fühlte? «Ist dir kalt?» Erst schwieg ich. Mir war in der Tat kalt, aber was konnte er dagegen tun? Ich überlegte nein zu sagen, verwarf den Gedanken jedoch so gleich, schließlich hätte auch ein Blinder sehen können wie ich fror. Also nickte ich wortlos. Daraufhin zog er seine Jacke aus und reichte sie mir. Dankbar nahm ich sie an mich und hing sie mir um die Schultern. Seine Wärme umschloss mich und die Kälte wurde erträglicher. Traver hatte sich wieder in seine alte Position gelegt und die Augen geschlossen. Unter seiner Jacke trug er ein graues T-Shirt, dessen Ärmel dreiviertel lang waren und eng an seinen Armen anlagen. Unter dem Stoff zeichneten sich seine Muskeln ab, als er seine Arme vor der Brust verschränkte. An einigen Stellen am Kopf standen seine dunklen Haare dezent zur Seite ab, wenn ein Windhauch dadurch wehte, während sein Kinn in die Luft gestreckt war, als er sich mit dem Kopf an einen Ast anlehnte. Wow, ich musste aufhören ihn anzustarren. Ich kannte diesen Typen überhaupt nicht. Ich sollte ihn nicht anstarren und zusätzlich sollte ich nicht einschlafen und mich sicher fühlen, aber trotzdem tat ich es ihm gleich und schloss meine Augen. Eingehüllt in seinen Duft schlief ich ein, ohne noch einmal über die schrecklichen Dinge, die ich heute erlebt hatte, nachzudenken.

15 ZOE

Als ich meine Augen öffnete, war es helllichter Tag, die Sonne schien in mein Gesicht, Vogelgezwitscher war zu hören und es roch frisch und saftig. Blätter waren in meinem Sichtfeld und erst als Traver mir: «Guten Morgen», zurief, fiel er mir wieder ein. Seine Stimme kam von unten und ich schaute am Stamm herunter. Er stand in seinem grauen T-Shirt unten und winkte mich auffordernd zu sich. Unbeholfen setzte ich meine Beine auf den Stamm. Sie waren fast wie versteinert, da ich sie über Nacht nicht bewegt hatte. Traver musste meinen unsicheren Blick gesehen haben, denn er begann sogleich wieder mir eine Anweisung zu geben, doch das schaffte ich auch locker alleine. Ich blendete seine Stimme aus und schwang mich mehr oder weniger elegant von Ast zu Ast, bis ich neben ihm auf dem Boden landete. «Respekt», gratulierte er mir gespielt und ich erwiderte einen, ebenfalls übertriebenen, Knicks. Er lächelte und ich lächelte zurück. «Hast du Hunger?», fragte er kurz darauf. Jetzt wo er es ansprach verspürte ich tatsächlich einen mächtigen Hunger. «Und wie! Wie spät ist es eigentlich?»

«Kurz nach neun.»

«Woher weißt du das?», fragte ich ihn, während ich ihm einen Weg durch den Wald folgte. «Die

Kirchturmglocke.» Erwiderte er nur knapp. «Hört man das Läuten tatsächlich bis hierher?» Schlagartig blieb er stehen und drehte sich zu mir um. Sein Gesicht hatte den Anschein eines Lächelns. «Wenn man genau hinhört. Ich weiß nicht woran es liegt, aber es erinnert mich an Zuhause.» Ich war mir sicher, dass er nicht das Dorf als sein Zuhause betitelte, sondern einen Ort, den ich nicht kannte. Wir setzten unseren Weg fort. Traver führte mich durch hohe Büsche, vorbei an hohen Bäumen und entlang grünbewachsener Steine. Beim Gehen achtete ich auf Wurzeln und Geröll. Ich schloss die Augen und sog die Luft ein, sie roch immer noch frisch und rein. Plötzlich blieb Traver stehen und hätte ich nicht gerade in diesem Moment die Augen wieder geöffnet, wäre ich in ihn rein gelaufen. Er schien es nicht mitbekommen zu haben. Zum Glück. «Das ist der einzige Apfelbaum, den ich in diesem Waldstück finden konnte.» Er deutete auf einen kleinen mageren Baum der mehrere kleine rote Früchte trug. «Sieht vielversprechend aus», erwiderte ich ohne jeglichen Sarkasmus. Wir pflückten welche und ich verstaute sie in den Taschen von Travers Jacke, die ich immer noch trug. Während er seine Hände höher in den Baum streckte, um noch ein besonders rotes Exemplar zu erreichen, beobachtete ich seinen Körper. Wie er sich lang machte und streckte. Zwar trug er ein Shirt drüber, doch ich konnte gut erkennen wie sich jede Faser in seinem Körper straffte. Am Hosenbund rutschte es einige Zentimeter hoch, sodass ich einen kurzen Blick auf seine Muskelregionen werfen konnte und sein trainierter Körper konnte sich sehen lassen. Ich ertappte mich bei dem Gedanken, dass ich auch nichts anderes erwartet hatte. *Moment.* Wann hatte ich mich jemals gefragt wie sein Körper aussah? Ich wanderte mit den Augen weiter nach oben, sodass ich sein Gesicht und sein Kinn beobachten konnte, welches leicht gestreckt war, während er seine Lippen angestrengt zusammen presste, mit voller Konzentration auf den Apfel. Doch mit einem Mal verschwand die Anstrengung aus seinem Gesicht und mit einem zufriedenen Lächeln hielt er den Apfel in seiner Hand wie einen Pokal. Seine Augen schauten mich strahlend an. Sie durchdrangen mich und ließen mich alles andere vergessen. Plötzlich begriff ich was ich gerade tat. Ich starrte ihn an. Wie musste es aussehen, wie ich ihn mit vermutlich sehnsüchtigen Augen ansah? Doch die eigentliche Frage müsste lauten: *Wieso starrte ich ihn* sehnsüchtig *an?* Ihn, einen den ich kaum kannte, erst zweimal gesehen hatte, aber dennoch bis hierher gefolgt war. Verlegen wandte ich den Blick zu Boden und sah deshalb nur aus dem Augenwinkel wie er sich, mit seiner Hand und einem verhaltenen Blick, über den Nacken fuhr. Nach einem kurzen Augenblick jedoch, brach er das Schweigen und sagte: «Wollen wir noch ein kleines Stück gehen? Ich

165

habe noch etwas gefunden, das ich dir zeigen möchte.»
Ich nickte als Antwort und er führte mich weiter.

Wenn ich mich am Anfang noch gefragt hatte wie groß
dieses kleine Stück Wald war, dann kam ich jetzt zu
dem Entschluss, dass es riesig sein musste. Immer
weiter durchforsteten wir ihn. Rechts und links von mir,
war nichts zu sehen, außer Bäume die sich ineinander
verzweigten.

«Es ist der nächste Tag, also was hast du angestellt,
was Sackas Missgunst erweckt hat?» Ich wollte locker
klingen, aber seine Haltung verriet mir, dass es kein
Thema für einen lockeren Smalltalk war. «Du bleibst
hartnäckig nicht wahr?» Er fuhr fort ohne meine
Antwort abzuwarten: «Sagen wir einfach, ich habe
mich eingemischt und das vor allen Leuten. Man kann
sich denken, dass ihm das nicht gerade gepasst hat.»

«Inwiefern?»

«Sacka wollte sie erschießen und ich habe mich
eingemischt, um ihn abzuhalten.»

«Sie?», fragte ich.

«Du...»

«Ich?»

«Nein.» Oh peinlich. «Du kanntest sie bestimmt
nicht», endete Traver, wo ich ihn unterbrochen hatte. Es
gab also eine, der sein Herz gehörte. Allerdings hatte er
kanntest gesagt. «Was ist mit ihr jetzt?» Sein Blick ging

zu Boden und ich meinte ein leichtes Lächeln zu sehen. «Kommt sie von drinnen?», versuchte ich ihn weiter zu drängen und zeigte dabei Richtung Dorf. Er nickte. «Und wo ist sie jetzt?»

«Jedenfalls nicht mehr da drinnen.» Während er sprach hatte er aufgeschaut und sich umgewandt. Wir sahen uns direkt in die Augen. Dann zog er sein T-Shirt an seiner rechten Schulter zur Seite und eine Narbe kam zum Vorschein. Er sah mich immer noch direkt an. «Als ich mich eingemischt habe, hat Sacka von ihr abgelassen und mich bedroht. Er hätte abgedrückt, wenn sie nicht gewesen wäre. Sie wollte ihn stoppen mit einer Waffe, die sie einem Soldaten abgenommen hat, aber wie man sieht hat es im Endeffekt mich erwischt.»

«Sie hat auf dich geschossen?» Bevor ich noch so vieles dazu sagen konnte, antwortete er schon: «Wer weiß, vielleicht wird es bald nochmal dazu kommen. Allerdings diesmal von Sacka.» Mit einem Lachen wollte er so herüberkommen, als ob er es mit Humor nahm, aber in seinem Blick konnte ich seine Bedenken sehen. «Jedenfalls ist er seitdem misstrauischer geworden was mich betrifft.» Während er sein T-Shirt wieder zurecht zupfte, schaute er kurz zu mir und sagte dann: «Aber mach dir keine Gedanken wegen ihr. Sie kommt dir nicht in die Quere.» Dabei lächelte er kurz. Mit der Hand fuhr er sich über den Nacken und ich sagte: «Gut.» Anscheinend hing er nicht mehr an ihr. Aber Moment mal. Was sollte denn diese Aussage? Prompt erwiderte ich: «Äh ich meine natürlich, ich mach mir keine Gedanken.» *Oh Mann.* Er schmunzelte, dann wandte er sich wieder um und setzte unseren Weg fort. Ich folgte ihm und ärgerte mich über meine dummen Worte.

Warme Sonnenstrahlen blendeten mich, als wir durch die Baumreihen auf eine Lichtung traten. Mehrere große Felsbrocken lagen am Rand verstreut. Sie sahen so fehl am Platz aus, so unnatürlich. Woher stammten sie? Wie kamen sie her? Ein Stück weiter vom Fuß des größten Felsbrockens, befand sich das Ufer eines kleinen Sees, dennoch schien er tief genug zum Baden zu sein. Es war ein wunderbarer Anblick wie das Licht sich auf dem Wasser brach und die Bäume sich darin spiegelten. Die Bäume erzeugten ein sanftes Rascheln. «Gefällt es dir?» Er hatte sich so schlagartig umgedreht und dabei ein Lächeln aufgesetzt, als wäre er noch ein kleiner Junge, der soeben einen Wettbewerb gewonnen hatte. Ich lächelte ihn an und erwiderte: «Es ist atemberaubend.» Und tatsächlich. Es war wirklich schön hier. Sein Lächeln veränderte sich, es wurde sanfter und zufrieden. «Glaubst du das Wasser ist kalt?», fragte ich ihn lachend. Es stimmte, ich lachte.

Ich war glücklich. «Ich weiß nicht, viell...» Ich hörte ihm schon nicht mehr zu, sondern zog seine Jacke aus und rannte an ihm vorbei zum Ufer. Sofort streckte ich meine Hände in das Wasser. Es war kühl, aber nicht kalt. *Angenehm.* Ich hockte mich hin, formte meine Hände zu einer Schale, tauchte sie wieder ins Wasser und klatschte mir das erfrischende Wasser ins Gesicht. Die kühlen Tropfen liefen meinen Hals entlang.

Aus dem Augenwinkel bemerkte ich Traver, der sich zu mir ans Ufer gesellte und sich ebenfalls, in der Hocke, einmal mit dem Wasser durchs Gesicht fuhr. Die Betonung lag auf *einmal,* denn während er es dabei beruhen ließ und einfach nur am Ufer hockte, machte ich es noch einige Male. Es fühlte sich so gut an. So befreiend. Ich *war* frei, kam mir der Gedanke. Doch ehe ich weiter drüber nachdenken konnte, sah ich, wieder aus dem Augenwinkel, wie Traver mich ansah, vielleicht sogar schon starrte. Wieder nahm ich mit meinen Händen eine Kelle Wasser, doch diesmal sollte es nicht mein Gesicht erreichen, sondern seines. Ich überlegte nicht lange, schleuderte meine Hand herum und öffnete sie im Flug. Das ganze Wasser traf sein Gesicht. Die Haarspitzen vorne tropften und das Wasser lief seinen Hals herunter, genauso wie meinen zuvor. Erschrocken schaute er mich an. Leichtes Entsetzen machte sich in mir breit. Ich hatte ihm einfach Wasser ins Gesicht geklatscht. *Oh Gott* wie kindisch, von mir.

Er schien es nicht so gut aufzufassen. Ich machte schon den Mund auf, um so etwas wie eine Entschuldigung zu murmeln, doch ehe ich etwas sagen konnte, fing er an zu lachen. Sein Lachen war so wunderschön warmherzig. Erleichtert lachte ich mit und mit einem Mal fuhr seine Hand ins Wasser und spritzte es in meine Richtung. Plötzlich rutschte mein einer Fuß auf dem nassen Untergrund zur Seite und ich fiel in Richtung Wasser. Doch noch ehe ich es erreichte, stütze Traver mich und hielt mich fest. Seine Berührung kribbelte. Unsere Blicke trafen sich und Wasser tropfte von seinen Haaren auf mich herunter, als er lächelte. Nur einen Sekundenbruchteil später ließ er mich los. Mit einem lauten Platschen landete ich im Wasser. «Was soll denn das? Na warte», rief ich gespielt wütend. Traver lachte nur als Antwort und ich musste auch los lachen, als ich sah, dass er beinahe genauso nass war wie ich, weil ihn das hoch spritzende Wasser komplett erreicht hatte.

Schmerzend vor Lachen und nass bis auf die Knochen, lagen wir nebeneinander auf dem Gras am Ufer. Sonnenstrahlen fielen auf unsere Gesichter und versuchten uns wenigstens etwas zu trocknen. Wir lachten immer noch. Das war schon lange nicht mehr vorgekommen. Doch meine gute Laune wurde geschmälert, als ich bemerkte wie er langsam verstummte und ernster wirkte. Ich setzte mich auf und betrachtete ihn. Das nasse T-Shirt klebte an ihm und ließ darunter seinen trainierten Körper erkennen. Eine Wärme überfiel mich ganz plötzlich. Seine wunderschönen Augen waren offen und starrten gedankenverloren in den Himmel. Ich wusste echt nicht was mit mir los war. Warum starrte ich ihn nonstop an? Er seufzte und setzte sich ebenfalls auf. «Warum machst du das?», fragte er. Fragend sah ich ihm in die Augen. «Was meinst du?»

«Du weißt was ich meine. Warum willst du wieder zurück? Du bist frei, du könntest gehen.» Sorgenvoll erwiderte er meinen Blick. Ich wandte mich ab und blickte über den See. Irgendwie beruhigte mich das Wasser. Ich dachte über seine Worte nach. Es stimmte, ich war frei, doch wissen tat ich nichts. Er wusste mehr als ich, die dieses Leben lebte. «Ich bin hergekommen um Antworten zu bekommen! Nenn mir einen Grund warum ich gehen sollte? Und zwar einen anderen Grund als das Einsperren, denn ich weiß, dass es noch einen anderen gibt», sagte ich etwas ermattet und kam auf die Beine. Traver tat es mir seufzend gleich und ich sah in seinen Augen wie unsicher er plötzlich wirkte. Er fuhr sich über den Nacken. War ihm eigentlich klar wie oft er das tat? «Ich...», setzte er an, dann brach er ab. «Sag es mir! Was geht da vor sich?» Meine Stimme wurde flehender. «Ich», setzte er wieder an. «Wir müssen dich erst mal wieder heil rein bringen.» Ich schnappte nach Luft, so empört war ich über seine Worte. War das sein Ernst? «Und was dann? Lebe ich weiter in dieser Unterdrückung? Und was ist wenn ich nicht mehr zurück will, wenn ich weiß, was vor sich geht?», fragte ich nur nachdenklich. «Dann würdest du erst recht zurückwollen.» Er hatte Recht. Wenn ich daran dachte und mir ausmalte was alles Schlimmes vor sich ging, könnte ich niemals meine Mutter oder Wise oder die vielen anderen zurücklassen. War das auch *sein* Grund nicht zu gehen? Es störte mich, dass er es ausgesprochen hatte und es genau ins Schwarze traf. Ich wurde etwas lauter, konnte es nicht verhindern: «Tu nicht so als würdest du mich kennen. Ich weiß nicht mal ob ich dir vertrauen kann. Was ist wenn das doch noch eine Falle ist? Wenn das für dich nur eine spaßige Abwechslung ist?» Als ich begriff wie unfair meine Worte waren, war es schon zu spät. Es war nicht ich, die gesprochen hatte, sondern die Wut und die Verzweiflung, vielleicht auch der Schock? Ich sah den verletzten Ausdruck in seinen Augen, sah wie geschlagen er seine Schultern für einen kurzen Moment hängen ließ, um sie gleich darauf wieder anzuspannen. «Ist es das, was du denkst?» Er klang dabei so verletzt, dass ich alles tun würde, um diese Worte wieder zurückzunehmen, aber dafür war es jetzt schon zu spät. Plötzlich verschwand der Schmerz aus seinen Augen und seine Stirn runzelte sich. Ich meinte, dass er wütend war, dann war er es, der lauter wurde: «Glaubst mir macht das Spaß? Glaubst du ernsthaft das alles hier wäre nicht ernst? Ich begebe mich mit dir gerade in Lebensgefahr. Wenn uns jemand findet sind wir tot und damit meine ich tot. Was glaubst du wäre passiert, wenn nicht Liam uns beide in der Hütte gefunden hätte? Glaubst du es ist ein Spaß, dass die Frau, die dir Unterschlupf gegeben hat jemanden verloren hat und ihre Kinder es mit ansehen mussten?» Ich schämte mich für meine Worte. Er hatte Recht. Ein kaum hörbares: «Nein», brachte ich hervor. Traver fuhr fort: «Und ich habe dich nicht gezwungen mir zu vertrauen.» Diesen Satz sagte er leise. Wieder so zerschlagen wie zuvor. «Ich weiß», hauchte ich. «Es tut mir leid, ich meinte es nicht so. Es ist nur so, dass ich mein ganzes Leben lebe und nicht weiß wieso ich es so lebe.»

«Nicht dein ganzes Leben.» Er sprach so leise, dass ich es kaum verstand, mehr zu sich selbst, dann fügte er ruhiger und etwas lauter an mich gewandt hinzu: «Du wirst es irgendwann erfahren.» Ich wollte schon etwas erwidern, fragen wieso ich es nicht jetzt erfuhr, doch plötzlich war ein Knacken zu hören. Wir erschraken beide. In den Augen des anderen konnten wir lesen, was wir dachten: Wir waren viel zu laut gewesen, bestimmt hatte uns jemand gehört. Das Knacken kam von der gegenüberliegenden Seite des Sees. Ohne zu zögern packte Traver mein Handgelenk und zog mich hinter sich her, den Weg den wir gekommen waren. Ich versuchte so schnell zu laufen wie es ging und hastete ihm hinterher. Ich stolperte über Wurzeln und Steine, es war ein Wunder, dass ich nicht hinfiel. Angstvoll drehte ich mich immer wieder im Laufen um, während Traver nur unser Ziel vor Augen hatte, den Baum.

16 TRAVER

Ich hatte ihren zierlichen Arm gepackt und war einfach losgestürmt. Ich hatte nicht drauf geachtet, ob sie mithalten konnte und erst jetzt bemerkte ich, dass sie sich mehr oder weniger nur noch an meiner Hand aufrecht hielt. Ihre Schritte waren immer unkoordinierter und ihr Atem wurde immer schwerfälliger. Sie brauchte eine Pause, doch die konnten wir uns nicht leisten. Mein Blick ging starr geradeaus. Es war nicht mehr weit bis zu dem Baum auf, dem wir letzte Nacht geschlafen hatten. Bis dahin musste sie noch durchhalten. Nicht, dass wir dort sicher waren, im Gegenteil, aber das war mein erstbester Einfall gewesen und auch unsere einzige Möglichkeit. Auch wenn ich mir eigentlich nicht sicher war, ob wir überhaupt in Gefahr schwebten. Ihr war es vielleicht nicht aufgefallen, sie war zu aufgewühlt gewesen, aber ich hatte deutlich einen dunkelblau schimmernden Schatten zwischen den Bäumen gesehen, was nichts Gutes bedeutete, doch die Tatsache, dass ich zusätzlich einen so bekannten blonden Haarton gesehen hatte, hatte mich in der Hoffnung verstärkt, dass es Liam gewesen sein könnte. Trotzdem war ich mir nicht sicher und das Risiko war zu hoch nachzusehen, zumindest wenn sie dabei war. Ich musste sie zum Baum bringen, in die vermeintliche *Sicherheit* und dann nachgucken

175

gehen. Vielleicht hatte Liam wichtige Informationen für mich, falls er es war. Denn was hatte erst sonst hier zu suchen?

Gedanken an unser Gespräch von gerade überkamen mich. *Ich weiß nicht mal ob ich dir vertrauen kann.* Ein erneuter Stich durchfuhr mich. Ihre Worte hatten mich getroffen. In ihrem Ausdruck hatte ich gesehen, dass sie selber erschrocken über ihre Worte war, doch sie hatte sie ausgesprochen. Da rettet man sie zweimal aus der Gefahr und wird trotzdem nicht als vertrauensvoll eingestuft. Natürlich verstand ich ihre Wut und ihren Schmerz. Sie wusste über nichts Bescheid und ich wusste alles. So gerne hätte ich ihr alles erzählt, so gerne hätte ich sie aufgeklärt und damit in Kauf genommen, dass ich Sacka noch mehr in den Rücken fiel, aber es war besser so. Für sie und für mich. Wenn sie zu viel wusste und Sacka es herausfand, konnte ich sie nicht noch einmal retten. Vor allem war es besser sie jetzt noch nicht aufzuklären, wenn wir noch Gefahr liefen geschnappt zu werden. Meine einzige oder besser gesagt ihre einzige Hoffnung war, dass Sacka ihren Namen nicht herausfand, denn wenn sie erst mal wieder im Dorf war und er von ihrer Identität wusste, saß sie in der Falle. Dort konnte sie nicht vor ihm fliehen und ich wäre da genauso mit drinnen wie sie, das würde er sofort wissen.

176

Zum ersten Mal seit viel zu langer Zeit hatte ich mich wieder glücklich, irgendwie so vollkommen gefühlt und ich hatte das Gefühl, dass sie es ebenfalls gespürt hatte. Ihr Lachen war so verzaubernd und ansteckend gewesen und dann hatte ich diesen Moment zerstört. Alles in meinem Körper wollte vermeiden, dass ich die Worte aussprach, die sich bereits in meinen Gedanken gebildet hatten und als sie über meine Lippen gekommen waren, hätte ich mich selbst ohrfeigen können, aber ich musste es wissen. Ich musste wissen ob sie etwas herausgefunden hatte. Mir war klar, dass ich es nicht auf die beste Art gelöst hatte, aber immerhin konnte ich mir jetzt sicher sein, dass ihr Wissen sie nicht noch mehr gefährdete.

Endlich entdeckte ich unser Ziel und sie schien es auch gesehen zu haben, denn plötzlich wurde sie schneller. Meine Muskeln spannten sich an und ich beschleunigte ebenfalls noch etwas. Zum ersten Mal seit ich losgestürmt war, drehte ich mich um und als ich niemanden ausfindig machen konnte, wollte ich mich gerade wieder abwenden, als mich ihr entsetzter und aufgescheuchter Blick traf. Ihre Wut schien verflogen zu sein und war purer Angst gewichen.

Als ich endlich anhielt, atmete sie erschöpft und erleichtert zu gleich auf. Durch die Bäume wehte ein kalter Windhauch und blies ihre weichen Haare nach hinten und so konnte ich ihr Gesicht genau sehen. Ihre Wangen waren gerötet, ihr Mund beim schnellen Atmen geöffnet und ihre Augen weit aufgerissen. Ein weiterer Windhauch wehte um uns und diesmal bemerkte ich wie sie bei der Kälte zitterte. Erst jetzt viel mir auch wieder auf, dass wir immer noch klitschnass waren. Sie würde sich erkälten und das wäre gar nicht gut. Schon machte ich mich bereit ihr meine Jacke wieder anzubieten, doch...Wo war meine Jacke? Sie schien es im gleichen Moment wie ich zu merken, denn nachdem sie mich mit entsetzten Augen angesehen hatte, sagten wir gleichzeitig: «Die Jacke.»

«Wir müssen nochmal zurück und sie holen.» Ich war überrascht über ihre plötzliche Aufgeregtheit und Ungeduld. «Nein, *ich* gehe sie holen. Du kletterst da hoch und versuchst dich irgendwie zu trocknen und zu wärmen.» Mit einer ausholenden Geste hatte ich zuerst auf den Baum, dann auf ihr nasses T-Shirt gezeigt wodurch ich durchaus, ihre gute Figur erkennen konnte. Schnell wandte ich meinen Blick von ihrem Körper und zeigte wieder auf den Baum. Eigentlich wäre mir die Jacke ziemlich egal gewesen, ich hätte sie auch noch morgen holen können. Wenn es nicht Liam war dann hatte die Person sie sowieso schon gefunden, aber das gab mir den perfekten Grund nochmal zurückzugehen und nach Liam zu gucken, wenn er es denn war. Ein geflüstertes und ungläubiges «Was?», kam aus ihrem

Mund und hinten dran hängte sie die Worte: «Du willst mich allein lassen?» Angst ging von ihr aus und in mir spürte ich einen ganz leichten Anflug von Zufriedenheit, darüber das sie damit praktisch zugegeben hatte, dass sie mich brauchte. Doch es verschwand schnell, als ich mich an ihre Worte erinnerte. «Freu dich doch, vorhin hast du dich doch noch gefragt wieso du mit mir hier bist, jetzt biete ich dir die Möglichkeit für dich alleine zu sein», murmelte ich und wandte mich ab zum Gehen. Als ich mich noch einmal umdrehte sah ich wie sie ihren Kopf nach oben hob und trotzig den Stamm erklomm. Ich hörte noch ein leises Fluchen, als sie hörbar abrutschte und ich musste schmunzeln. Ich war nicht wirklich in wütender Stimmung, wie meine Worte vielleicht schließen ließen, aber ich wollte sehen wie sie ihre Worte bereute, zumindest ein bisschen. Auch wenn ich sie ihr im Grunde nicht übel nehmen konnte. Sie war so ahnungslos und sie hatte einfach einen Wutausbruch gehabt. Ich hätte vermutlich genauso, wenn nicht sogar heftiger reagiert.

Die Dämmerung schlich langsam stetig vorwärts und die Bäume und Büsche um mich herum verdunkelten alles noch zusätzlich. Es war nicht mehr weit bis zur Lichtung und ich rannte das letzte Stück in der Hoffnung, dass Liam noch nicht verschwunden war.

Als ich auf die Lichtung kam wurde ich allerdings enttäuscht. Keine Spur von Liam, doch zu meinem Glück entdeckte ich auf Anhieb die Jacke. Sie war immer noch dort wo Zoe sie ausgezogen hatte. Mit einem schnellen Handgriff hob ich sie auf und klopfte mit meiner Hand den Staub ab. Durch die heftige Bewegung fielen die Äpfel, die wir zuvor in den Jackentaschen verstaut hatten, zu Boden. Wir hatten sie gar nicht gegessen, das fiel mir erst jetzt auf. Flink sammelte ich sie ein und wollte sie gerade wieder in die Taschen stopfen, als ich plötzlich in meiner rechten Brusttasche etwas weißes, plattes entdeckte. Die Äpfel legte ich vorsichtig wieder auf den Boden. Ich stutzte, was war das? Vorsichtig öffnete ich den Knopf, der die Tasche verschloss und entdeckte ein Papier. Ich zog es heraus. Es war kein Papier, es war ein Brief. Die immer weniger werdende Helligkeit ließ gerade noch zu, dass ich die Buchstaben, die auf dem Umschlag geschrieben waren entziffern konnte: *Zoe.* Ich atmete tief durch. Sie musste ihn dort rein gesteckt haben, aber was war das für ein Brief? Woher kam er und warum hatte sie ihn in meine Jacke getan? Immerhin erklärte sich jetzt wieso sie so aufgebracht war und ungeduldig wegen der Jacke. Sie wollte den Brief. Den Umschlag ließ ich durch meine Finger gleiten und untersuchte ihn, doch nirgends war ein Absender zu sehen. Also wendete ich ihn und brachte wieder die 3 Buchstaben zum

Vorschein. Irgendetwas an dieser Schrift machte mich stutzig. Sie kam mir bekannt vor und ein Verdacht schlich sich unaufhaltsam in mein Gedächtnis.

Normalerweise wäre ich nie auf die Idee gekommen den Brief zu öffnen, zumal er sowieso noch fest verschlossen war, aber ich musste gucken ob sich mein Verdacht bewahrheitete.

Ohne irgendetwas zu beschädigen trennte ich die Lasche von dem Rest des Umschlages und holte den, mir nun offengelegten Brief hervor. Er war zweimal gefaltet und an manchen Stellen etwas zerknickt. Ich konnte nicht sagen, dass meine Finger zitterten, das wäre übertrieben, aber in Anbetracht meiner Vermutung war ich schon etwas aufgeregt.

In meinen Händen hielt ich das entfaltete Papier. Ich nickte bestätigend zu mir selbst. Wenn sie darauf einging, würde das ihre Fragen beantworten, zumindest war es ein Schritt in die richtige Richtung.

17 ZOE

Widerwillig hockte ich an den Stamm gelehnt, ein paar Meter über der Erde. Die Dämmerung ging voran und der Wind wurde immer unangenehmer und kühler. Traver hatte recht, ich musste mich aufwärmen und vor allem ausruhen. Ich hasste es, dass er Recht hatte und ich war noch immer sauer, dass er mir nichts sagte. Ich hing doch sowieso schon in der Scheiße. Ich hatte so viele Fragen, doch das wichtigste war der Brief. Ich schallte mich selbst dafür, dass ich ihn in seine Brusttasche der Jacke getan hatte. Wie dämlich. Ich hoffte nur er würde ihn nicht entdecken. Und wenn doch? Würde er ihn lesen? Ich kannte ihn zwar noch nicht sehr lange, aber er würde ihn bestimmt nicht öffnen, da war ich mir unerklärlicherweise sicher. Obwohl mich eine Sache schon stutzig machte. Als wir losgestürmt waren, war uns niemand auf den Fersen gewesen und ich fragte mich ob ausgebildete Soldaten uns nicht locker hätten einholen müssen. Ich war mir ehrlich gesagt sicher, dass es kein Tier war, denn als das Knacken zu hören war, hatte ich eine Gestalt zwischen den Bäumen gesehen, die perfekt zu einem Menschen passte. Hinzu kam Travers Verhalten. Ich wollte unbedingt die Jacke und ich wäre auch sofort zurückgegangen, aber nur wegen dem Brief. Das bedeutete ich hatte einen Grund. Was war seiner? Und wenn er einen hatte oder nur seine Jacke wieder haben wollte, wieso ließ er dann seine gesamte Ausrüstung hier? Sein Waffen-Gürtel hing immer noch am Ast. Wenn ich davon ausging, dass uns jemand entdeckt hatte, dann würde ich doch nicht unbewaffnet dorthin zurückgehen, oder? Ich wollte nicht so denken, aber sein Verhalten kam mir fragwürdig vor. Am Anfang war ich wieder beschämt gewesen als Traver beim Gehen meine Worte von vorhin wiederholt hatte, doch dann war ich stutzig geworden. Ich hatte mich an meine weiteren Worte erinnert. *Was ist wenn das doch noch eine Falle ist?* Ich wollte es wirklich nicht denken aber, was wenn es stimmte? Ich konnte nicht leugnen, dass der Entschluss, den ich jetzt fasste unendlich dumm war, aber das war mir egal. Ich richtete mich vorsichtig auf und machte mich bereit runter zu klettern.

Den letzten Meter sprang ich so geräuschlos wie möglich. Hier unten war es noch dunkler als oben auf dem Baum. Ich strengte meine Sinne an und versuchte in meiner Umgebung irgendeine Bewegung ausfindig zu machen. Ich konnte niemanden entdecken. Ich kannte zwar nicht mehr genau den Weg, aber so schwer durfte es ja nicht sein die Lichtung zu finden. Ich musste nur dem Weg rechts von mir folgen und alles Weitere würde sich ergeben müssen.

Vorsichtig, darauf bedacht kein unnötiges Geräusch

zu machen, setzte ich einen Fuß vor den anderen. Überall bildete ich mir Schatten ein, die sich bewegten und Gestalten, die mir auflauerten. Plötzlich war ein dumpfes Geräusch zu hören. Erschrocken drehte ich mich um. Ich bewegte keinen einzigen Muskel, sondern verharrte auf der Stelle, doch auch vor mir bewegte sich nichts. Mein Herz raste und je mehr Zeit verging, desto eindringlicher redete ich mir ein, dass es nur ein Tier gewesen war. Wachsam schlich ich weiter. Eine Waffe wäre gut, kam mir der Gedanke. Natürlich keine Pistole oder ein Gewehr, nach allem was ich gesehen hatte wollte ich so ein Ding niemals mehr in die Hand nehmen, doch an Travers Gürtel hatte ich ebenfalls ein Messer gesehen. Das hätte ich jetzt liebend gern dabei. Einfach nur damit ich mich sicherer fühlte und eventuell im Notfall es einsetzen konnte, auch wenn ich mir sicher war, dass ich niemals jemanden mit einem Messer verletzen konnte.

Ich wollte nicht länger darüber nachdenken, wollte einfach nur schnell an mein Ziel kommen. Schnellen Schrittes ging ich weiter, doch die Gedanken kamen einfach so. Was machte ich eigentlich hier? Auf irgendeine Art war ich sicher, dass es keine Falle war. Das traute ich ihm nicht zu, dass er mich so hereinlegen würde und doch war ich gerade auf dem Weg um zu überprüfen, ob er nicht doch irgendetwas plante. Nein, sofort verwarf ich den Gedanken. Ich war auf dem

Weg, um nach ihm zu schauen! Das redete ich mir den ganzen Weg über ein, einfach nur um nach ihm zu sehen ohne jeden Hintergedanken. Tief im inneren war mir bewusst wie bescheuert dieser Grund war, warum sollte ich nach ihm schauen? Vor allem in meiner Fluchtsituation war es hirnrissig und doch ging ich weiter, um eben nach ihm zu *schauen*. Es war ja nicht das erste Mal, dass ich etwas tat, was eine bescheuerte Idee war.

Es war nun schon fast ganz dunkel und doch erkannte ich den Apfelbaum, an dem Traver und ich uns bedient hatten. Er war immer noch gut gefüllt und bei dem schwachen Licht meinte ich fast die Äpfel rot schimmern zu sehen, als ich an ihnen vorbeiging. Aus dem Augenwinkel betrachtete ich meine Umgebung. Klar wäre es effektiver gewesen mich direkt umzusehen, aber die Vorstellung dann tatsächlich etwas oder sogar jemanden zu entdecken, ließ mich erschaudern und so versuchte ich mir einfach einzubilden, dass dort niemand war. Denn falls es doch so sein sollte, würde ich es früher oder später sowieso mitbekommen.

Die kleineren Sträucher, die sich zwischen den höheren Bäumen ansammelten, raschelten verdächtig und bei jedem Schritt, den ich machte wurde ich das Gefühl nicht los, dass nicht nur ich den Weg entlanglief. Meine Augen weiteten sich bei jedem Geräusch und mein Herz raste immer schneller, sobald ich etwas hörte. Nach Minuten der Stille beruhigte ich mich immer wieder, um mich beim nächsten Ton gleich wieder anzuspannen. Was wenn mir Traver entgegenkam? Dass mir auch jemand anderes, jemand vor dem wir geflohen waren, entgegenkommen konnte, daran wagte ich nicht einmal zu denken.

Vor mir wurde es, trotz der immer stärker werdenden Dunkelheit, auf einmal etwas heller. Ich wechselte in ein vorsichtiges Schleichen und wurde noch langsamer als ich plötzlich Stimmen vernahm. Die Angst, die ich zuvor verspürt hatte war verflogen, ich konzentrierte mich nur noch auf die, mit jedem Schritt lauter werdenden Stimmen.

Ich war noch nicht ganz am Rand angekommen, da konnte ich die Stimmen immer deutlicher zuordnen. Meine Haare stellten sich auf und ein kalter Schauder schlich über meinen Rücken. Es war Liams Stimme. Eigentlich hätte ich nicht so überrascht darüber sein sollen, schließlich hatte ich, auch wenn ich es mir nicht eingestehen wollte, eine gewisse Vermutung gehabt. Doch trotzdem versetzte es mir einen Stich, als ich auch die andere Stimme, die jetzt sprach erkannte. Es war natürlich Traver.

Stumm schlich ich zu einem der Büsche am Rand der Lichtung und kniete mich geräuschlos dahinter. Es waren tatsächlich Liam und Traver. Sie standen sich gegenüber. Geschützt am Rande der Lichtung. Von Traver konnte ich nur den Rücken sehen, doch Liams Gesicht hatte ich genau im Blick, auch wenn es schwer war bei dem schwachen Licht seine Gesichtszüge genau zu erkennen. Das Weiß seiner Augen ließ jedoch schließen, dass er Traver direkt ansah. Ich konzentrierte mich auf ihre Worte. «Traver du kannst das nicht durchziehen! Er ist doch nicht blöd», hörte ich Liam sagen. Ich musste nicht lange überlegen wer mit *er* gemeint war. Auch wenn es dunkel war konnte ich sehen wie Traver sich anspannte und ich hörte seine leicht aufgebrachte Stimme, als er erwiderte: «Du hast mich doch nicht verraten oder?»

«Nein, natürlich nicht, aber…»

«Aber was?!», unterbrach ihn Traver gereizt. «… aber ich habe ihm gesagt, dass du das allein erledigst.» Was erledigen? Mich? Liam schaute bestürzt zu Boden und ich verstand es nicht. Traver fragte: «Was hat er dazu gesagt? Fand er es glaubwürdig?»

«Ich habe probiert ihn zu überzeugen, dass es leichter ist, wenn du sie suchst, weil sie sich an dich klammern wird und du sie zurückbringen kannst.» Liams Miene hatte sich etwas aufgehellt und er schien sichtlich stolz. War das, was Liam Sacka gesagt hatte nur eine Ausrede gewesen oder die Wahrheit? War es doch eine Falle? Wollte er mich einlullen, dass ich mich an ihn klammerte? Denn dann hatte ich Blöde es auch noch getan. Wie ein Äffchen und jetzt...Eine schnelle Handbewegung von Traver erregte meine Aufmerksamkeit. Hinter seinem Rücken schien seine Hand eine beschwichtigende Geste zu machen. Hatte ich mich vertan? Nein sie galt eindeutig mir. Woher wusste er, dass ich hier war? Was sollte das?

«Und das hat er dir geglaubt? Das ist doch gut, wo ist dann das Problem, Liam?» Traver hielt inne dann fuhr er fort: «Warte, hast du ihren Namen erwähnt? Weiß Sacka, dass Zoe es war?» Er klang so aufgebracht, dass ich für einen Moment fürchtete er könnte Liam etwas antun. «Nein ich hab ihren Namen nicht erwähnt, aber selbst wenn, wäre es auch egal, er wird es herausfinden, spätestens morgen.»

«Wieso? Was ist morgen?» Traver wurde hektisch und wirkte entsetzt. Eines stand fest: so würde er nicht reagieren, wenn er mich ausliefern wollte. Als Liam sprach wich er gleichzeitig einen Schritt zurück, da Traver einen auf ihn zu gemacht hatte. «Sacka hat eine Versammlung berufen, er will gucken wer nicht da ist. Er wird gucken wer fehlt und wer auf die Beschreibung passt.» Ich schnappte nach Luft, etwas zu laut, doch sie bemerkten es nicht. Wenn Sacka herausfindet, dass ich die Flüchtige war... Was wird er dann tun? Wird er mich wirklich...? Ich konnte es nicht aussprechen, nicht mal denken. Und was würde er mit meiner Familie machen?

Wise? «Weiß er, dass du hier bist?», hörte ich Traver fragen. «Sagen wir so, er hat mich geschickt.» Ich spannte mich an und bemerkte wie auch Traver noch mehr in Haltung ging. «Liam! Wozu hat er dich geschickt? Sag es mir sofort.» Ich verspürte die gleiche Wut wie Traver sie zum Ausdruck brachte. Liam druckste immer noch herum: «Er meinte ich soll dir helfen sie zu finden, nachdem ich ihm versichert habe, dass ich weiß wo du dich aufhältst. Also bin ich losgegangen.»

«Verdammt Liam warum umschreibst du alles, sag es einfach geradeheraus!» Liam schaute verlegen zu Traver, doch dann wechselte seine Haltung in ein starkes Selbstbewusstsein. «Weil ich es für richtig halte, was gerade passiert. Das ist deine Chance dich noch raus zuhalten und davonzukommen.» So als ahnte er es bereits und so als würde das seine Wut unterdrücken, presste Traver seine Worte zwischen zusammen gedrückten Zähnen hervor: «Was passiert gerade?» Diesmal antwortete Liam prompt: «Sacka hat einen Trupp geschickt, der mich verfolgen sollte. Erst habe ich ihn nicht bemerkt, aber man hat deine Stimme mit einer anderen von draußen gehört und ich bin mir sicher, dass sie es auch gehört haben. Sie werden in wenigen Minuten hier sein. Du solltest jetzt lieber verschwinden oder so tun als würdest du sie auch suchen und dir eine gute Ausrede einfallen lassen.

Traver, ich bin hier um dich zu warnen.» Wut und Trauer stiegen in mir hoch. Doch alles wurde überlagert von der plötzlichen Angst, die sich ausbreitete. Sie suchten nach mir und würden mich finden. «Was?! Du weißt was das bedeutet. Wie kannst du es für richtig halten? Das betrifft nicht nur sie sondern auch mich.» Traver war aufgebracht und innerlich schrie ich mit ihm. Traver machte Anstalten sich umzudrehen und ich fragte mich wieso ich nicht auch schon lange davongelaufen war, raus aus diesem Waldstück. Bald würden sie mich finden. Ich musste mich durch den Wald schlagen, jetzt war es komplett dunkel und ich würde nicht so leicht zu sehen sein. Doch ich lief noch nicht, sondern beobachtete noch kurz. Ich konnte sie nur noch als dunkle Gestalten erkennen. Liam hatte Traver am Arm gepackt und so verhindert, dass er davon stürmte. «Was soll das, Liam? Lass mich los! Ich muss zu ihr, sie warnen.» Ich hatte seine Warnung gehört, das wusste er. Aber er spürte wohl auch, dass ich noch nicht weg war. «Es ist zu spät. Und damit er uns auch weiter vertraut hörst du jetzt besser auf Dinge zu sagen, wie: Ich muss sie warnen. Du musst jetzt mitspielen. Wir müssen unsere Tarnung halten, wenn wir das hier beenden wollen. Herr Gott warum willst du es nicht verstehen? So ist es am Besten. Sacka weiß was los ist! Deshalb hat er mir den Trupp nachgeschickt!» Liam hatte seine Stimme mit jedem

190

Wort mehr gesenkt. Dennoch strahlten alle die gleiche Bestimmtheit aus. Traver versuchte sich aus Liams Griff zu befreien. Was hatte Traver über Liam gesagt? Blindes Vertrauen?

Ich konnte mich nicht richtig konzentrieren. Ich musste hier weg, musste mich verstecken, aber aus irgendeinem Grund konnte ich mich nicht bewegen. Mein Herz raste wie wild und doch starrte ich immer noch auf die Lichtung.

Plötzlich stürmten aus verschiedenen Seiten Gestalten auf die Lichtung. Traver, den Liam immer noch nicht losgelassen hatte, stellte sich in Kampfstellung, doch ehe er etwas ausrichten konnte, schlug Liam ihn k.o. und Traver landete am Boden. Dieses Arschloch, dachte ich noch in der einen Sekunde, während mich in der anderen die Panik und Angst überkam und zwar mit voller Wucht. Wo sollte ich hin? Was sollte ich tun? Traver lag am Boden. Ich musste mich ohne ihn durchschlagen. Ich musste weg von hier, irgendwohin, bloß weg von hier. Ich richtete mich auf und rannte los. Ich rannte einfach in die entgegengesetzte Richtung der Lichtung und weg von den Gestalten, Liam und dem am Boden liegenden Traver. Meine Füße donnerten auf den Boden und für wenige Augenblicke glaubte ich durch mein Trampeln das gesamte Dorf auf mich zu hetzen, doch Geräusche hinter mir blieben aus, fürs erste. Allerdings ließen sie

191

nur wenige Augenblicke auf sich warten. Es waren mehrere. Sie riefen sich Dinge zu und ich erkannte auch eine weibliche Stimme unter ihnen. Meine Füße stolperten auf dem moosigen und verwurzelten Untergrund und ich versuchte mich so gut es ging zu fangen. Adrenalin stieg in mir hoch und verlieh mir eine ungewohnte Ausdauer, mein Herz raste wie wild und mit offenem Mund rang ich nach Atem. Mit meinen Händen schlug ich Äste beiseite. Ich wagte es nicht nach hinten zu gucken und meine Verfolger zu registrieren. Jede Faser in meinem Körper sagte mir nur, dass ich rennen sollte. Ich sprang über Steine und Äste, doch die Bäume standen immer dichter. Mein schneller Spurt wurde immer langsamer und unsicherer, Schweiß lief meine Stirn herunter und vermischte sich mit Tränen. Es gab keinen Ausweg. Verzweifelt rannte ich so gut es ging weiter. Irgendwann musste ich doch raus aus diesem Waldstück kommen. Und dann? Die Geräusche hinter mir nahmen zu. Sie mussten immer näher kommen und gerade als ich zu meinem nächsten schnellen Schub ansetzte, prallte ich mit voller Wucht gegen etwas Großes. Ich erkannte noch im letzten Moment, dass es ein Mensch war, bevor ich zu Boden taumelte.

Zwei Arme legten sich um meine und zogen mich rückwärts mit sich. Meine Beine schleiften so tief auf dem Boden, dass es mir unmöglich war mich aufzurichten und die Arme, die mich gepackt hatten, hatten mich fest im Griff. Vergebens strampelte ich, versuchte mich loszureißen, doch nichts löste eine erwünschte Reaktion aus. Etwas Hartes stieß gegen meinen Kopf, woraufhin ich alles nur noch benommen wahrnahm. Ich konnte nichts anderes machen, als mich ziehen zu lassen.

So wurde ich aus dem Waldstück aufs offene Land geschliffen. Im Dunkeln sah ich nur schemenhaft die vielen Gestalten. Nur ein paar Meter entfernt, erkannte ich eine Menschengruppe, die eine Person so wie mich hinter sich herzog. Ich vermutete, dass es Traver war. Mehrere Jeeps standen auf dem offenen Gelände, auf einen davon steuerten wir zu. Die Benommenheit verschwand mit einem Mal und ich verstand, dass ich mich wehren musste. Ich rammte meine Füße in den Boden und erlangte in einem kurzen Überraschungsmoment meine Freiheit. Ich stolperte nach vorne und rannte los, bis ich plötzlich vor einer Soldatin stehen blieb. Ich war so geschockt und überrascht über ihr plötzliches Auftauchen, dass ich wie angewurzelt vor ihr stand und mich nicht bewegen konnte. Sie stieß mich mit einem kräftigen Ruck nach hinten, wo ich wieder in die Arme der zwei vorherigen Gestalten fiel, die ihren Druck noch mehr verstärkten.

Ich strampelte weiter, versuchte meine Arme zu befreien und um mich zu schlagen, aber diesmal war ich erfolglos. Ich schrie als ich mit einem Mal auf die Ladefläche einer der Jeeps gehoben wurde. Sofort legte sich eine Hand auf meinen Mund und ließ mich nach Luft ringen, da sie auch meine Nase mit verschloss. Der Druck ließ nach, als ich mich schlagartig entspannte. Sie drückten mich auf eine Bank ähnliche Holzerhöhung und hielten mich fest im Griff. Liam saß mir gegenüber und wich meinem zornigen Blick aus. Doch er verwandelte sich allmählich in Verzweiflung. Was würde jetzt kommen? Was würde man mit mir machen? Ich konnte doch nicht zu Sacka. Wir fuhren los. Ich versuchte wieder um mich zu schlagen, trat aus und schrie. Plötzlich stand eine Frau von ihrer Erhöhung mir gegenüber auf und kam mit einem Schritt auf mich zu. Sie hielt sich nirgends fest, obwohl wir auf einem fahrenden Auto waren. Ihre Hand holte aus und ehe ich mich abwenden konnte, verpasste sie mir eine Ohrfeige. Ich wurde noch nie geschlagen. «Sei still», sagte sie erstaunlich ruhig. Sofort zwiebelte die Stelle und ich meinte zu spüren wie ein roter Abdruck entstand oder bildete ich mir das nur ein? Sie hob eine Rolle vom Ladeflächenboden auf und riss ein Stück Klebeband ab. Sie beugte sich vorne über, klebte es über meinen, sich windenden, Mund und sagte: «Spar es dir auf, du wirst nachher sicher noch genug Grund zum Schreien bekommen.» Entgeistert starrte ich sie an. Ich konnte sie nicht ganz erkennen, aber ich wusste, dass ich lieber keinen Ton mehr von mir gab. Doch bevor ich noch irgendwelche Dummheiten machen konnte, riss sie noch ein Stück ab, wickelte es um meine Füße und ein weiteres Stück um meine Hände. Jetzt konnte ich wirklich nichts mehr anstellen.

Das Tor zur Einfahrt ins Dorf wurde geöffnet, wir fuhren geräuschlos hindurch und eine lange Straße entlang. Als eine Abzweigung rechts von mir kam, die ich, genau wie die Straße, noch nie zuvor bemerkt hatte, bogen wir ein. Der Weg war etwas holperig und nach mehreren hin und her Gewackel, konnte ich die große Fabrikhalle und ihr Gelände vor uns sehen. Auf ihr kamen wir zum Stehen. Erst jetzt hielt ich wieder nach Traver Ausschau. Er wurde gerade, nun nicht mehr bewusstlos, von einem der Soldaten runter gehievt. Auch ihm wurden seine Hände mit Klebeband verbunden.

Die Frau die mir zuvor das Klebeband aufgelegt hatte stand wieder auf und kam auf mich zu. Mit einem Messer in der Hand, bückte sie sich und trennte meine Fußfesseln und Armfesseln auf. «Gehen kannst du doch hoffentlich selber», erwiderte sie abwertend. Bei dem Licht konnte ich sie zum ersten Mal richtig erkennen. Sie hatte lockiges rötliches Haar, zumindest schimmerte es bei dem Licht rötlich. Sie hatte ein schmales Gesicht und ihre grünen Augen funkelten mich herablassend an, als sie mir mit ihren schmalen Lippen ein spöttisches Lächeln zuwarf. Da niemand anderes Anstalten machte sich zu erheben, zog sie mich an meiner Schulter nach oben und stieß mich mehr oder weniger von der Ladefläche. Ich kam auf der Kante meines Schuhes auf und knickte um. Daraufhin gaben meine Knie nach und ich fiel mit voller Wucht auf den Boden. Elegant und selbstsicher war das auf keinen Fall gewesen. Ich war ein klägliches Entführungsopfer, wenn das hier überhaupt als Entführung durchging. Im lächerlichen Vergleich mit mir, sprang sie fast schon anmutig von der Fläche und federte ihren Sprung mit einem leichten Gang in die Kniebeuge ab. Sie landete direkt neben mir. «Vielleicht kannst du ja doch nicht selber gehen.» Bei ihrer Bemerkung warf ich ihr einen missbilligen Blick zu und versuchte wenigstens beim Hochkommen Haltung zu bewahren.

Mir gegenüber sah ich Traver. Er wand sich fürchterlich und ich hätte das gleiche getan, wenn ich gewusst hätte, dass es Sinn ergab. Doch das tat es nicht. Hunderte von Soldaten waren auf dem Gelände und sie alle hatten ein Auge auf mich geworfen. Sie fixierten mich regelrecht und mir wurde noch unbehaglicher. Ich versuchte daher instinktiv keinen Gedanken daran zu verschwenden, was als nächstes kommen würde. Traver wand sich immer noch. «Lasst mich los, ich kann selber gehen. Wo ist Sacka?» Ich wünschte, ich würde seinen Namen nicht hören, doch es war wohl unumgänglich. Ich fragte mich wieso Traver so heftig gegen sie ankämpfte, es hatte doch keinen Sinn. Zwar war es bei ihm etwas anderes. Er gehörte zu ihnen, er *war* einer von ihnen, aber sie hatten sich entschlossen ihn ebenfalls wie einen Flüchtigen zu behandeln, so wie mich. Die Frau, die mich zuvor von der Ladefläche geschubst hatte, packte mich wieder an der Schulter und zog mich mit sich. Ihre Haltung machte deutlich, dass sie keine Weglaufversuche dulden würde. Erst jetzt viel mir auf, dass sie nicht viel älter als ich sein konnte. Mit wachsender Angst ließ ich mich hinter Traver und seinen Bewachern herziehen.

Wir gingen durch eine gläserne Tür. Links mündete ein Treppenhaus. Es sah eher pragmatisch als einladend aus, aber was erwartete man von einem alten Krankenhaus. An den Wänden bröckelten der Putz und die Farbe bereits ab. Jeder wusste, dass dies der Hauptsitz von Sacka war und dass er sich hauptsächlich in diesem Gebäude aufhielt, aber drin gewesen war ich noch nie. Wir gingen geradeaus an dem Treppenaufgang vorbei und bogen an einer Gabelung nach links ab. Mein Blick ging nach oben. Über uns flackerten die, so Krankenhaus typischen langen,

197

grellen Petroleumlampen und hinterließen ein unheilvolles Surren. Ein Schild zeigte an, dass wir geradewegs auf die Kantine zusteuerten, doch ehe wir sie erreichten, bogen wir nach rechts ab.

Vor uns erstreckte sich ein langer Flur. Keiner der Beteiligten sagte ein Wort. Sie wussten auch ohne zu sprechen, wo sie Traver und mich hinbringen mussten. Der Flur bestand nicht nur aus Wänden, sondern vereinzelt auch aus Glas, weshalb diese Fenster vom Flur aus einen Blick in die dahinter gelegenen Patientenräume zuließen. Mehrere Betten waren darin zusehen und auf manchen lagen oder saßen Leute. Ein Schauder lief über meinen Rücken, so wohnten sie also.

Rechts von uns erstreckte sich eine Glastür, hinter der sich ein weiteres Treppengewölbe auftat. Mit schnellen Schritten schritten wir hindurch. Ohne darauf Acht zu nehmen ob ich mitkam, gingen wir die Stufen hoch. Im gefühlt achten Stock hielten wir an. An der Seite der Wand konnte man mit viel Fantasie, jedoch die Ziffer 5 erkennen. Vor mir wurde die Glastür geöffnet, die in diese Etage führte und mit einem Mal standen wir in einem weiteren langen Flur. Rechts führten wieder schwere Türen in die Räume und andere Gänge zweigten sich an manchen Ecken ab. Unser Weg führte uns jedoch nach links. Der Bereich unterschied sich etwas von der rechten Seite des Ganges, den ich gerade gesehen hatte. Dieser schien größere Zimmer zu haben. Es gab keine Glasfenster mehr, die Einblick in die Räume verschafften. Ich stellte mir vor wie diese Raumteilung früher für die Ärzte und Schwestern gedacht sein musste. Vor uns öffnete sich eine Tür. Ein großer Raum empfing uns und ich konnte sehen wie er mit vielen anderen verzweigt war. In den anderen Gängen und Bereichen, durch die wir zuvor gekommen waren, waren kaum Leute zu sehen gewesen. Dagegen war dieser Raum geschlagen voll. Ich merkte wie ich immer langsamer wurde und der Ruck an meiner Schulter immer drängender. Noch dazu raunte sie mir immer wieder: «Geh schneller», ins Ohr. Ich konnte nicht schneller, langsam wuchs meine Beklemmung und ich kam der Konfrontation mit Sacka immer näher. Plötzlich hielten wir an. Mein Herz setzte einen Moment aus und ich musste mich daran erinnern weiter zu atmen, als die Menge, die sich im Raum befand stumm und wortlos einen Kreis bildete. Die Frau, die mich gezogen hatte, holte mich nun weiter nach vorne, sodass ich mit dem Rücken vor ihr stand und mit einem festen Griff hielt sie meinen Arm gepackt. Bei Traver war mehr nötig. Zwei Soldaten mussten ihn an den Armen halten. «Lasst mich los verdammt. Was soll das?», rief er. Doch nichts änderte sich. Niemand kam und niemand ließ ihn los. Ich machte keine Anstalten mich zu befreien. Wenn es unten auf dem Gelände sinnlos gewesen war, dann war der Begriff für diese

Situation die pure Untertreibung des Jahres. Wir standen in einem Kreis von Sackas Anhängern und alle waren bereit sich auf uns zu stürzen, zumindest erweckten sie den Eindruck. Ich schaute mich in dem Kreis um. Doch ich erblickte keine Anzeichen von Liam. Wie feige. Uns oder eher gesagt Traver zu verraten und sich dann dem Ganzen zu entziehen.

Ein Raunen ging durch die Menge, als sie sich an einer Stelle teilte und Sacka den Kreis betrat. Sacka sah aus wie immer, nur dass seine Kleidung nicht so förmlich wie sonst war. Ich hatte ihn noch nie anders erlebt, als bei öffentlichen Ansagen oder sonstigen Auftritten. Vielleicht war er ja doch nicht so schlimm. Ein schwacher Gedanke, schließlich hatte Liams und Travers Wortwechsel auf ganz anderes schließen lassen.

Traver, der immer noch etwas vor mir stand, hörte auf mit seinen missachteten Rufen und blickte Sacka zornig an. «Was soll das? Warum lässt du mich hier rein schleifen wie einen deiner kleinen Dorfuntertanen?» Die Abscheu in seiner Stimme durchfuhr meinen ganzen Körper und beschämt blickte ich zu Boden. Ich war so ein Dorfuntertan. Ich erinnerte mich jedoch an Liams Worte an Traver: *Du musst jetzt mitspielen.* «Ich lasse dich nicht rein schleifen wie einen meiner *Dorfuntertanen*, womit du zufällig sie betitelst.» Er machte eine nickende Kopfbewegung in meine Richtung. Von manchen, die das Schauspiel beobachteten kam ein Lachen, aber es erstarb wieder. Traver machte sich nicht einmal die Mühe sich zu mir umzudrehen. Sacka fuhr fort: «Ich lasse dich *rein schleifen,* wie jemanden, der sich mir widersetzt und meine Befehle nicht beachtet.» Sacka präsentierte sich überhaupt nicht wie sonst. Seine Stimme war harsch, er probierte nicht ruhig und vorbildlich rüber zu kommen, sondern wirkte impulsiv und selbstgefällig. Er zeigte eindeutig sein wahres Gesicht und genau das wollte ich auf keinen Fall kennenlernen.

Traver machte einen wütenden Ruck in Sackas Richtung und wäre er nicht von mehreren gehalten worden, hätte er sich bestimmt auf ihn gestürzt. «Ich habe mich dir nicht widersetzt und schon gar nicht einen deiner Befehle missachtet. Können wir unter vier Augen reden?» Traver zischte die Worte so als könnte er dadurch seine Wut unterdrücken. Sacka machte einen Schritt auf ihn zu. Sie waren in etwa gleich groß und schauten sich jeweils zornig in die Augen. «Ein paar meiner Leute waren sich nicht sicher ob ich dich eventuell bevorzuge, aber hier will ich eines klarstellen.» Er wandte sich von Traver ab und sprach zu allen «Ich bevorzuge diejenigen, die mir treu ergeben sind.» Jetzt wandte er sich wieder an Traver. «Und du mein lieber schwächelst allmählich.» Wieder war ein Raunen, vermischt mit hämischen Gelächter, zu hören. «Was soll das? Ich war...» Traver murmelte es kaum hörbar. Aber ich stand nah genug um ihn zu verstehen. Sacka flüsterte seine Unterbrechung ebenfalls: «Du hast recht, die Betonung liegt auf *war.*» Nun fügte er noch etwas lauter hinzu: «Für wie bescheuert hältst du mich? Ich schicke dich extra los, zusammen mit drei anderen. Alle kommen wieder, nur von Liam höre ich, dass du einen anderen Plan verfolgst. Ich will mir anhören wie du mir dein Verhalten erklärst. Wieso hast du dich nicht gemeldet?» Sacka hatte es Liam nicht geglaubt. Ich konnte Traver zwar nicht von vorne sehen, doch an seinen Schultern konnte ich erkennen, dass er ebenso geschlagen war wie ich, dann straffte er sie und trat Sacka gegenüber. «Alleine hatte ich doch viel mehr Chancen. So konnte ich unauffälliger nach ihr suchen und ihr Vertrauen gewinnen...» Traver versuchte seinen Zorn so gut es ging zu unterdrücken, als Sacka ihn unterbrach: «Das hat Liam mir schon alles erzählt. Weißt du was ich komisch finde? Dass man dich nur entdeckt hat, weil man deine Stimme mit ihrer gehört hat. Wann wolltest du sie zu mir bringen?» Bei dem Wort i*hrer* machte er wieder eine Geste in meine Richtung. «Ich habe versucht ihr Vertrauen zu gewinnen, da konnte ich sie ja schlecht einfach mitschleppen.» Wieder knirschte er es durch zusammengepresste Zähne. Ich war nicht erschüttert darüber was er erzählte und dass er sich versuchte gerade rauszureden und zu retten, es machte mich nur traurig und unsicher, dass er keinen einzigen Gedanken an mich zu verschwenden schien. Durch seine Worte machte er mich voll schuldig an meiner Tat, das war ich zwar auch, aber durch die Erwähnung wurde es präsenter. Diesmal kam Sacka wieder ganz nah, sodass es nur die verstehen konnten, die nah genug standen: «Und wieso hat man euch dann nicht zusammen aufgefunden?» Travers Blick war starr geradeaus, aber ich wusste, dass er verloren hatte. «Für die anderen ist das eine schöne Erklärung, aber ich weiß, dass du nicht versucht hast sie hinzuhalten. Das wäre gar nicht nötig gewesen.» Mit diesen, wieder leise gesprochenen Worten, wandte Sacka sich um. Ich öffnete kaum merklich den Mund und zog die Luft um mich herum ein. Ich musste hier raus! Sofort verstärkte sich dieser Gedanke, als Sacka sich etwas von Traver entfernte. Er holte aus und schlug Traver mit voller Wucht in die Magengrube. Ich zuckte augenblicklich zusammen und schnappte nach Luft. Hatte die Frau hinter mir auch gezuckt oder hatte ich mir das nur eingebildet? Traver wollte sich zusammen krümmen, aber die, die ihn hielten ließen das nicht zu. Sackas Hand holte wieder aus und schlug ihn in den gleichen Bereich. Traver hustete und röchelte. Bei dem zweiten Schlag wurde er losgelassen, woraufhin er unsanft zu Boden fiel. Sofort krümmte er sich und Sacka beugte sich noch einmal zu ihm runter und zischte ihm die

Worte: «Nächstes Mal sieht das ganz anders aus, mein Freund», zu. *Mein Freund*, so viel Abscheu lag in diesen beiden Worten. Sacka genoss es, das sah man deutlich. Wie schaffte er es alle so zu täuschen, wenn das doch seine wahre Natur war? Er wandte sich plötzlich von Traver ab und kam auf mich zu. Mein Hals zog sich zusammen, mein Herz begann zu rasen. Vorher hatte er mir kaum Beachtung geschenkt und ich hatte selbst da diese Panik verspürt, doch jetzt wo er immer näher kam, bekam ich immer mehr das dringende Bedürfnis zu fliehen. Der Druck an meinem Arm verstärkte sich und zerquetschte ihn fast. «Zoe Trima. Was machst du nur für Sachen? Dir ist doch klar, dass man unter keinen Umständen das Dorf verlassen darf. Was hat dich veranlasst es doch zu tun?» Ich antwortete nicht, sondern versuchte nur seinem missbilligenden Blick und seinem herablassenden Funkeln in den Augen standzuhalten. Er streckte seine Hand aus und ich erwartete schon, dass er mich auch schlug, doch er legte nur seine Hand an meinen Kiefer und drehte meine linke Wange zu sich. «Wie es aussieht hast du schon eine verpasst bekommen», stellte er fast schon munter fest. Es hatte sich also nicht nur wie ein Abdruck *angefühlt*. Er löste seine Hand von mir, doch an seinem Blick änderte sich gar nichts. «Weißt du aus irgendeinem Grund habe ich mir schon gedacht, dass du die Ausreißerin bist. Zumal ich bei dir zuhause war und mich nach dir erkundigt habe. Tja und dort warst du wie zu erwarten nicht.» Meine Augen mussten sich aus Angst geweitet haben, denn ein selbstzufriedenes Grinsen machte sich auf seinem Gesicht breit. Was hatte meine Mutter ihm gesagt? Hatte er ihr etwas angetan? War er auch bei Wise gewesen? Ich wagte es nicht meine Ängste auszusprechen, in der Gefahr, dass sie wahr sein könnten. Während Sacka sich wieder ein paar Meter von mir entfernte und Anstalten machte wieder das Wort zu ergreifen, lugte ich an ihm vorbei zu Traver. Er hatte sich mittlerweile etwas erholt und kam leicht torkelnd und mit vor Schmerz verzerrtem Gesicht auf die Beine. Unsere Blicke trafen sich, aber ich konnte nichts in seiner Miene erkennen. Er beobachtete Sacka und mich nur aufmerksam. «Ich würde gerne eines wissen, was wolltest du draußen? Was war dein Grund? Was weißt du alles?» Mit jedem seiner energischen Worte kam Sacka einen Schritt näher bis wir uns wieder direkt gegenüber standen. Er war etwas größer als ich, sodass ich hoch gucken musste, um seinem Blick standzuhalten, aber genau das tat ich nicht, stattdessen blickte ich nur an ihm vorbei, an einen unsichtbaren Punkt. Ich wollte ihn nicht ansehen, wollte nicht seine herablassende Art spüren. Ich machte keine Anstalten ihm zu antworten. «Zwing mich nicht dir auch noch wehzutun», drohte er mir und zeigte seine geballte Faust. Was sollte das? Selbst dann würde ich ihm nichts sagen. Der Druck, der meinen rechten Arm zerquetschte, legte sich auch um den linken. Ich schaute wieder zu Traver. Diesmal erkannte ich etwas in seinen Augen. Für einen kurzen Moment schienen sie mich nach einer Antwort anzuflehen. Es kam mir vor wie eine Aufforderung. Und er hatte Recht. Traver hatte seine Zeit gehabt seine Haut zu retten, jetzt musste ich meine retten. Leise begann ich meine Worte: «Ich wollte nur wissen was dort draußen ist.» Ein kläglicher Versuch. «Und du hattest keinen anderen Hintergedanken?» Herausfordernd sah er mich an und genauso herausfordernd fragte ich: «Welche sollte ich denn haben?» Wieder musterte er mich. Konnte er das mal lassen? Doch dann gab ich mir einen Ruck und versuchte diesmal seinem Blick standzuhalten. «Du hast eine blaue Uniform getragen, eine meiner Soldaten. Noch dazu eine meiner toten Soldaten. Damit hast du nicht nur mein Gesetz gebrochen, sondern auch zwei meiner Leute getötet. Und jetzt willst du mir allen ernstes sagen, dass du das nur getan hast, weil du wissen wolltest was dort draußen ist?» Eine Bestürzung machte sich unter den Anwesenden breit. Ich spannte mich unwillkürlich an. Ich schloss kurz die Augen. Bruchstücke der Nacht flackerten vor meinem Auge auf. Die Angst, das Entsetzen machten sich wieder breit. Ich hörte das Klicken der Waffe, die in dieser Nacht auf mich gerichtet war. Angstvoll öffnete ich wieder die Augen und wollte sofort zurückweichen. Sacka hatte eine solche Waffe in der Hand und richtete sie auf mich. Ein erstickter Schrei blieb in meiner Kehle stecken. «Du hast sie getötet!», schrie er. Ich wollte auch schreien, wollte mich verteidigen, die Anschuldigung von mir abwenden, doch jedes meiner Worte blieb mir im Halse stecken. Immer lauter wurden die Schreie aus der Menge. «Wen?» Anscheinend hatte diese Nachricht noch nicht alle erreicht. Ohne mich aus den Augen zu lassen antwortete Sacka der unbekannten Stimme: «Amy und Case.» Ein entsetzlicher Schrei löste sich von einer Frau. Rechts von mir war ein größerer Tumult entstanden und aus dem Augenwinkel sah ich jemanden auf mich zukommen. Sie schrie, es war eben dieser Schrei, welcher zuerst zu hören war. Sie kam auf mich zu gerannt, aber das einzige, was ich mir erlaubte war sie aus dem Augenwinkel zu beobachten, aus Angst vor Sackas Reaktion. Sie kam immer näher. Ich hörte meinen Herzschlag in meinen Ohren und versuchte trotzdem ruhig zu atmen. Ehe sie mich erreichte, kamen ihr andere zuvor und packten sie. Sie fiel zu Boden und heulte auf. Dieser Schrei fuhr mir durch Mark und Knochen, aber es traf nicht meine Seele. Ich hatte das nicht getan. Die Außenstehenden schienen immer ungeduldiger zu werden und als ich meine Stimme endlich wiederfand und sie nicht abbrach, sobald ich sie einsetzte, musste ich ziemlich gegen das Gemurmel und zwischenzeitliches Gebrüll ankämpfen. Ich versuchte meine Stimme stark klingen zu lassen und mein inneres Zittern zu unterdrücken. «Ich habe...» Sacka kam einen Schritt näher. Ich schluckte. Er wollte mich verunsichern und verdammt das tat er auch. Kurzzeitig brachte mich das aus der Bahn, doch ich fing mich wieder und beendete meinen Satz: «...niemanden getötet.» Jetzt war die Menge kaum noch zu halten. Schimpfwörter und Hass Rufe flogen durch den Raum. Dinge wie: «Lügnerin!» oder «Du hast Case auf dem Gewissen, du Mörderin!»

«Gleiches mit Gleichem!» Ich versuchte mich nicht auf sie zu konzentrieren. Mein Blick starrte nur Sacka an und ich hoffte mit jeder Zelle meines Körpers, dass auch er sich nicht darauf konzentrieren wird. Ein siegessicheres Funkeln glitzerte in seinen Augen. Verdammt noch mal. Es war wie ein Spiel. Ein krankes Psychospiel, das er mit mir abzog. «Spürst du die Angst?», zischte er. «Was?!» Diese Warterei ob endlich etwas passieren wird? Ja die spürte ich. Es zog an meinen Nerven und für einen klitzekleinen Moment wanderte mein Blick zu Traver, der hinter Sacka nun wieder aufrecht stand. Umgeben von Soldaten, die im Notfall eingreifen konnten. Ich wollte nicht sterben. Würde er wirklich abdrücken? *Er kann und er wird.* Das waren Isabelles Worte gewesen. Ich durfte nicht aufgeben, nicht jetzt, nicht irgendwann. Ich machte mich bereit Sacka zu trotzen und mich irgendwie aus dieser Situation zu retten. Ich öffnete den Mund, aber jemand kam mir zuvor. «Töte sie.» Diese Aufforderung war anders als die Rufe der Umherstehenden. Erschrocken blickte ich für einen kurzen Moment an Sacka vorbei. Es erklang keine Emotion als Traver es sagte. Sacka zeigte keine Veränderung seiner Haltung, er fragte nur: «Warum sagst du das? Was versprichst du dir davon?» Ich hatte Angst, wenn ich etwas erwidern würde, mein Schicksal schon besiegelt zu haben.

«Dein Vertrauen», knurrte Traver fast schon. «Also bist du doch nicht so treu wie du behauptest hast, sonst hättest du es ja wohl kaum nötig mein Vertrauen zu erlangen.» Diesmal zeigte Sacka noch eine andere Reaktion. Er lachte auf und wandte kurz den Blick nach hinten zu Traver. «Ich bin loyal», entgegnete dieser. «Wem gegenüber?»

«Meine Worte sind eindeutig. Töte sie. Mehr gebe ich nicht als Antwort.» Travers Stimme klang eiskalt. «Wenn das so ist, dann wirst du keine Reaktion zeigen, wenn ich sie erschieße?» Ich schluckte schwer, fühlte eine wahnsinnige Last auf mir und meine Kehle schnürte sich zu. Ich konnte Traver ansehen, dass er es ernst meinte und diese Erkenntnis versetzte mir einen immensen Stich. Auf mich wirkte alles nur noch unwirklich. Ich hörte mich wie eine fremde Person an, als ich sagte: «Was? Nein. Bitte, nicht.» Traver trat einige Schritte an Sacka heran. Jetzt stand er nah genug um Sacka die Waffe aus der Hand zu schlagen. Natürlich. Er hatte Sacka nur hinhalten wollen mit seinen Worten. Faszinierend. Er hatte sogar mich getäuscht. Es war noch nicht alles ver… «Nein ich werde keine Reaktion zeigen.» Seine Antwort ließ mich erstarren, noch mehr als zuvor. Ich hatte angefangen mich auf ihn zu verlassen und das war der Fehler. Traver sah mich nicht an, doch hätte er es getan hätte er meine Wut, Verzweiflung und Angst gesehen. Ich starrte Sacka an. Wechselte zwischen ihm und dem Waffenlauf. Ich konnte nichts machen. Niemand konnte das Unvermeidliche jetzt noch stoppen. Ich schloss meine Augen, stellte mir vor wie sich der Schuss lösen würde, um mich letztendlich von allem hier zu befreien. Ich ließ meine Augen geschlossen und wollte sie auch nicht mehr öffnen. Vor allem wollte ich bei Travers Anblick nicht diesen schmerzlichen Verrat spüren. Der Schuss ertönte. Ich wurde zu Boden gerissen. Eine Frau schrie. Warum schrie sie? Meinetwegen? Meine Augen schlugen unverzüglich auf. Erschrocken stellte ich fest, dass ich am Boden saß. Ich untersuchte meinen Körper. Keine Verletzung. Meinen Blick wandte ich daraufhin zu Sacka. Er stand immer noch mit der Waffe in der Hand in Position., aber sein Blick war nicht auf mich, sondern auf etwas hinter mir gerichtet. Ich drehte mich und sah es. Ein Mann lag am Boden, sein Körper leblos und die Augen starrten unmenschlich in die Leere. Aber...das...das ergab doch keinen Sinn. Sacka hatte einen seiner eigenen Leute umgebracht, einfach so erschossen, anstatt mich? Anstatt mich, die weitaus entbehrlicher wäre als einer seiner Anhänger. Warum sollte er das tun? Die Frau, die mich zuvor gehalten hatte, war über die Leiche gebeugt. Sie musste zu ihm gestürmt sein und hatte mich dabei zu Boden gerissen. Ich erkannte Tränen auf ihren Wangen. Vorsichtig nahm sie ihre zitternden Hände und schloss seine Augen. Jetzt sah er so unschuldig, so schlafend aus, wäre da nicht die klaffende Wunde in seiner Brust gewesen. Der Blick, der Frau wandte sich von ihm ab und sie schaute wütend auf, aber nicht zu Sacka sondern zu *mir*. «Dafür, dass *sie*,» Sacka zeigte auf mich, «es überhaupt raus geschafft hat. Ich habe gesagt, *jede weitere Person, geht auf eure Kosten.* Noah gib ihr das Serum, erzähl ihr eine schöne Geschichte. Ihr anderen geht wieder auf eure Posten, wäre ja noch schöner, wenn noch jemand abhaut.» Dem *schöne Geschichte* verpasste er einen ironischen Unterton. Aber weiter Zeit darüber nachzudenken hatte ich kaum, denn ein Junge, vermutlich der besagte Noah, kam auf mich zu, packte und zerrte mich mit sich. Ich strampelte wieder, aber nach allem war ich noch erschöpfter, als vorher und vorher hatte ich schon nichts ausrichten können.

18 ZOE

Meine Mutter war noch nicht von der Arbeit zuhause, was mir sehr gelegen kam, denn dadurch hatte ich wenigstens Zeit, um den Versuch zu starten mich zu beruhigen. Einer von Sackas Soldaten. Erschossen, wegen mir. Die zwei Soldaten in dem Wald. Erschossen, wegen mir und der Mann aus der Siedlung tot. Wegen mir. Wegen dem Verlangen die Wahrheit zu erfahren und zu *wissen wofür ich kämpfe*. Frustriert schlug ich die Hände vors Gesicht. Ich wusste nicht wie lange ich diesem Noah gegenüber gesessen hatte, in dem Raum in den er mich hineingeführt hatte. Ich hatte mein gesamtes Zeitgefühl verloren, als es immer irritierender geworden war. Als Noah erledigt hatte, was auch immer Sacka mit seinem Auftrag bewirken wollte, hatte er mich in einen Wagen gesteckt, nach Hause gefahren und praktisch vor meiner Tür auf die Straße geworfen, mit den Worten, dass das Gelände für Bewohner tabu sei. Er meinte das Fabrikgelände. Ja klar ich war ja auch freiwillig einfach so drauf spaziert.

Das ergab alles keinen Sinn, daher wollte ich auch nicht noch über dieses seltsame Gespräch mit Noah nachdenken, zumindest noch nicht. Denn noch mehr Fragen ohne Antworten konnte ich nicht vertragen. Den einzigen, den ich fragen konnte war Traver. Aber ihm wollte ich nie wieder begegnen. Er hatte mich nicht verteidigt. Okay vielleicht war das auch in Anbetracht der Situation zu viel verlangt, aber er hätte doch wenigstens schweigen können. Stattdessen hatte er Sacka noch ermutigt und einfach zugesehen. Hätte Sacka es verlangt, hätte Traver es womöglich noch selbst getan. Aber ich war nicht tot. Einer seiner eigenen Leute war es stattdessen. Warum? Es klingelte an der Tür. Ich erschrak so sehr, dass ich fast rückwärts über das Sofa gefallen wäre. Meine Hand zitterte. Ich wollte nicht aufmachen, denn ich hatte Angst, wen ich vorfinden würde. Soweit hatte es mich schon gebracht. Ich hatte Angst meine Tür zu öffnen. Das war doch nicht normal. Vorsichtig ging ich auf sie zu. Hatte Sacka es sich anders überlegt? Wollte er mich doch nicht lebendig? Mir war bewusst wie absurd es war, sich so eine Frage zu stellen, als ich mit zitternder Hand die Türklinke runter drückte. Weiter als einen Spalt schaffte ich es nicht. Sie wurde sofort aufgedrückt und Wise stürmte herein, was für ihn eher untypisch war. Als er mich sah entspannten sich seine Gesichtszüge etwas. «Gott sei Dank dir geht es gut.» Er schlang seine Arme um mich. Ich konnte nicht anders als mich kraftlos in diese sinken zulassen. «Was ist passiert und wo warst du überhaupt?» Er gab mir einen Kuss auf meine Stirn. Ach ja wir hatten uns ja geküsst. «Ich war krank. Eine leichte Erkältung.» Meine Stimme konnte nicht erschöpfter klingen. «Sicher? Warum hast du

213

dann nicht auf meine Anrufe reagiert?» Wise glaubte mir nicht und ehrlich gesagt, hätte ich mir auch nicht geglaubt. Aber ich war jetzt nicht in der Verfassung ihn aufzuklären, falls ich es denn je vorhatte. Schließlich blieb die Frage: Hatte ich irgendetwas erreicht? Ich hatte morgen auch noch genug Zeit ihm irgendeine Ausrede zu erzählen. «Ich war sehr müde und habe viel geschlafen. Um ehrlich zu sein bin ich jetzt auch ziemlich erschöpft.» Was ihm so viel sagen sollte wie: Bitte geh nach Hause. Wir sehen uns morgen. Aber Wise blieb hartnäckig, wie immer, wenn es ihm um mein Wohlergehen ging. Genau das, was ich im Moment nicht gebrauchen konnte. «Bitte Wise, wir reden Morgen.»

«Zoe. Wo warst du? Was ist passiert?», fragte er mit Nachdruck. Erst jetzt als ich mich aus seiner Umarmung löste bemerkte ich, dass sie mir keinen wirklichen Trost gespendet hatte. «Passiert?», fragte ich irritiert, dabei musste ich meine Verwirrung nicht einmal spielen, denn er konnte unmöglich davon wissen. Was glaubte Wise was *passiert* war? Er entfernte sich einen Schritt von mir, um mich genauer zu betrachten. Ihm musste doch meine Blässe, meine Erschöpfung und der Schock, der mir immer noch in den Knochen saß auffallen, wenn ja dann sprach er nichts davon an, sondern kam gleich zum Punkt. «Ich war bei dir zuhause! Wollte mich nach dir erkundigen.

Ich hatte Angst, dass du wegen dem Kuss zu überrumpelt warst, da du dich Tage lang nicht gemeldet hast. Glaub mir ich war auch überrumpelt. Aber ich will nicht, dass das zwischen uns steht. Das wollte ich dir sagen, aber du warst nicht da und deine Mutter meinte, dass…»

«Was? Du hast mit ihr geredet. Was hat sie dir gesagt? Was hast *du* ihr gesagt?» Der Vorwurf in meiner Stimme war nicht so gemeint, aber wenn meine Mutter wusste, dass ich nicht bei Wise gewesen war, was sollte ich ihr dann stattdessen sagen? Wenn sie dann noch herausfand, dass ich sie angelogen hatte, hätte ich in Zukunft nicht mehr so gute Chancen irgendetwas herauszufinden, andererseits wäre das vielleicht auch besser so. «Als ich kam hat sie mich sofort gefragt, ob du noch etwas bräuchtest wegen dem Übernachten. Ich war vollkommen irritiert und als ich sie dann gefragt habe wo du denn steckst, war sie ernsthaft besorgt, genau wie ich. Sie sagte, dass du doch bei mir sein müsstest, weil wir ja übernachten wollten.» Wise hob anklagend eine Augenbraue. «Genau das habe ich ihr erzählt. Und was hast du dann gesagt?», fragte ich unruhig. «Da habe ich dann verstanden, dass du ein Alibi brauchst. Also meinte ich nur, dass du dich vorher noch mit Layla getroffen hast und wir uns bei dir zuhause treffen wollten. Und dann habe ich mich dumm gestellt und so getan, als ob mir

215

erst da wieder eingefallen ist, dass wir uns ja bei mir treffen wollten. Deine Mutter hat mich auch nur komisch angesehen, aber ich glaube sie hat es mir abgekauft. Sie dachte wahrscheinlich einfach nur, armer gestörter Junge.» Wise wollte die Situation auflockern, aber es gelang ihm nicht. «Danke,» sagte ich. Dann fiel mir noch etwas anderes ein. Sacka hatte gesagt, dass er ebenfalls nach mir gefragt hatte. «Hat noch jemand anderes mit dir gesprochen? Hat dich irgendwer etwas über mich gefragt?»

«Hörst du dir selber zu? Du klingst total...verrückt.»

«Hast du noch mit jemand anderem gesprochen?», drängte ich. «Nein. Niemand hat mich irgendetwas über dich gefragt.» Okay, gut. Dann war das vielleicht auch einfach nur ein Bluff von Sacka gewesen. Denn meine Mutter hätte es garantiert Wise erzählt, wenn er sich nach mir erkundigte und Sacka kurz zuvor das gleiche getan hätte, oder nicht? «Zoe du warst fast zwei Tage weg. Ich hatte schon Angst du bist auch verschwunden wie die anderen. Ich hoffe es ist nicht das, was ich denke. Wo wa...» Zwei Tage klang viel zu wenig für das, was ich erlebt hatte. Er kam nicht weiter und ich war meiner Mutter dankbar, die ihn unterbrochen hatte. «Ach hallo ihr beiden. Na wie war das Übernachten? Das letzte Mal ist jetzt ja auch schon eine Ewigkeit her.»

«Ja, es...es war...»», begann ich zu stammeln.

«Wir hatten sehr viel Spaß. Wie immer eigentlich.» Man musste Wise nicht ansehen um zu wissen, dass er lächelte, um den Schein von zwei schönen Tagen zu wahren. Dabei waren diese Tage kein bisschen schön gewesen. Ohne ein weiteres Wort oder einen Blick ging ich die Treppe hinauf. Wise rief mir noch hinterher: «Ich sehe dich morgen.» Ich wusste nicht ob ich morgen schon bereit war darüber zu sprechen oder ob ich es überhaupt aussprechen sollte.

Als er endlich gegangen war, war ich fast ganz oben an der Treppe angelangt. «Zoe ist alles in Ordnung? Was ist passiert?» Meine Mutter klang genauso besorgt wie Wise, nur dass sie vermutlich an einen Streit dachte und nicht, dass ich gegen das Gesetz verstoßen hatte, man mich beinahe deshalb getötet hätte, woraufhin ich Zeuge zweier Morde wurde. Sie würde nie darauf kommen, dass ich einer Toten ihre Kleidung gestohlen hatte, um damit *noch* ein Gesetz zu brechen, dass Sackas Soldaten überall nach mir gesucht hatten und ich nur mit Hilfe eines solchen Soldaten aus der Siedlung fliehen konnte, während ein Bewohner wegen mir sein Leben lassen musste. Ich meine wie sollte sie auch darauf kommen, dass ich dann mit dem Soldaten auf einem Baum Zuflucht gesucht hatte und ich mich tatsächlich sicher gefühlt hatte, obwohl seine Kameraden schon längst auf dem Weg zu uns waren. Aber ganz bestimmt würde niemand darauf kommen,

217

dass Traver sich im Endeffekt kein bisschen um mich scherte, er nur seine Loyalität wiederherstellen wollte und ich nach allem Sacka direkt gegenüberstand, der einen seiner eigenen Leute tötete, um mich anschließend gehen zu lassen. «Nichts. Ich bin einfach nur müde.»

Und was sie auch nicht wusste war, dass ich, oben angekommen im Badezimmer, mich einschloss und in die Toilette übergab.

19 ZOE

Drei Tage waren seither vergangen und bisher hatte ich es recht gut geschafft Wises Fragen zu dem Thema aus dem Weg zu gehen. Das lag wohl auch hauptsächlich daran, dass ich mich bewusst in der Menge aufhielt und wir so nie dazu kamen ungestört zu reden, aber das war nicht der einzige Grund weshalb ich am liebsten in den Massen verschwinden wollte. Sacka hatte ich danach nur ein einziges Mal bei einer Ansprache gesehen und hatte versucht den Platz langsam und ruhig zu verlassen, während die Panik in mir aufflammte. Und Traver war ich zum Glück seitdem nicht über den Weg gelaufen.

«Es ist ein Brief für dich angekommen. Liegt in der Küche auf dem Tisch.» Die Stimme meiner Mutter schallte gedämpft von oben zu mir in die Küche. «Ein Brief? Werbung oder...?»

«Nein, sieht nicht nach Werbung aus, aber es ist auch kein Absender drauf.» Wer schickt mir denn einen Brief? Die einzigen Briefe, die für mich ankamen enthielten meist Werbung oder waren besondere Meldungen von Sacka. *Sacka.* Was, wenn der Brief von ihm kam? Ich ging um den Tisch herum. Der helle Umschlag leuchtete praktisch auf dem matten Holz. *Zoe* stand in kurviger Schrift auf der Vorderseite.

Vorsichtig nahm ich ihn auf und drehte den Umschlag in meinen Händen. Bis auf mein Name stand nichts auf dem hellen Papier. Meine Mutter kam die Treppe runter, das Holz knarzte und ich erschrak. «Und von wem ist er?»

«Hab ihn noch nicht aufgemacht», antwortete ich. Und das wollte ich auch ganz sicher nicht, wenn sie dabei war, denn der Brief kam mir bekannt vor. «Ich glaub ich mache ihn auch erst später auf, ich ruhe mich erst mal aus.» Von wegen. Schnell drückte ich den Brief an mich und war schon in meinem Zimmer verschwunden. Das war der Brief, den ich bei der Frau in der Siedlung gefunden hatte und ich erkannte Isabelles Handschrift.

Die Lasche zerriss, als ich ihn öffnete. Das Papier darin war zweimal geknickt. Ich zog es heraus und mit einem leisen Rascheln entfaltete ich es. Zwei Zeilen standen da in der gleichen kurvigen Handschrift.

Breitenweg 25
Grüße

In der dritten Zeile war eine merkwürdige Form gezeichnet. Die Form war an drei Seiten gerade und wurde mit einer runden Linie verschlossen. Was sollte das darstellen? Ich wusste wie der Brief zu mir gelangt sein musste. *Traver.* In seiner Jacke hatte er sich befunden. Er musste den Umschlag gefunden haben. Was hatte das zu bedeuten? Hatte er ihn gelesen? Die Lasche war jedoch fest zu gewesen oder hatte er ihn gelesen und dann wieder zu geklebt? Wenn ja, war das überhaupt der eigentliche Inhalt oder ein Test? War er insgeheim doch von Sacka und ich würde ihm geradewegs in die Falle tappen? Was sollte der Brief eigentlich erreichen? War es ein Treffpunkt? Wenn ja wann sollte ich dorthin? Angenommen er war wirklich von Sacka und Traver, in welcher Weise würde es etwas beweisen, wenn ich zu dem Ort gehen würde? Schließlich könnte ich ja denken, dass er von jedem kommen konnte. Als Falle ergab es also keinen Sinn, zumindest hoffte ich das. Oder hatte er ihn verloren? Immerhin hatte er sich ziemlich gewehrt und dabei hätte er raus fallen können. Aber wer sollte ihn dann aufgehoben und mir gebracht haben? Ich wendete ihn nochmal in meiner Hand und ging die Zeilen durch:

Breitenweg, ich kannte die Straße. Sie lag direkt gegenüber vom Park.

Grüße und dann dieses Zeichen. Offensichtlich ein Hinweis auf den Verfasser, aber was sollte diese Form bedeuten? Wo hatte ich die schon mal gesehen? Vielleicht bildete ich mir das auch nur ein, aber sie wirkte vertraut und nicht nur das, denn die Schrift hatte ich doch als Isabelles Schrift erkannt. Unmöglich konnte das eine Falle sein. Es war ein Hinweis. Zuversicht stieg in mir hoch, vielleicht hatte ich doch etwas erreicht.

Kurz vor 18 Uhr. Ich saß auf einer Bank, in unmittelbarer Nähe der Adresse. Seit circa einer Stunde saß ich jetzt schon hier und beobachtete, ob sich irgendetwas ändern würde. Ich wusste nicht was ich erwartete, aber zwangsläufig musste doch jemand das Haus verlassen oder betreten.

Mein ganzer Körper erschrak als plötzlich die Kirchturmglocke 18 Uhr schlug. Was sollte ich machen? Noch länger warten? Hingehen oder nicht? Frustriert fuhr ich mir über den Nacken und als ich dabei mein Muttermal streifte, hielt ich inne. Ich spürte dessen Form. Das war mir vorher noch nie so stark aufgefallen. Gerade an drei Seiten und verbunden durch eine runde Linie. Die merkwürdige Form am Ende des Briefes beschrieb genau die Form meines Muttermals. War das ein Hinweis? Auf jeden Fall war es ein krasser Zufall. Und hatte die Frau aus der Siedlung nicht auch eben dieses Mal erwähnt? Das hatte etwas zu bedeuten! «Okay, alles auf eine Karte setzen. Was sind das für Leute?» Mit den Worten sprang ich auf und ging zu dem Haus rüber.

Durch die Scheiben war nichts zu sehen und den

Garten schützten hohe Tannen. Ich wurde mit jedem Schritt schneller, bis ich an der Tür stand. Die Klingel war von draußen nicht zu hören, weshalb ich mehrmals drauf drückte. Plötzlich ging die Tür auf. Erschrocken stolperte ich einen Schritt zurück. Vor mir stand ein Mann mittleren Alters. Vereinzelte graue Haare fielen in sein Gesicht. Überrascht sah er mich an. «Zoe?» Ich konnte nicht mehr als nicken. «Komm rein, die anderen sind hinten», sagte seine warme Stimme. Das war einfach nur seltsam. Die anderen? Ohne zu wissen was mich erwarten würde trat ich ein. Als er die Tür schloss sah er sich noch einmal auf der Straße um. Ich tat es ihm gleich, aber vermutlich im Gegensatz zu ihm hoffte ich, dass uns jemand sah.

Drinnen hing ein süßlicher Geruch in der Luft. Aus einem Zimmer im hinteren Bereich der Wohnung kamen Stimmen. Warum sollte ich abwarten bis mich dieser Typ dort hinführte? Desto schneller ich alles sah, desto schneller konnte ich wieder verschwinden. Ich ging also direkt auf den Raum zu. Durch den Essensbereich, in dem ich stand und vorbei an einer kleinen Einbauküche auf der rechten Seite. Geradeaus befand sich der Durchgang in das, von Stimmen erfüllte, Zimmer. Und links davon eine Treppe, die ins Obergeschoss führte.

Aus dem Raum vor mir ertönte eine dieser Stimmen: «Was ist los? Phil, wo bleibst du?» Kein Zögern mehr.

223

Ich betrat den Raum. Ich blickte in ein Dutzend Augenpaare, alle sahen mich an und ich starrte zurück. Offensichtlich war ich nicht Phil. Was war das hier? Meine Augen huschten suchend durch den Raum, bis ich an einer aufgeklappten Tafel hängen blieb auf der stand:

Lasst nicht die Sucht euch beherrschen, sondern beherrscht die Sucht!

War das ein schlechter Scherz?

Einige von den Anwesenden kannte ich vom Sehen, aber bei weitem nicht alle. «Hätte nicht gedacht, dass du hier auftauchst.» Die Worte kamen von Theo, einem der wenigen, von denen ich den Namen kannte, da er eine Klassenstufe über mir war. Er hatte dunkelbraune kurze Haare und genauso dunkle Augen. Theo lehnte an der Wand und während er seine Worte eher abfällig formulierte, stieß er sich von dieser ab. Er kam auf mich zu und streckte mir die Hand entgegen. «Aber du bist hier. Also. Willkommen.» Die Tatsache, dass seine Worte nur so vor falscher Freundlichkeit trieften, ließ mich seine Hand unerwidert im Raum stehen lassen, bis er sie zurückzog. «Was soll das hier sein?» Theo antwortete mir. «Steht doch auf dem Schild. Wir bekämpfen die Sucht.» Ich starrte ihn an. «Das kann nicht dein Ernst sein.»

«Okay, okay. Du willst die Wahrheit? Wir sind eine geheime Organisation, wir nennen uns die wütigen

Maulwürfe. Immer auf der Suche nach Bedürftigen in Not und wir wollen dich in unserem Team.» Bitte was?

«Wir haben gehört: Du hast ganz tolle Hände zum Graben, wie ein kleiner Maulwurf», fügte er im Flüsterton hinzu, dabei machte er nagende Geräusche. «Theo, hör auf dir so einen Mist auszudenken. Es ist ernst», sagte ein Mädchen. Gleichzeitig stand sie vom Sofa auf und kam zu mir rüber. «Ich bin Mabel. Schön, dass du gekommen bist. Lass mich dir erst mal alle vorstellen. Das da drüben an dem Tisch, das sind Aiden, Mayleen und Boyd. Auf dem Sofa sitzen Elise, Sally und Cloe...» Nach der Reihenfolge zeigte sie auf alle Anwesenden im Raum. Das ging mir hier eindeutig zu schnell. Aiden hatte braune kurze Haare und sah ungefähr so alt aus wie ich, auch wenn ich ihn noch nie gesehen hatte. Das blonde Mädchen Mayleen kannte ich bereits vom Sehen, genauso wie die dunkelhäutige Sally und Cloe. Elise, ein Mädchen mit nussbraunen Haaren musterte mich nur abfällig von ihrer Position aus. Mabel fuhr fort mit Finley, einem Jungen mit blonden Haaren und einem freundlichen Lächeln. Sie machte weiter mit drei anderen, die ich auch nur beiläufig schon mal gesehen hatte und endete mit Phil, der gerade hinter mir den Raum betrat. Es handelte sich um den Mann, der mir die Tür geöffnet hatte. «Ihm gehört das Haus», endete sie. Ich sah alle noch einmal nacheinander an. Ihre Blicke wechselten zwischen, abfällig, freundlich und besorgt. «Und was soll das hier sein?» Mabel schaute mich irritiert an. «Wie meinst du das? Weißt du denn nicht...» Mabel wurde unterbrochen. «Wir sind so eine Art Rebellion.» Wie erstarrt drehte ich mich in die Richtung des Sprechers. *Traver!* Er stand im Türrahmen und lehnte sich an ihn. Es war doch eine Falle. Sofort machte ich kehrt und rannte zur Tür. Ich musste hier raus und zwar so schnell es ging. Jemand lief mir hinterher und drückte die Haustür wieder zu, als ich sie schon fast ganz geöffnet hatte. Es war Theo. «Hey. Warte.»

«Lass mich raus», rief ich entgeistert. «Traver was hast du denn angestellt, dass sie so dringend vor dir fliehen möchte», lachte er, dann wandte er sich an mich. «Keine Ahnung was da zwischen euch läuft, aber wir sind alle auf einer Seite, okay? Dir passiert nichts, also beruhige dich.»

«Sprich nicht mit mir als wäre ich ein Kleinkind. Ich bleibe keine Sekunde länger in einer Wohnung mit ihm.»

«Kein Kleinkind also, hmm? Wenn du jetzt gehst, wirst du es bereuen!» Ich war außer mir: «Drohst du mir etwa?» Theo erwiderte: «Nein, ich will dich warnen.» In seiner Stimme konnte ich keinen Funken Ironie erkennen, er meinte was er sagte. Trotzdem öffnete ich die Tür und diesmal drückte er sie nicht zu. Traver zu sehen hatte mich aus der Bahn geworfen. Die

Verwirrung, die Demütigung, all die Erinnerungen und vor allem die Angst kamen wieder hoch und deshalb wollte ich verschwinden. Am liebsten wollte ich wegrennen, solange rennen bis ich nicht mehr konnte. Bis weit hinter die Grenzen, bis hinter die Siedlungen, bis hinter die Felder. Einfach nur weg.

Die Tür war halb geöffnet als ich innehielt. Abrupt drehte ich mich um. «Was hat es hiermit auf sich?» Ich zog an dem Stoff, der meine Schulter bedeckte und entblößte mein Muttermal. Als Antwort zog Mabel, die näher gekommen war, ihr Shirt ebenfalls an dieser Stelle zur Seite und darunter war eines in gleicher Form zu sehen. Theo, der am nächsten bei mir stand, tat es ihr gleich. Geistesabwesend schloss ich die Tür wieder. Sie hatten die gleiche Form wie meines. Wie konnte das sein? Erstaunt fragte ich: «Habt ihr es alle?»

Mabel antwortete: «Wir nennen sie Merkmal und nein nicht alle. Wir, Phil, Liam, Meira…» Liam?? Wenn ich an Liam dachte, dachte ich an einen Feigling, der Sacka verraten hatte, wo ich mich mit Traver versteckte, der mir auf dem Jeep gegenüber gesessen und zugesehen hatte, wie man mich mit Klebeband fesselte und den man so leicht beeinflussen konnte, sodass ich es überhaupt raus geschafft hatte. «Liam gehört auch zu euch? Aber er…»

«Liam ist auf unserer Seite auch wenn er zu Sackas Soldaten gehört.»

«Darum geht es nicht! Er ist ein Verräter.»

«Also erinnerst du dich an das, was passiert ist? An alles?» Als ich meine Antwort gab sah ich nicht Phil an, der mich gefragt hatte, sondern ich starrte Traver an, um seine Reaktion zu sehen und dann wiederholte ich abwertend: «An alles.» Traver wandte den Blick ab. «Dann hattest du recht Traver. Aber hier sollten wir nicht weiter reden. Wir sollten runter gehen.» Mabel folgte Phils Aufforderung. Theo blieb. Genau wie Traver. Doch Theo interessierte mich nicht. «Was soll das? Womit hattest du Recht? Was machst du hier?», konfrontierte ich ihn. Traver antwortete: «Wir erklären dir alles.» Er kam einen Schritt auf mich zu. «Komm mir nicht zu nah! Wissen die anderen was du getan hast? Was du gesagt hast? Wissen sie, dass ich nur lebe, weil Sacka es so wollte. Dass ich ihm dankbar sein muss, dass er mich verschont hat, wissen sie das?» Meiner Stimme hörte man die Tränen an, die meine Wange runter liefen. Bisher hatte ich es nicht richtig raus lassen können, aber jetzt strömte es einfach aus mir heraus. Traver kam einen Schritt auf mich zu. «Eines solltest du auf keinen Fall sein und zwar dankbar gegenüber Sacka. Sacka hat alles erst begonnen.» Seine Stimme war klar und stark. «Jetzt auf einmal bist du bereit alles zu erzählen. Wieso hast du nicht schon vorher etwas gesagt? Oder ist das immer noch dein komischer Plan mein Vertrauen zu gewinnen? Wusstest du auch, dass Liam kommt und eure Freunde mitbringt?» Ich hielt Abstand auch wenn ich ihm am liebsten eine verpassen wollte. «Nein ich wusste nicht, dass er kommt. Und es war nie ein Plan vorgesehen, um dein Vertrauen zu gewinnen. Was hätte ich dir denn draußen sagen sollen? Das Wichtigste sollte erst mal sein dich wieder ins Dorf zu bringen, eben weil ich wusste was passieren konnte. Und Liam ist kein Verräter. Es war nicht seine Absicht, dass sie ihm folgen würden.»

«Er saß mir auf dem Transporter gegenüber und hat zugesehen wie sie mich mit Klebeband gefesselt haben. Er hat mit den anderen mitgelacht, als mir eine verpasst wurde.»

«Was hätte er tun sollen? Dir helfen? Dann wäre er genauso gefesselt geworden und wäre aufgeflogen. Er, Meira und ich wir sind bei Sacka eingeschleust. Wir kriegen alles mit und können mit Informationen hierher kommen um etwas zu planen und zu bewirken», versuchte Traver sich zu verteidigen. «Findest du in Ordnung was er getan hat? Und überhaupt warum bist du wütend auf mich? Hab ich dich gefesselt und entführt? Hab ich jemanden umgebracht? Hab ich etwa gesagt, dass man dich töten soll? Nein, also warum bist *du* wütend?»

«Hätte Liam dir geholfen wärt ihr nicht weit gekommen und man hätte ihn erschossen.»

229

«Man hätte *mich* fast erschossen. Du hast gesagt, dass Sacka es tun soll. Ich hatte Todesangst. Ich habe gedacht ich sterbe, ich dachte als der Schuss zu hören war, dass das mein letzter Augenblick ist.» Wieder liefen Tränen über mein Gesicht, als ich fort fuhr: «Hast du also mein Leben aufs Spiel gesetzt, nur um deine Tarnung nicht zu gefährden?» Travers Augen wurden weicher. «Glaub mir ich wollte das nicht. Aber das war genau das, was er verlangt hat. Was er sehen wollte. Ich weiß nicht was er getan hätte, wenn ich mich für dich eingesetzt hätte.»

«Aber was wäre gewesen, wenn er auf mich gezielt hätte und nicht auf einen von seinen Leuten und überhaupt warum hat er das getan? Ich bin schuld an diesem Tod.»

«Hey, Zoe du bist nicht schuld. Okay? Und ich weiß wie komisch es klingt, aber ich wusste, dass er es nicht tut. Ich wusste es ganz einfach.» Ich weiß nicht was ich damit bezwecken wollte, es war wohl mehr automatisch, als ich mit wenigen Schritten auf ihn zuging. Bevor ich ihn erreichte ging Theo dazwischen. Ich taumelte gegen ihn und flüsterte matt: «Woher? Woher wusstest du es?» Theo mischte sich nun auch mit Worten ein: «Vielleicht sollten wir wirklich runter gehen und ihr euch aus dem Weg.»

«Ich werde mich nicht in einen Raum setzen mit jemandem, der meinen Tod will.»

«Theo halt dich da raus und geh runter. Ich komme gleich nach, ob mit oder ohne Zoe ist ihre Entscheidung.» Theo verzog eine beleidigte Miene, bog aber ohne Proteste in die Küche ab, wo sich der Treppenabgang befinden musste. Doch im Gegensatz zu Traver, konnte ich seinen Schatten noch immer in der Küche sehen. Er wartete dort. Ob er mich nicht mit Traver alleine lassen oder nur lauschen wollte, war seine Sache. Ich hatte keine Angst vor Traver. Seine Stimme wurde weicher, er sah mich an und ich entdeckte keine Wut mehr. «Du hast Recht. Du hast nichts getan weshalb ich wütend sein könnte. Ich bin nur so ärgerlich, dass es so weit gekommen ist. Dass du fast gestorben bist, das was ich gesagt habe...es tut mir so unendlich leid und dass du es gehört hast, aber wenn Sacka noch weiter an mir gezweifelt hätte, hätte er vielleicht verlangt, dass *ich* dich töte und das hätte ich nie machen können. Dann hätte er womöglich jemand anderen gefragt und der hätte ohne zu Zögern abgedrückt. Verstehst du? Und in dem Moment...ich weiß nicht, das schien mir einfach die beste Lösung zu sein. Alles andere hätte Sacka nur noch mehr bestätigt.» Traver spannte beim Sprechen mehrmals seinen Kiefer an. Ich wusste nicht ob ich sein Worte richtig verstand und er wusste nicht richtig was er sagen sollte und vor allem wie. Meine Augen fixierten seine. «In was bestätigt? In was hätte es ihn bestätigt?» Vor dem

Sprechen huschte ein Lächeln über seine Lippen. «Dass ich immer Wiederworte gebe und ihm nie zustimme.»

«Ich meine es ernst!» Augenblicklich verschwand das Lächeln so schnell wie es gekommen war. «Ich auch, wenn ich sage, dass ich nicht wollte, dass dir etwas passiert.»

«Aber woher wusstest du es?»

«Er hat zu lange gebraucht. Das klingt vielleicht blöd, aber...»

«Du hast recht das klingt blöd.» Er hat zu lange gebraucht mich umzubringen? Was war das bitte für ein Grund. War sein nächster Grund wieder, dass er ihn kannte und wusste wie lange er normalerweise brauchte oder was? «Ich kenne ihn. Hätte er dich erschießen wollen hätte er es sofort getan und dann hätte er nicht noch darauf gewartet bis ich etwas sage.» Sagte ich es doch, *er kannte ihn.* «Warum sollte er darauf gewartet haben, bis du etwas sagst?»

«Oder bis du etwas gesagt hättest.» Ich hatte gar nichts probiert um mich zu retten, Traver hatte wenigsten etwas getan. «Als er sich entschieden hatte Ben zu töten, hat er sofort abgedrückt.»

«Ja, damit hatte ja auch keiner gerechnet. Sollte er etwa sagen hey guck mal hier, ich schieße doch nicht auf dich, sondern auf ihn.»

«Glaub mir bitte.» Ich gab keine Antwort, denn es fiel mir verdammt schwer. Ich wusste nicht wie ich ihm glauben konnte. «Mir ist es doch auch schwer gefallen. Ich hatte Angst, dass er auf mich hören würde. Ich konnte dir noch nicht mal in die Augen schauen. Aber ich war verdammt froh als er es nicht getan hatte. So hatte Sacka einen Auftritt als Gnädigen. Er hatte die Entscheidung. Anders hätte er nachgeben müssen, damit hätte er schwach auf die anderen gewirkt. Außerdem dachte ich du würdest es eh vergessen.» *Er hatte die Entscheidung.* Travers Worte hallten nach. Er hatte Recht. Sacka hatte entschieden, hätte er gewollt dass ich sterbe, wäre ich gestorben. Was also hat ihn abgehalten? «Warum glauben alle, dass man so etwas vergessen kann. Wie soll das gehen?»

«Das kann man nicht und trotzdem wird es vergessen. Wenn du mit runter kommst erklären wir dir alles!» Theo lugte um die Ecke und wiederholte meine Worte von vorhin: «Willst du dich immer noch nicht in einen Raum setzen mit jemandem, der deinen Tod will?»

«In dem Raum kann man auch stehen, allerdings ist sitzen jetzt auch wieder eine Option, schließlich will ich dich ja nicht töten», sagte Traver daraufhin und schickte ein Lächeln hinter seine Worte. Ich erwiderte es leicht. «Also?», fragte er noch einmal. Ja. Ich nickte, denn ich wollte wissen was sie zu sagen hatten, ich war viel zu neugierig, um es jetzt abzulehnen. Doch trotzdem zögerte ich kurz. Mein Gegenüber zog sein

Shirt an seiner Schulter zur Seite. *Natürlich.* Er hatte es auch. Das Muttermal. «Du auch?» Klar er auch, ich sah es ja. Dann war nur noch eine Frage nicht geklärt: «Wenn ihr eine Rebellion seid, was soll dieses Sucht-Plakat dann?» Theo antwortete anstelle von Traver: «Nennen wir es einfach mal Tarnung. Sollte jemand kommen, verstecken wir uns unten oder setzen uns ins Wohnzimmer und ziehen die Suchtsache durch. Ich weiß auch nicht mehr wer auf diese Idee gekommen ist, aber seitdem steht es da.» Ah ja, sehr...

Plötzlich war ein Poltern an der Tür hinter mir zu hören, dann sprang sie mit Schwung auf. Jemand stand wild entschlossen mit einem großen Messer in der Tür. Ich wich zurück. «Oh mein Gott. Wise! Woher hast du das?» Ziemlich dumme Frage. «Küche,» murmelte er. «Hey was soll das? Wer bist du?» Bessere Fragen, allerdings von Theo gestellt. Plötzlich fing Wise an energisch damit zu fuchteln: «Was wollt ihr von ihr?» Seine Worte richteten sich an Traver und Theo, dabei deutete Wise mit dem Messer in meine Richtung. Ich wandte mich an ihn: «Es ist alles gut. Leg das Messer zur Seite.» Jetzt war er ja wohl komplett durchgeknallt. «Was wollen diese Leute von dir? Ich hab dich in das Haus gehen sehen und als du nicht raus kamst...» Da ist er dann nach Hause gelaufen, hat sich ein Messer geschnappt und stürmt jetzt das Haus oder was? «Du hast mir nach spioniert?» Ich war wieder einen Schritt vorgegangen. «Ich habe mir Sorgen gemacht.» Er klang ungerührt. Theo und Traver hielten sich zurück, als ich noch einen Schritt auf ihn zuging, jedoch entgingen mir nicht ihre besorgten Blicke zur Tür, die immer noch sperrangelweit offenstand. Wises Konzentration galt mir, als ich erneut redete: «Nimm das Messer runter, das wirkt lächerlich. Alles ist in Ordnung.» Während Wise auf mich achtete, schnellte Traver vor und wollte ihm das Messer abnehmen, doch Wise hielt es schützend vor sich und bedrohte Traver. Er wirkte wie eine verwirrte Person, die keinen Sinn mehr sah und alle von sich stieß. «Wise hör auf. Was ist denn nur in dich gefahren?» Theo kam jetzt auch auf ihn zu und Wise umklammerte den Griff des Messers immer angestrengter, sodass seine Knöchel weiß hervortraten. Mein Arm näherte sich ihm, allerdings nicht schnell. Ich hatte Angst er könnte sich erschrecken und dann unüberlegt damit herum wedeln. Meine Hände umgriffen den Griff, ich zog es aus seiner Hand und übergab es Theo. Wise hätte niemals zugestochen, aber ich war trotzdem erschrocken ihn mit dem Messer zu sehen. Ich schloss hinter ihm die Tür und Traver nickte mir zu. Phil und welche von den anderen kamen nach oben. «Was ist passiert?», fragte Sally verwirrt. Wise stand nun ziemlich kleinlaut da, dann fand er sich wieder und sah mich vorwurfsvoll an: «Das habe ich dich auch vor ein paar Tagen gefragt.» Ich ignorierte seinen Vorwurf und fragte nur: «Was machst du hier?» Ich wollte nicht so mies klingen, aber hatte er mich wirklich verfolgt? Wie seltsam war das bitte? Während ich von Theo nur hörte wie er sagte: «Der ist hier mit dem Messer reingestürmt... anscheinend heißt er Wise, aber er ist nicht so weise wie sein Name vermuten lässt.»

«Sie hat sich uns noch nicht mal angeschlossen und bringt schon Probleme mit.» Das war Elise, die gesprochen hatte. Mehr als an ihrem Aussehen, erkannte ich sie an ihrem abwertenden Blick. Sie hatte definitiv etwas gegen mich. Doch Wise ließ sich von all dem nicht abhalten weiterzureden. «Du hast mir noch nicht erzählt wo du warst. Du hast dich so abweisend verhalten und bist mir die Tage aus dem Weg gegangen. Ich mache mir Sorgen. Ich bin dir nicht gefolgt. Ich habe dich auf der Bank gesehen und dann bist du in dieses Haus gegangen. Ich kenne hier keinen.» *Ich habe dich auf der Bank gesehen und dann bist du in dieses Haus gegangen.* Nennt man auch Stalking. Er machte eine Geste die den ganzen Raum einschloss. Ich kannte hier doch auch keinen. Zumindest nicht alle, aber das sagte ich nicht. «Ich habe bei jemandem geklingelt und wurde reingelassen. Das ist nichts Gefährliches.» Ich wollte ihm nicht eingestehen, wie es wirklich war und dass ich total unsicher war. Phil ging auf Wise zu. «Ich bin Phil. Mir gehört das Haus.» Phil hielt ihm die Hand hin. Skeptisch nahm Wise sie entgegen. «Vielleicht können wir unten weiter reden und alles etwas einleuchtender werden lassen.» Was Wise sich wohl dachte? Während Wise Phil folgte, kam Mabel zu mir und flüsterte: «Können wir ihm trauen?» Geistesabwesend nickte ich. Ich wusste ja nicht mal ob sie mir trauen konnten.

Traver ging vor mir zum Treppenabgang in die Küche. Vorher entging mir nicht wie er aus dem Fenster schaute und sich besorgt umsah.

20 ZOE

Eine gewöhnliche Treppe führte eine Etage tiefer, dorthin wo sich auf der rechten Seite die Tür zu einem Keller befand. Doch dieses Haus schien einen zweiten Keller zu haben, denn eine kleine Wendeltreppe führte von hier noch einige Meter tiefer in die Erde. Das, was ich dann erspähte war kein gewöhnlicher Keller. Es gab keine Seitenfenster, aber mehrere Lampen spendeten Licht. Es war als wären wir in einem der oberen Räume und draußen herrschte Nacht.

Am Ende der Treppe wartete ein langer runder Tisch in einem Raum, der wenn man geradeaus schaute, endlos in die Tiefe zu gehen schien und nur der vordere, vergleichsweise kleine Teil mit dem Tisch und entsprechenden Stühlen war erleuchtet. An den Wänden rechts, links und hinter mir befanden sich wiederum Tische, auf den vereinzelt Computer oder andere Monitore zu sehen waren.

In der einen Ecke stand sogar ein Sofa.

Der Boden machte einen kalten Eindruck und generell war es hier viel kühler. Die meisten saßen bereits am Tisch. Traver hatte sich an die Seite gesetzt, wo er den langen dunklen Bereich im Rücken hatte. Neben ihm saß Mabel und neben ihr wiederum ein Junge, den ich nicht kannte. Der einzige freie Platz war neben ihm. Ich steuerte den Platz an, ging vorbei an dem offenen, unbeleuchtetem Raum und beim näheren Herantreten erkannte ich, was sich da im Dunkeln verbarg. Es war ein langer Korridor mit Zellen, jeweils rechts und links. Kerkerzellen. Die vordersten Stangen schimmerten rostig und der Anblick ließ mich die Kälte noch deutlicher spüren. Ein Junge mit blonden Haaren hatte mich beobachtet. Er sagte: «Das ist nur ein Teil des Kerkersystems, das sich unter dem ganzen Dorf entlangzieht. Die meisten Bereiche sind verschüttet. Dieser hier, ein kleiner, hoffentlich für Sacka unbekannter Teil unter Phils Haus, ist wie du siehst noch intakt. Wenn du willst kann ich mich dort hinsetzen. Es ist doch recht...» Er machte eine Pause und als ich ihn ansah, erinnerte ich mich an seinen Namen: Finley. «...gespenstisch», beendete er. Ich nahm sein Angebot dankend an. «Den Eingang habe ich durch Zufall gefunden und den Raum ausgebaut und natürlich für unsere Zwecke angeboten. Wie Finley bereits erwähnt hat, gibt es noch weitere intakte Teile, einer davon befindet sich unter dem Fabrikgelände.» *Bei Sacka*, fuhr es mir durch den Kopf. Kein Wunder warum dort sein Stützpunkt war. «Aber sie scheinen nicht verbunden zu sein, sonst denke ich hätten wir schon längst etwas gehört von denen.» Phil lachte dabei kurz auf. Einige taten es ihm gleich, andere blieben still. Es war sowieso ein merkwürdiger Anblick wie alle um diesen Tisch hockten, um uns etwas zu erklären.

239

Hätten nicht auch zwei Leute gereicht? Doch die Tatsache, dass hier alle so zahlreich anwesend waren, ließ mich zu dem Schluss kommen, dass dies eines ihrer Treffen war.

Still setzte ich mich auf die andere Seite von meinem vorherigen Platz. 3 Plätze weiter saß Wise, der mich fragend anstarrte. Wahrscheinlich fand er die Situation genauso bizarr wie ich. Wie wir alle an diesem Tisch saßen oder vermutlich weil er sich immer noch fragte, was ich und jetzt auch er, hier eigentlich taten.

Für Wise stellte Phil noch einmal alle vor und setzte ihn in Kenntnis über die besondere Aufgabe von Traver, Liam und Meira. Unwillkürlich fragte ich mich warum Traver hier war, wenn die anderen beiden fehlten. Wise schien das Gleiche zu interessieren, denn er fragte nach. Man sah Wise an, dass er misstrauisch war, dass einer der Soldaten vor ihm saß. Er musterte ihn argwöhnisch, doch noch immer gab niemand eine Antwort. Bis jemand in meine Richtung nickte. «Na, weil er wusste, dass *sie* kommt.» Diese Antwort machte ihn nicht beliebter bei Wise, wahrscheinlich weil er es nicht verstand. «Hätte er vermutlich lassen sollen. Sie wäre nämlich fast auf ihn losgegangen.» Der Einzige Kommentar zu Theos Feststellung, außer dem kurzen

Auflachen einiger, war Wises fragender Blick zu mir, den ich gekonnt ignorierte. Stimmte was Theo sagte? Wollte Traver derjenige sein, der es aufklärte? Wollte er mich unter den ganzen Fremden ein bekanntes Gesicht sehen lassen? Wollte er mein Vertrauen wieder gewinnen? Egal was, es half tatsächlich. Die Angst von Sackas und meiner Konfrontation war immer noch da, aber die Angst und Abscheu, die ich beim Anblick von Traver gespürt hatte, waren verschwunden. Zumindest zum Teil. Vermutlich, weil ein Teil von mir seine Geschichte glaubte.

Keiner machte Anstalten zu beginnen, also machte ich den Anfang. «Eine Rebellion habt ihr gesagt.»

«Ganz genau. Wir wollen die Diktatur stürzen.» Große Worte. «Und wie?», schoss es aus Wise, noch bevor ich die Frage stellen konnte. Phil räusperte sich und setzte sich etwas gerader auf seinem Stuhl hin, während er seine Hände auf dem Tisch ablegte. «An den Ideen feilen wir noch. Ein Angriff wäre eine Möglichkeit, doch unsere Anzahl ist zu gering, daher kümmern wir uns im Moment hauptsächlich um das Anwerben von anderen, die sich uns anschließen wollen.» Phil klang nicht sonderlich euphorisch, vermutlich war es schwer Leute anzuwerben. Aber vor allem stellte ich es mir riskant vor. Wie fragte man jemanden ohne zu gefährden, dass man verraten wurde?

241

«Wie stellt ihr das an?»

«Wie du dir vorstellen kannst kommt es nicht allzu oft vor, dass jemand sich gegen Sacka ausspricht. Er verspricht seinem Gefolge gewisse Vorzüge, bezüglich Lebensmitteln, Wohnungen und finanziellen Mitteln. Zumindest treten ihm in dem Glauben viele bei. Diese vermeintlichen Vorzüge binden sie an ihn und er hat deren Familien am Haken.» Ich unterbrach ihn: «Was meinst du mit *vermeintlichen* Vorzügen?»

«Manchmal trübt der Schein, denn sie scheinen nicht alles zu wissen, aber davon gleich mehr. Jedenfalls schauen wir nach Menschen denen wir vertrauen können, die wir erlebt haben und durch ihr Handeln oder kleine Äußerungen uns einen Einblick geben. Es ist nicht leicht und auf jeden Fall müssen sie unser Geheimnis wahren können. Bis jetzt gab es noch keine Probleme. Mit jedem Neuen, kommen wir an dessen Kontakte ran und können unsere Reichweite erhöhen.» Das klang nicht sehr zuverlässig. Es gab keine Garantie, zwar konnte es die nie geben, aber es klang sehr abhängig von Glück. «Wie lange ist es her, dass ihr Zuwachs bekommen habt?», fragte ich. Phil zögerte. Ich konnte mir seine Antwort auch selber zusammenreimen. Lange. Es musste schon sehr lange her sein. «Heute.» Phils leichtes Lächeln schaffte es nicht seine enttäuschten Gesichtszüge zu überspielen, enttäuscht darüber, dass er mir mit dieser Antwort

242

ausweichen musste, weil die Antwort so ernüchternd war. Ich konnte mir vorstellen wer mich *erlebt* hatte, weshalb ich nun hier saß. Mein Blick ging unausweichlich zu Traver. Plötzlich stand er auf und ging geradewegs die Wendeltreppe hoch. Was sollte das? Ging er, weil ich ihn angeguckt hatte? Es veranlasste mich, dass ich auf einmal viel unruhiger wurde. «Wie stellt ihr euch einen Angriff vor? Womit?» Finley antwortete Wise prompt: «Meira, Traver und Liam hatten ein paar Mal die Gelegenheit Waffen mit zu schmuggeln, zumindest früher. Und einige von uns waren einmal bei den Soldaten und wurden gelöscht, allerdings ohne Wirkung, daher besitzen wir unsere Kampferfahrung noch. Die Waffen lagern wir dort.» Finley zeigte auf den Gang mit den Zellen. *Gelöscht?* Was meinte er mit *gelöscht?* Ich konnte nicht nachfragen, denn Wise überraschte mich mit seinen plötzlichen Worten: «Ich bin dabei.» Warum schloss er sich ihnen so schnell an? Ich beobachtete wie manche erleichtert nickten. Eine andere Antwort von ihm, wäre wohl auch kaum möglich gewesen, schließlich stellte er dann eine Gefahr für sie dar. Theo blickte skeptisch. «Ich hätte eine Frage an dich, Wise. Warum willst dabei sein? Was ist es, dass dich dazu bewegt?»

«Ich will...» Wise räusperte sich. «Ich will die Ungerechtig...» Ich musste ihn unterbrechen. Ich konnte nicht anders. «Ich will nicht länger wie ein Tier eingesperrt sein. Ich will mich frei bewegen können und zwar zu jeder Zeit. Sobald ich das Haus verlasse sehe ich an der nächsten Ecke schon einen Soldaten mit einer Waffe, der mich daran erinnert, dass sie die Macht haben. Dass Sacka die Macht hat. Er kann machen, was er will und niemand hindert ihn daran. Er hat Menschen getötet und töten lassen. Er ist ein Mörder. Nichts zu tun wäre eine Verleugnung.» Ich atmete tief durch. Theo nickte mir zu. Traver kam wieder runter und setzte sich an seinen vorherigen Platz. Ich wunderte mich wie schnell nun auch ich die Worte über meine Lippen brachte: «Ich bin auch dabei.» Eine Sache war da allerdings noch. *Das Muttermal.*

Ich zog schon an meinem Shirt und wollte es zeigen um zu fragen, doch Mabel die meine Bewegung sah, gab mir mit einer Handbewegung ein Zeichen, dass ich damit noch warten sollte. Ich rückte mein Shirt wieder zurecht. «Sehr gut. Wenn ihr jemanden kennt, den ihr als geeignet einschätzt, werden wir das beobachten und dann zusammen entscheiden. Solltet ihr etwas sehen was nützlich sein könnte, bringt es mit. Auch Ideen sind gerne gesehen», sagte Phil. «Ein Messer mehr haben wir ja schon mal, dank unserem weisen in der Runde.» Klar, dass der Kommentar von Theo kam. «Immerhin ist klar, dass ich bereit bin zu kämpfen.» Ich schielte unauffällig zu Wise rüber. *Bereit zu kämpfen?* So kannte ich ihn gar nicht und so konnte ich ihn mir auch nicht vorstellen. Die Aktion mit dem Messer kam mir schon so surreal und absurd vor. «Hat jemand von euch einen neuen Vorschlag für neue Mitstreiter oder andere Punkte?» Jemand, den ich vom Namen nicht kannte, antwortete Phil, aber ich hörte ihm nicht richtig zu. Ich dachte nur darüber nach, dass sich vielleicht wirklich etwas ändern konnte.

21 ZOE

Außer Wise, Finley, Traver, Phil, Mabel und mir waren alle gegangen.

«Eine Sache steht noch offen», sagte Mabel und zeigte ihr Muttermal, um deutlich zu machen, was sie meinte. Ich nickte. «Warum haben wir alle das gleiche?»

«Ihr habt alle dasselbe?», fragte Wise erstaunt. Ich bemerkte, dass anscheinend nur noch die Leute da waren, die das Muttermal *auch* besaßen. Soweit ich wusste besaß Wise keines, schließlich wäre uns das irgendwann mal aufgefallen. «Ja», gab Phil als Antwort. «Was seid ihr dann? Verwandt?»

«Das wäre ja noch schöner.» Theos Lachen hallte durch den Raum. Er sprang die letzten Stufen, der Treppe hinunter und gesellte sich zu uns. Dabei sagte er: «Es geht nicht darum in wie weit es uns verbindet. Es geht nur darum was es bedeutet, dass wir es besitzen. Was unser Vorteil ist.»

«Es gibt einen Vorteil?» Ungläubig starrte ich zu Theo, der seinen Mund öffnete um zu antworten, es sich dann jedoch anders überlegte und ihn wieder schloss. Doch er besann sich und sagte: «Einen Vorteil. Ja.» Warum er erst gezögert hatte, wusste ich nicht und seine Haltung zeigte deutlich, dass er nicht danach gefragt werden wollte. «Der wäre?», hakten Wise und ich fast gleichzeitig nach. «Zunächst sollte euch das hier interessieren, damit ihr es verstehen könnt.» Phil kramte in einer Schublade und zog ein Blatt Papier und einen dunkel blauen Kugelschreiber mit verblichenem Symbol heraus. Beides legte er vor sich und begann mit dem Stift etwas auf das Papier zu zeichnen. Es konnte alles Mögliche sein. Es war schmal und länglich, nahm aber nicht viel Platz auf dem Papier ein. Nach ein paar Strichen mehr und einer Schraffur in der Mitte der Figur, drehte Phil das Blatt so, dass ich es nicht mehr auf dem Kopf betrachten musste. «Meine Malkünste sind nicht die besten, aber vielleicht hilft es euch es sich besser vorzustellen. Es stellt ein kleines, durchsichtiges Behältnis dar. Eine Art Röhrchen. Wir wissen, dass 17 ml, von der hellblauen bis durchsichtigen Flüssigkeit reinpassen. Der Blauton hängt von der Dosierung ab. Doch meistens schimmert sie nur kaum merklich blau, denn eine kleine Dosierung reicht meistens schon für kurze Zeitspannen aus. 17 ml perfekt dosiert können sogar ausreichend sein für Zeitspannen, die über Monate gehen können oder im schlimmsten Fall sogar Jahre.» Womit hatte das etwas zu tun? Was bewirkte diese Flüssigkeit? Er warf mehr Fragen auf, als er uns beantwortete. Es war außer Frage, dass Wise und ich keine Ahnung hatten wovon er da sprach. «Diesen Behälter und seinen Inhalt...» Er zeigte auf seine Malerei. «...gibt es nicht nur einmal. Es muss Unzählige geben und alle mit einer wirkenden Dosierung. Alle für diejenigen bestimmt, die Ärger machen, die sich auffällig verhalten. Die Dinge tun, die Sacka nicht passen, aber vor allem für die, die zu viel wissen. Insbesondere Dinge, welche sie nicht wissen sollen. Sacka setzt sie schon seit Anfang an gegen alle ein. Er hat wahrscheinlich die größte Macht durch den Besitz dieser Flüssigkeit, die er als Waffe benutzt und nicht durch seine Position und seine Soldaten mit den Feuerwaffen. Nein. Diese Flüssigkeit richtet viel mehr Schaden an. Diese Flüssigkeit nimmt einem die Erinnerung.» Ich brauchte einen Moment bis ich begriff, was er damit meinte, aber ich begriff es nicht. «Was?? Wie meinst du das?» Ich starrte Phil an. Wollte, dass er es erklärte, doch Mabel ergriff das Wort. «Wir waren alle am Anfang ungläubig. Aber es stimmt. Sacka hat ein Serum, eine Flüssigkeit, die Erinnerungen löschen kann. Und zwar von jedem und jederzeit.» Wise fragte leicht atemlos: «Wie soll das funktionieren?»

«Die Flüssigkeit greift die Bereiche im Gehirn an, in denen unsere Erinnerungen gespeichert sind und zerstört die zuständigen Nervenbahnen teilweise und manchmal auch komplett. Es bleiben die verankerten Enden übrig. Zu denen knüpfen sich neue Wege. Diese Wege entstehen durch die Flüssigkeit. Sie schafft synthetische, künstliche Verbindungen. Das Gehirn ist in dieser Phase sehr anfällig und leicht zu beeinflussen. Es klammert sich förmlich an jede neue Information. So kann Sacka deine ursprüngliche Erinnerung löschen und sie durch eine neue ersetzen.» Das konnte nicht sein. Wie konnte so etwas existieren? «Das hätte man doch mitbekommen, wenn jemand sich plötzlich nicht mehr an Dinge erinnert. Ist ja nicht unbedingt normal, wenn auf einmal alle etwas vergessen», sagte Wise. Theo sah ihn an und antwortete: «Na ja, zu einem gewissen Grad vergisst jeder mal etwas, also gibt es eine kleine Schwelle, die man als normal betrachtet. Bei größeren Zeitspannen kommt es auf die Geschichte an, die statt der Wahrheit erzählt wird. Aber es stimmt, manche Fälle sind eindeutig.» Phil führte die Ausführung weiter: «Ist euch noch nie aufgefallen, dass sich manche Leute anders verhalten haben? An einem Tag noch begeistert und überzeugt von einer Sache und dann nie wieder?»

«Nein», antwortete Wise prompt. Er war misstrauisch und glaubte ihnen nicht. Aber für mich ergab es nun einen Sinn. Ich dachte an Layla. Ihr musste die Erinnerung genommen worden sein, denn anders konnte ich mir ihr Verhalten nicht erklären. Schließlich war sie dermaßen überzeugt gewesen von der Theorie über Sackas Mordkommando und am nächsten Tag wollte sie nichts mehr davon wissen. Ich hatte es selber mitbekommen. Ich musste ihnen also glauben und ich tat es auch. «Die *vermeintlichen* Vorzüge, die den Soldaten zustehen von den ich gesprochen habe, sind keine, denn Sacka verspricht diese zwar, hält sie jedoch nicht ein, sondern nutzt das Serum, um seine Soldaten auf seine Seite zu ziehen, indem er sie manipuliert sein System zu unterstützen. Die Familien löscht er entweder auch oder erpresst sie mit ihren Angehörigen, die er gefügig gemacht hat.»

«Also ist es das, was du mit *gelöscht* gemeint hast?» Meine Stimme klang erstaunlich ruhig, als ich das fragte. Finley nickte und sagte: «Ja, so nennen wir es, wenn jemandem die Erinnerung genommen wurde.» Ich brauchte einen Augenblick bis ich stutzig wurde. «Aber du meintest einige von euch wurden gelöscht, das würde doch bedeuten, dass ihr euch nicht erinnert. Woher wollt ihr wissen, wer gelöscht ist?»

«Wir sind wohl die Einzigen, die wissen, dass sie gelöscht wurden. Und bevor du jetzt fragen willst woher; ganz einfach weil es bei uns nicht funktioniert. Trotz dem wir das Serum getrunken haben, konnten wir uns an alles erinnern. Und auch an das, was sie uns glauben machen wollten. Als ich bei den Soldaten war, habe ich durchblicken lassen wie meine Position war, negativ dem ganzen gegenüber natürlich. Aus irgendeinem dummen Grund dachte ich, dass meine engsten Kameraden doch wenigstens meine Gedanken teilen oder sie sich anhören würden, aber sie haben mich verpfiffen. Haben alles an Sacka weitergeleitet. Phil hatte zuvor von meiner Einstellung gehört und mich rekrutiert. Nur ein paar Tage später hat Sacka alles bestätigt von dem Phil mir erzählt hatte. Fünf Tage habe ich in einer dieser Zellen verbracht.» Mit einem bitteren Unterton zeigte er Richtung Kellergewölbe, «Bis Sacka mit diesem kleinen Fläschchen ankam. Ich habe es getrunken und danach wurde mir irgendetwas erzählt, dass angeblich aus meinem Leben stammen sollte, was allerdings so nie passiert war. Als sie mich dann rausließen, sagte ich kein Wort dazu, sondern machte dass ich wegkam. Ich habe es mit eigenen Augen miterlebt.»

«Und warum hat es bei dir nicht funktioniert?» Wise war immer noch skeptisch. Er hatte keine Vorstellungskraft für das was Sacka tat, was er für ein Mensch war. An seiner Stelle würde ich auch verunsichert und misstrauisch reagieren, *aber was für einen Grund hatten sie zu lügen?* Theo antwortete *mir,* obwohl ich nicht die Frage gestellt hatte: «Da hast du deinen Vorteil. Bei allen, die das Merkmal besitzen funktioniert der Löschvorgang nicht.» Was meinte er mit *Merkmal?* Meinte er das Muttermal? Ich wollte gerade nachfragen, da bestätigte Mabel mit einem Nicken meine Vermutung. Automatisch berührte ich meines. Das konnte meine Erinnerungen bewahren? Mein Verstand konnte sich das nicht vorstellen.

Ernsthaft? Also wirklich Verstand, das kannst du dir nicht vorstellen, aber ein Serum, das die Erinnerung nehmen kann ist einleuchtend? Es war mehr als nur absurd und unvorstellbar. «Wurdet ihr alle gelöscht?» Ungläubig schaute ich in die Runde, als Wise mit dieser Frage, nachdenkliche Blicke auf sich zog. «Nein nicht alle.»

«Woher wollt ihr dann wissen, dass es daran liegt und nicht an etwas anderem. Vielleicht hat es auch einfach nicht funktioniert?»

«Aus Zufall funktioniert das Serum genau bei den Leuten nicht die dieses Mal haben? Ja genau, ich glaube das ist sehr wahrscheinlich», bemerkte Theo ironisch. Phil schaltete sich ein: «Wir wissen, dass es daran liegt, weil wir es entwickelt haben. Die Wirkung des Serums ist zu stoppen. Wir haben eine Formel dafür entwickelt. Eine unserer Verbündeten hat uns mit einer Dosis versorgen können und wir konnten neun dieser Merkmale herstellen. Es handelt sich um ein kleines Metallplättchen, das die veränderte Gegensubstanz speichert und sich mithilfe von feinen Fäden, mit dem Blutkreislauf verbindet. Sobald registriert ist, dass sich das Serum im Körper befindet, setzt das Gegengift ein und stoppt den Vorgang des Löschens noch bevor er begonnen hat. Aber wie gesagt, es ist nur zum Stoppen geeignet. Es bringt keine erfolgreich gelöschten Erinnerungen zurück.» Das musste ich erst einmal alles sacken lassen. Nach einer Weile fragte ich: «Aber wieso habe ich so eins? Ich kann mich nicht erinnern, wie ich das bekommen haben soll.» Phil reagierte wieder: «Der Vorgang klingt unangenehm, verursacht aber tatsächlich kaum Schmerzen und ist ein schneller Eingriff. Ich kann mir schon denken von wem du es hast. Die Verbündete, die das überhaupt möglich gemacht hat war Isabelle, vielleicht hat sie es dir implantiert, als du geschlafen hast.» *Was?* Okay. Wie viele Sachen wollten sie noch preisgeben. Das war viel zu viel für mich. «Isabelle gehörte zu euch? Sie war Teil der Rebellion? Ich hatte ja keine Ahnung.» Meine Stimme war außer Atem. Phil sah traurig zu Boden und sagte bedrückt: «Ja, bis Sacka sich um sie gekümmert hat.»

«Ich habe Isabelles Schrift auf deinem Brief erkannt. Sie hat dich bis zu ihrem Tod nicht mit reinziehen wollen.» Ich hatte nicht gemerkt, dass ich auch zu Boden geschaut hatte, bis ich hoch zu Traver guckte, der gesprochen hatte. Er hatte kaum etwas bis jetzt dazu gesagt, deshalb erstaunte es mich so. «Wenn ihr doch aber die Möglichkeit habt die Leute dagegen immun zu machen, warum ist das dann nicht euer Hauptziel?», fragte Wise. Eine berechtigte Frage. Nach einer kurzen Pause, antwortete Traver auf Wises Frage: «Seitdem hatten wir keine Chance mehr, an das Serum ranzukommen. Sacka hütet es gut und hat es von dem ursprünglichen Ort weggeschafft. Wenn es zum Einsatz kommt überlässt er das meistens Noah. Mir schon lange nicht mehr.»

Von oben hörten wir auf einmal Gepolter, dazu kam eine Stimme: «Ich bin spät, ich weiß, aber ich wurde noch eingeteilt und Liam kann erst noch später vorbeischauen.» Liam. Irgendwann würde ich auch *dieses* Gesicht wiedersehen. Noch ein Gesicht, wo ich mir eigentlich vorgenommen hatte es nie wiederzusehen.

Wir alle gingen hoch. Die Vorhänge waren zugezogen. Als das Mädchen mit den roten Haaren mich sah, blieb sie augenblicklich stehen und auch ich bewegte mich nicht von der Stelle. Ich kannte ihr Gesicht und als sie sprach, auch ihre Stimme. Ohne, dass jemand ihren Namen nannte, wusste ich, dass mein Gegenüber Meira war. «Was macht sie hier?», ertönte von ihr. Oh gut sie erinnerte sich anscheinend auch. Meiras Augen waren so schmal wie ihre Lippen, als sie sprach. Sie war das Mädchen mit dem verdammten Klebeband gewesen, die, die mir das erste Mal in meinem Leben eine Ohrfeige verpasst hatte. Sie war die, die mit Liam an der Grenze zum Wald gestanden und mich noch zurückgerufen hatte. Und sie war die, die mich festhielt, als Sacka mich fast erschossen hätte. Mehr Warnsignale konnte es ja nicht geben, um mich selbst zu fragen, was ich hier eigentlich machte. Lauter

Leute, die meinen Tod wollten, dann noch Liam der Verräter, Wise mit dem Messer, Phil erzählte von Seren und noch dazu hatten wir alle dieses Merkmal. Ich denke das reichte für einen Tag. Angst verspürte ich allerdings keine, dafür war ich einfach zu müde. Ich sah Meira direkt an und sagte: «Ich gehöre jetzt zu euch.» Schlimmer konnte es auch nicht mehr werden, wenn ich ihr das jetzt sagte. «Wollte mich vorher niemand einweihen?»

«Ich freue mich auch dein Gesicht wiederzusehen», gab ich mit einem gespielten Lächeln zurück. Dass ich mir wohl in dem Moment etwas zu viel erlaubt hatte, merkte ich erst als sie mich mit unglaublicher Kraft an die Wand presste. Ihr Atem war so nah, dass ich ihn auf meiner Wange spürte und gleichzeitig merke, dass sie vor Wut kochte. Bestimmt eine Freundin von Elise. «Du wagst es hierher zu kommen», fuhr sie mich an. «Was ist *dein* Problem. Ich habe Gründe, aber welche sind deine?», erwiderte ich. Meine Stimme war im Vergleich zu ihrer geradezu ruhig, was wohl zum Teil daran lag, dass ich nach diesem Tag einfach nur erschöpft und diskussionsmüde war. «Ich habe auch meine Gründe. Du hast Case und Amy umgebracht und deinetwegen ist Ben tot. Einer wäre schon Grund genug, aber du hast gleich drei Menschen, die ich mochte auf dem Gewissen.» Darauf hatte ich keinen Nerv. «Wenn das deine Gründe sind, dann hast du keine! Ich habe das nicht getan. Aber sag mir doch, wie viele Menschen hast du *getötet*? Wenn du die Antwort weißt kannst du die zu *meinen* Gründen dazu zählen.» Damit befreite ich mich aus ihrem Griff, was mir erstaunlich gut gelang und stürmte zur Tür und nach draußen in die Dunkelheit. Ich musste fast lachen als ich auf die Uhr schaute und es noch fünfzehn Minuten bis zur Nachtruhe waren. *Immerhin war ich pünktlich an diesem absolut überfordernden Tag.*

22 TRAVER

Liam hatte es die Tage nach Sackas Gegenüberstellung erfolgreich geschafft mir aus dem Weg zu gehen. Aber gerade als er kurze Zeit später nach Meira Phils Haus betrat, hatte er keine Chance. Nur noch Phil, Meira, ich und jetzt Liam waren da. Die anderen waren alle relativ zeitnah, nach Zoes stürmischen Aufbrechen gegangen, damit sie noch rechtzeitig vor 22Uhr zuhause ankamen. Am liebsten wäre ich Zoe hinterher gelaufen, doch diese Aufgabe hatte schon dieser Wise übernommen. Vielleicht war es auch besser so, dachte ich.

Ich saß unten an dem großen Tisch, bei dem Verlies System. Als Liam die Wendeltreppe herunterkam, stand ich auf. Für einen kurzen Moment dachte ich schon, er würde wieder kehrtmachen, doch er kam nach einem kurzen Zögern direkt auf mich zu. Ich sah ihm an, wie ungern er jetzt vor mir stand. Er schaute mir nicht mal in die Augen. Er wusste, dass ich ihn damit konfrontieren würde. Genau deshalb war er mir auch aus dem Weg gegangen. Doch ich blieb ruhig, anders als er es wahrscheinlich erwartet hatte. «Geht es dir gut? Hat Sacka dich nach allem nochmal in die Mangel genommen?» Liam sah mich an. «Seine Ansprache fiel relativ mild aus. Nach allem was passiert ist, war ich wohl nicht sein größtes Ärgernis. Er hat mir nochmal gedroht. Das Übliche.»

«Hat er gedroht dich zu löschen?»

«Ganz sicher nicht. Der Fehler soll mir ja nicht noch ein zweites Mal unterlaufen.» Er grinste kurz, dann verschwand es sofort. Skeptisch sah er mich an. Liam traute dem Frieden nicht und er hatte Recht. Meine Stimme wurde lauter als ich jetzt sprach. «Kannst du mir dann bitte mal erklären, was bei dir abgegangen ist? Nicht nur, dass du sie zu uns geführt hast. Du hast mich auch noch k.o. geschlagen.» Er schwieg und ich machte weiter: «Was ist wenn er mich getötet hätte? Du warst nicht einmal da als sie mich in der Mangel hatten.» Liam fand seine Stimme: «Sacka hätte dich nicht getötet. Das weiß ich einfach.» *Wow.* Genau das war mein Grund bei Zoe gewesen. Jetzt hörte ich wie bescheuert das klang. Es klang einfach lächerlich. «Hey, was ist los?», fragte Phil irritiert, als er mich und Liam sah. Keiner antwortete außer Meira, die auch dazu gekommen war und sagte: «Lass gut sein. Ich regle das.» Daraufhin verschwand Phil wieder und ließ uns alleine. Er wusste, dass es besser war sich raus zu halten.

Ich verstand Meiras und Liams Gründe. Ich hatte schließlich vor Zoe, auch in Namen von ihnen beiden argumentiert. Es war eine Zwickmühle gewesen. Jedes Handeln hätte Folgen gehabt und doch wurde ich noch wütend. Ich fuhr sie beide an. «Was habt ihr euch dabei gedacht?» Meira hob sofort die Hände und sagte

258

genauso aufgebracht: «Nein. Wow. Was hast *du* dir dabei gedacht? Du hättest sie sofort zu Sacka bringen können. Dein Ansehen bei ihm wäre gestiegen und es wäre garantiert nicht so eskaliert!»

«Glaubst du das wirklich? Es hätte keinen Unterschied gemacht», spottete ich. Diesmal antwortete Liam: «Oh doch und zwar: du. Jetzt hat Sacka dich doch noch mehr im Auge. Zoe war so oder so in Schwierigkeiten mit der Aktion. Sie hat es selber so gewollt.»

«Zoe, wollte doch nur Antworten», sagte ich.

«Ja, die hat sie ja jetzt. Allerdings von hier drinnen!», gab Meira motzig zurück. «Wenn es geklappt hätte, wäre gar nichts davon passiert», hielt ich daran fest. «Traver du weißt genauso gut wie ich, dass die Chance so gering war und noch dazu so riskant. Ich habe wirklich probiert dir ein Alibi zu verschaffen. Ich hatte keine Ahnung, dass sie mir folgen, erst als es schon zu spät war. Was hätte ich denn machen sollen? Hätte ich dich auf der Lichtung verteidigen sollen und wäre mit abgeführt worden, damit wir beide in seinem Fokus stehen? Du weißt, dass ich richtig gehandelt habe.» Liam hatte Recht. Ich wusste es war die bestmögliche Lösung gewesen. Allerdings hätte es nie so weit kommen dürfen. Meira ging weiter in Verteidigungshaltung und sagte: «Hätte ich nicht meinen Part gemacht, hätte es ein anderer getan. Gerade wir mussten es machen, weil wir schuld daran sind, dass sie raus gekommen ist. Und es tut mir leid, aber du hast ganz alleine entschieden deine Tarnung zu gefährden. Das hatte nichts mit uns zu tun. Dafür kannst du uns nicht verantwortlich machen.» Sie hatten ja Recht. Es war unfair von mir sie so anzufahren. Liam musste meinen Blick gesehen haben, denn er beschwichtigte: «Okay. Hey im Grunde ist doch jetzt alles gut wie es ist. Ich meine wir leben noch und können weitermachen wie bisher.» Liam stutze plötzlich und hängte dann noch hinten dran: «Nur Ben hat es getroffen.»

«Und Amy und Case», führte Meira die Liste fort. Wie weit war es gekommen, dass wir schon eine Liste hatten? Amy und Case hatten zwar andere Ansichten als wir, doch trotzdem hatten wir vieles mit ihnen durchgestanden. «Traver ich verstehe nur nicht warum du sie eingeweiht hast. Du hättest ihr den Brief auch einfach nicht geben können. Vorher hast du doch auch schon überlegt sie einzuweihen, es aber nie getan. Warum ausgerechnet jetzt?» Meira klang auf einmal erstaunlich ruhig für ihre Verhältnisse. «Du hast doch gesehen wie weit sie gegangen ist. Sie hat Antworten gesucht. Wenn sie die nicht bald bekommen hätte, wer weiß wie weit sie dann gegangen wäre», sagte ich nachdenklich.

23 ZOE

Meine Mutter fragte nicht nach, als ich ein paar Minuten vor der Nachtruhe die Tür aufschloss. Ich traf sie auf dem Sessel an. Auf ihren Beinen lag ein Buch, doch es wirkte nicht so als hätte sie darin gelesen. Es lag zwar offen da, doch selbst von der Tür aus konnte ich die gleiche Kapitelüberschrift wie schon an den Vortagen lesen. Vielleicht nahm sie sich wirklich vor, mal abzuschalten und sich in das Buch rein zu lesen oder sie versuchte so zu kaschieren, dass sie nur dort saß, weil sie sich Sorgen gemacht und auf mich gewartet hatte. So oder so, hatte ich keine Lust mich auch noch damit zu beschäftigen. Ich versuchte meine letzte Energie in ein viel zu übertrieben gut gelauntes «Gute Nacht» zu stecken und machte mich dann auf den Weg in mein Zimmer. Ich ließ mich geradewegs auf mein Bett fallen und blieb mit ausgestreckten Armen und Beinen liegen, doch an schlafen war nicht zu denken. Ich starrte einfach an die Decke. *Was für ein Tag.* Plötzlich hörte ich von unten wie jemand an unsere Tür klopfte, ich hörte die Schritte meiner Mutter, das Öffnen der Tür und das anschließende Schließen knapp bevor die Kirchenglocke 22Uhr verkündete. Meine Reaktion war ein erschrockener Laut, als plötzlich Wise in meinem Türrahmen stand. «Was machst du hier?»

«Ich bin dir gefolgt.» Diese Tatsache hatte ich mir auch schon gedacht und beantwortete nicht meine Frage, aber statt weiter nachzuhaken rutschte ich auf dem Bett zur Seite und machte ihm Platz. Er legte sich wortlos neben mich.

Das ganze Haus war ordnungsgemäß dunkel. Ich hörte wie meine Mutter in ihrem Zimmer verschwand und ihre Tür schloss. Sie kam nicht mehr rein und sagte etwas. Alles war still, bis auf das asynchrone Atmen von Wise und mir. «Was sagst du zu heute Abend? Was sagst du zu dem, was wir erfahren haben?», flüsterte er kaum hörbar. Ich schaute ihn nicht an, sondern weiterhin zur Decke. «Was soll ich dazu sagen?»

«Ich möchte deine Meinung hören. Was geht dir durch den Kopf?» Um ehrlich zu sein, schwirrte mir alles irgendwie durcheinander im Kopf herum. So viele, neue erschreckende Dinge. Da ich nicht antwortete redete Wise weiter: «Das mit dem Serum, dem Löschen der Erinnerung, das klingt ganz schön krass. Irgendwie so abgespaced, findest du nicht? Ich weiß nicht ob ich mir das vorstellen kann.» Jetzt schaute ich zu ihm und flüsterte ebenfalls: «Es ergibt Sinn, obwohl es keinen Sinn ergibt. Weißt du was ich meine?» Die ganzen Sachen die ich erlebt hatte ließen sich auf irgendeine Art erklären und zwar durch das, was wir heute herausgefunden hatten und doch war es zu abgefahren, dass es so etwas wie dieses Serum gab.

Genau das meinte ich mit meinen Worten, doch Wise sagte nur: «Für mich ergibt das alles keinen Sinn.»

«Noch bevor du von dem Serum und allem erfahren hast, warst du bereit dich ihnen anzuschließen. Warum?» Auch Wise wandte den Blick von der Decke und schaute zu mir. «Erinnerst du dich noch daran wie du mich gefragt, ob ich schon mal darüber nachgedacht habe, was sich hinter dem Wald befindet? Ich hatte dir nicht geantwortet aus dem einfachen Grund, weil ich Angst hatte und immer noch habe. Wer hat nicht schon darüber nachgedacht? Die Frage ist allgegenwärtig. Also ja natürlich, lautet meine Antwort. Aber ich habe es noch nie ausgesprochen, weil es einen in Gefahr bringen kann.»

«Genau weil ich weiß wie du darüber denkst, war ich so erstaunt von deinem Verhalten und die Aktion mit dem Messer, was war da in dich gefahren? Was sollte das?»

«Ich habe über das, was du ständig gesagt hast nachgedacht und ich habe zum ersten Mal angefangen es in Frage zu stellen. Ich habe mich gegen die Ausbildung zum Soldaten entschieden. Das wollte ich dir sagen, als ich vor drei Tagen bei dir Zuhause war. Aber du warst weg. Wo warst du, Zoe?» Diesem vorwurfsvollen Blick wich ich aus, indem ich wieder an die Decke starrte. «Du hast deine Mutter belogen und ich habe dir bei deinem Alibi geholfen.» Wises Stimme war energisch, trotz seinem Flüstern und dennoch konnte ich nur hoffen, dass meine Mutter schon schlief und nicht doch noch etwas hören konnte. Statt ihm zu antworten fragte ich: «Warum hast du dich so schnell dafür entschieden dich ihnen anzuschließen?» Er gab sich geschlagen und versuchte nicht weiter meine Antwort hervor zu zwingen. «Ich will kämpfen.» Ich konnte nicht anders, ich musste seine Worte mit einem spöttischen Unterton wiederholen: «*Kämpfen,* wo gegen denn? Gegen Sacka und seine Soldaten? Sie sind in der Überzahl. Mit all ihren Waffen. Was sollen wir ausrichten?»

«Du warst doch immer diejenige, die etwas ändern wollte.»

«Ja natürlich will ich hier raus, natürlich will ich nicht mehr so leben, aber wie? Wie sollen wir das schaffen? Ich weiß schon, nur weil es ausweglos scheint sollte man nicht aufgeben, aber Sacka könnte jedem, den wir auf unsere Seite ziehen, die Erinnerung nehmen. Oh Gott was rede ich da? Er könnte auch jeden von uns genauso gut töten, da braucht er dieses Serum nicht.»

«Du kannst es dir vorstellen? Dass es dieses Serum gibt und tatsächlich die Erinnerungen löscht?» Ich schaute zu ihm und dann wieder hoch. Ich musste es ihm sagen. «Ja»

«Warum?»

«Weil ich gelöscht wurde.» Er sah mich fassungslos an, obwohl er beim Reden mehr ungläubig klang als erschrocken. «Was? Du wurdest gelöscht? So wie Phil uns das erklärt hat mit diesem Serum? Das gibt es wirklich?» Bevor ich mit Ja antwortete, beschwichtigte ich ihn wieder leiser zu werden, denn seine Stimme hatte sich zum Ende hin gehoben. «Aber...aber..., warum? Warum du? Hat es etwas mit den vergangenen Tagen zu tun? Warst du deshalb nicht da? Wurdest du wie dieser Finley in einer Zelle gehalten?» Wises Stimme war leise, doch er war erschrocken. Ich hatte ihm nichts von meinem Plan erzählt und ich wusste er hielt es für leichtsinnig und unglaublich dumm, aber am aller meisten würde er sich gekränkt fühlen, dass ich ihn nicht eingeweiht hatte. Er hatte sich aufgesetzt, ich tat es ihm gleich und dann fing ich an ihm davon zu erzählen. «Ich war draußen.» Ich flüsterte mein Flüstern. «Du warst nach der Nachtruhe noch draußen?» Diesmal klang er mehr als nur erschrocken. «Nein...also ja doch, aber nicht nur. Ich war ganz draußen, Wise. Durch den Wald und dahinter.» Mir fiel es schwerer als gedacht, es vor ihm auszusprechen. Für eine gefühlte Ewigkeit schwieg er. Dann sagte er trocken: «Verarschst du mich, Zoe? Sorry, aber darüber kann ich nicht lachen.»

«Denkst du etwa *ich* kann das? Das ist kein Scherz. Ich war da draußen und es sind Menschen gestorben.

Wegen mir und ich wäre es auch beinahe. Ich verarsche dich nicht.» Als er bereit war sich alles anzuhören, fing ich an von den Soldaten zu erzählen, die mir in den Wald gefolgt sind. Ich erzählte von dem Zaun und wie ich es da hinter geschafft hatte, wo ich aufgewacht bin nachdem ich zusammengebrochen war. Ich erzählte wie Liam und Traver mich fanden, ich mit Traver floh und wir schließlich wieder ins Dorf geschliffen worden. Den Aufenthalt im Wald und bei Sacka erzählte ich nicht so ausführlich, sondern nur das Wichtigste. «Sacka hat einem seiner Soldaten namens Noah aufgetragen mir etwas zu trinken zu geben und mir eine schöne Geschichte zu erzählen. Ich hatte keine Ahnung was das sollte, aber du kannst es dir ja bestimmt jetzt denken. Nachdem Noah erledigt hatte, was Sacka ihm aufgetragen hat, steckte er mich in einen Wagen und fuhr mich nach Hause. Dazu hat er gesagt, dass das Fabrikgelände für Bewohner tabu sei. Seit er mich aus dem Raum gezerrt hatte, in dem der Tote lag, in dem Traver war, in dem Sacka stand, war gar nichts mehr verständlich und logisch gewesen, auch wenn es das davor schon nicht mehr war. Zuerst hatte ich natürlich abgelehnt das Serum zu schlucken, aber er hat nicht viel Kraft benötigt mich zu zwingen. Danach erzählte er irgendetwas von wegen ich sei verbotenerweise auf das Gelände eingedrungen und wurde erwischt, woraufhin man ihm befohlen hatte mir genauestens einzutrichtern, dass das als Verstoß der Regel galt und ich mich glücklich schätzen sollte so nochmal davonzukommen. Während des ganzen Gesprächs hatte ich keine Ahnung was das sollte. Anfangs hatte ich ihn noch irritiert angesehen, immerhin war uns ja beiden klar gewesen, dass das, was er da erzählte ausgedacht war, aber dann waren mir wieder Liams Worte eingefallen: *Du musst jetzt mitspielen.* Deshalb hatte ich verständnisvoll genickt als Noah mich gefragt hatte ob ich ihn verstand. Ich habe mich gefragt ob er mich vielleicht irgendwie manipulieren wollte. Mir diese Geschichte einreden. Hielt er mich für so blöd? Aber das wäre zu absurd. Das, was da passiert war konnte man nicht einfach von der einen auf die andere Sekunde vergessen. Aber jetzt weiß ich, dass es doch geht und was das sollte. Ich wurde...»

«...gelöscht», beendete Wise meinen Satz. Danach schwieg er und ich legte mich wieder aufs Bett, auch wenn ich kein Auge zumachen konnte.

24 TRAVER

Ich machte mich für meine Patrouille bereit. Ich war zugeteilt für einen der Grenzposten am Waldrand. Normalerweise war ich alleine als Wache eingeteilt, aber heute standen auf dem Plan zwei weitere Leute. Sackas Absicht damit war unmissverständlich. Ich hasste es wie er mich damit bloßstellte, aber was sollte ich dagegen tun? Mich gegen ihn auflehnen? Meine Möglichkeiten waren verspielt. «Sacka will dich sehen.» Ich drehte mich um. Mir starrte ein Gesicht mit einem harten Ausdruck entgegen. «Ich suche ihn gleich.»

«Sofort», schoss aus ihm hervor. Irritiert starrte ich ihn an. Was sollte das? Doch dann sah ich ein, dass es keinen Sinn hatte jetzt eine Szene zu machen, daher nickte ich ihm bestätigend zu und er verschwand. Die restlichen Sachen packte ich noch schnell zusammen, dann machte ich mich auf den Weg. Was wollte Sacka? Hatte sich etwas im Plan geändert? Würde ich doch wieder eine Patrouille alleine bekommen? Oder hatte es gar nichts mit den Patrouillen zu tun? Wusste er etwas? Ruhig bleiben, sagte ich mir. Alles andere würde mich nur verdächtig erscheinen lassen. Es war nicht ungewöhnlich, dass Sacka mich noch einmal vor einer Patrouille sprechen wollte. *Nicht ungewöhnlich*, darauf konzentrierte ich meine Gedanken.

Ich musste nicht lange suchen, da hörte ich ihn bereits in einem Raum mit jemandem sprechen.

«...das macht dich besonders mit einer wichtigen Rolle. Ich hoffe du erkennst die Ehre darin.» Ich verlangsamte meine Schritte und schlich so leise wie möglich in Richtung des Raumes, aus dem Sackas Stimme kam. Mit wem sprach er? Und vor allem worüber? Wieder Sackas Stimme: «Vergiss ja nicht was das bedeutet, sonst hab ich dich im Auge, klar?» Gespannt wartete ich, dass Sackas Gesprächspartner antwortete. Ich wollte wissen mit wem er sprach. Jemand tippte mir plötzlich auf die Schulter. Ich fuhr herum. Der Soldat von gerade. Seine Miene war genauso ernst wie zuvor. Ich spannte mich an. Was glaubte er was ich hier tat? Und wo kam er überhaupt so plötzlich her? Hatte er mich verfolgt? «Sacka ist da drinnen», sagte er. Sein Arm zeigte auf den Raum. Ich folgte seiner Geste ohne ein Wort. Verdammt. Die beobachteten mich. Sacka musste sie auf mich angesetzt haben.

Als ich im Türrahmen stand, sah ich wer die zweite Person bei ihm war. Noah. Augenblicklich unterbrach Sacka sein Gespräch. «Traver. Du übernimmst heute nicht den Wachposten, sondern die Patrouille zusammen mit Noah in seinem Bereich.» Mein Blick schweifte kurz zu Noah, der mich mit einem selbstgefälligen Grinsen ansah, dann wieder zu Sacka. «Warum kriege ich nicht *meinen* Bereich? *Alleine*?», fragte ich. Ich hatte meine Stimme nicht gehoben, aber man hörte meine Verärgerung. Sacka ignorierte es, also hängte ich noch hinten dran: «Warum nicht? Was erwartest du, dass ich mache?» Er kam einen Schritt auf mich zu. Sackas Stimme klang belanglos, als er sprach: «Ich erwarte gar nichts mehr. Außer, dass du das machst was ich sage.» Mir war natürlich klar warum er so reagierte und allen anderen genauso, trotzdem war die einzige logische Reaktion die ich zeigen konnte, meine nächste Frage. «Was habe ich denn getan?» Es war die überflüssigste, von selbst beantwortenste und dümmste Frage. Allerdings nicht wenn man beachtete, dass ich von Sacka gestern gelöscht worden war.

25 ZOE

Phil öffnete die Tür. Erstaunt sah er mich an. «Zoe!?»

«Kann ich reinkommen?» Er nickte und machte mir Platz, sodass ich eintreten konnte. «Klar.» Phil schloss die Haustür hinter sich und ich setzte mich an den Tisch im Esszimmer. Phil setzte sich dazu. Wieso ich gekommen war, wusste ich nicht genau. Vielleicht weil ich jemanden zum Reden brauchte, der unabhängig von mir war oder vielleicht weil ich noch mehr Antworten wollte.

Im Grunde war es auch egal, denn Phil fragte nicht danach.

Er sah mich nur mitfühlend an und sagte: «Ist viel zu verdauen oder?» Ich lachte kurz auf. So konnte man es auch beschreiben. «Ich weiß nicht woran es liegt, aber ich würde wirklich gerne sagen, dass ich es nicht glaube. Dass das alles keinen Sinn ergibt, aber ich weiß, dass es das tut und das erschreckt mich so. Ich sollte es doch für Schwachsinn halten oder nicht?»

«Desto eher du es als Realität ansiehst, desto besser kannst du damit umgehen.» Phils Stimme war ruhig und nahm mir jegliche Anspannung. Er strahlte so etwas ruhiges und gelassenes aus. Wie eine Vaterfigur. «Aber wie kann es die Realität sein, wenn es so absurd ist?»

«Das Absurde macht die Realität doch erst real oder

nicht? Eine perfekte Welt gibt es nicht.» Eine kurze Pause entstand. «Traver hat mich vorgeschlagen, oder?» Phil nickte und antwortete: «Ja. Durch Isabelle hatten wir dich zwar auch schon vorher in Betracht gezogen, aber letztlich ging es von Traver aus.»

«Wenn Isabelle eine von euch war, wieso musste sie dann erst sterben, damit ich von euch erfahren habe? Warum hat sie mich nicht vorher eingeweiht?» Isabelle hätte es mir sagen können. Ich wäre bereit dazu gewesen. Hatte sie es nicht getan, um mich zu schützen? Wenn ja, dann wäre ich weniger in Gefahr gewesen, wenn sie es mir einfach gesagt hätte.

«Ich denke sie hat nicht damit gerechnet, dass plötzlich alles so schnell geht. Sie wollte noch abwarten. Dann hast du selber die Initiative ergriffen und bist raus. Es war unglaublich mutig von dir.» Ich lächelte kurz, dann fragte ich: «Ich habe in der Siedlung Kontaktpersonen von Isabelle getroffen. Wie hat sie das angestellt?»

«Isabelle ist mehrmals draußen gewesen, als Sackas Maßnahmen noch nicht vorangeschritten waren. Es ist mehr ein Zufall gewesen, dass sie dabei die Siedlung entdeckt hat. Sie haben Vermutungen und Überlegungen von uns, was Sackas wahres Gesicht betrifft, bestätigt. Die Menschen draußen bekommen das Serum nicht verabreicht. Ihnen gaukelt er nichts vor.» Wie konnte Phil sich und vor allem die draußen da so sicher sein? «Warum wird es ihnen nicht verabreicht?» Phil zuckte mit den Schultern. «Ich weiß es nicht. Vielleicht als Vergleich zwischen dem Verhalten von hier drinnen und draußen? Oder um zu sehen wie weit er gehen kann bevor zu viele sich gegen ihn verschwören. Vielleicht auch einfach um nicht die ganze Zeit den Scheinheiligen zu spielen. Letzt endlich spielt es auch keine Rolle.»

«Ich verstehe nicht wieso sie nicht abhauen von dort.»

«Sacka lässt tägliche Kontrollen durchführen und wenn jemand fehlt, leiden alle anderen. Das macht sie gehorsam.»

«Irgendwie muss man das doch umgehen können. Sie könnten uns helfen sie sind auf unserer Seite.»

«Die Grenzen sind zu. Du hast es gerade noch raus geschafft, aber glaubst du das wird nochmal so ablaufen können?» *Durch mich sind sie nun noch wachsamer.* Vor allem hatte ich es ja nicht mal unbemerkt wieder rein geschafft und genau das war die maßgebliche Voraussetzung, wenn wir die Hilfe der anderen wollten. «Wie bist du überhaupt auf die Idee gekommen raus zu gehen?», fragte Phil. «Isabelle hat mich da raus geschickt. *Sie* hat gesagt, dass ich es tun soll.» Er schaute mich irritiert an und da fragte ich mich ob er alles wusste. «Wie gut kanntest du sie?», fragte ich daraufhin. Ein Lächeln huschte über sein Gesicht, dann sagte er: «Sie war eine meiner engsten Freunde. Wir hatten zusammen probiert das hier in die Wege zu leiten und es langsam aufzubauen.» Er sah mich für einen Moment an und deutete meinen Blick richtig: «Sie hat mich nie erwähnt, nicht wahr? Na ja, sie war eben gut in dem was sie tat. Nicht zu viel preisgeben und das Geheimnis wahren.» Sie hatte tatsächlich nie von ihm erzählt. Ich hatte nicht einmal Andeutungen oder Dinge gehört, die darauf schließen ließen, dass es ihn gab, geschweige denn diese Rebellion.

«Hallo.» Erschrocken drehte ich mich zur Tür, obwohl ich die Stimme kannte. «Oh Zoe, was machst du denn hier?» Ich nickte begrüßend. «Hat hier jeder einen Schlüssel zum Haus? Ist das nicht etwas auffällig, wenn alle ein und ausgehen?»

«Hey, du bist doch auch hier. Das ist, würde ich mal sagen, auffälliger als wenn ich hier bin.» Ich zog eine Augenbraue hoch. «Ach ja? Wieso das?»

«Theo ist mein Neffe», antwortete Phil und Theo grinste zufrieden. Überrascht wechselte mein Blick zwischen beiden. «Tja. Kleiner Funfact über mich und das auch noch gratis.» Dazu machte er ein freches Gesicht. «Ach Theo hör auf mit dem Unsinn», kam von Phil. «Wieso? Habt ihr gerade etwa über tiefsinnige Themen sinniert?» Phil wollte gerade ansetzen und auf Theo eingehen, aber ich kam ihm zuvor. Aus irgendeinem Grund wollte ich nicht, dass Theo erfuhr, dass wir über Isabelle geredet hatten. Vermutlich, weil er gar nichts ernst zu nehmen schien. «Ich habe eventuell einen Vorschlag für jemand Neues.» Darüber hatte ich unter anderem gestern nachgedacht, aber ich wollte es erst ansprechen, wenn Phil wieder ein Treffen einberufen hätte, doch jetzt lenkte es perfekt ab. «Lass hören.» Mit diesen Worten setzte sich Theo zu uns an den Tisch. «Layla Bisching. Kennt ihr sie?» Sie hatte Zweifel, war gegen Sacka und sie hatte Recht mit ihrer Vermutung gehabt. «Sie kam auf die Idee, dass Sacka die Vermissten in eine Falle gelockt haben könnte.» Theo antwortete: «Ja ich kenne ihren Namen. Und sie hat Sackas Plan durchschaut? Hat sie dir das einfach so gesagt?»

«Nachdem man ihren Vater tot aufgefunden hat, hat sie mich angerufen und von ihrer Theorie erzählt. Allerdings hat sie am nächsten Tag total seltsam darauf reagiert. Ich kann es mir nur erklären, wenn sie gelöscht wurde.» Ich konnte beobachten wie Phils und Theos Gesichter plötzlich enttäuscht wirkten. «Wenn sie gelöscht wurde, gestaltet sich das Ganze eher schwierig», sagte Phil. «Sie weiß ja nicht mehr, dass sie mal so gedacht hat», ergänzte Theo. «Aber sie denkt doch genauso wie wir alle. Wenn man sie einweiht...»

«Sie *hat* so gedacht. Ich will nicht sagen, dass du sie als neuen Menschen betrachten sollst, aber sie ist insofern anders, dass sie andere Dinge denkt. Sacka wird davon erfahren haben, sonst hätte er sie wohl kaum gelöscht. Wenn wir sie jetzt damit konfrontieren würden, wäre das wie, wenn man jemanden, der gerne Joghurt isst, erzählen würde, dass dieser hochgradig gesundheitsgefährdend ist», sagte Phil. Theo musste meinen fragenden Blick gesehen haben, denn er führte es noch etwas verständlicher aus. «Es ist ein Fakt, über den sie sich aus ihrer jetzigen Sichtweise noch keine Gedanken gemacht hat. Es würde ihre jetzige Wahrnehmung zerstören und es bleibt fraglich wie sie es aufnimmt. Wir können nicht ausschließen, dass sie es jemandem erzählen wird. Schließlich hat sie davon noch nie etwas gehört. Sich in keinster Weise mit negativen Aspekten auseinandergesetzt und sucht die Bestätigung von anderen. Sacka wird ihr zusätzlich eingetrichtert haben, sich von derartigen Gedanken und Ideen fernzuhalten oder im schlimmsten Fall ihm sogar Bericht zu erstatten, falls sie nochmal etwas in die Richtung hört. Hätte sie noch ihr Misstrauen und wir würden sie nur bestätigen müssen, wäre das eine ganz andere Situation, aber so. Ich vermute, dass sie uns nicht glauben wird.» Vermutlich hatten sie Recht, aber es fühlte sich nicht richtig an. Damit hatte Sacka doch erreicht was er wollte und Layla wurde zu seiner Marionette. «Ich verstehe, dass das enttäuschend ist, aber wir werden Layla im Auge behalten. Vielleicht hat Sacka es nicht ganz geschafft.» Daraufhin nickte ich

Phil zustimmend zu.

Plötzlich klopfte es an der Veranda. Erschrocken fuhr ich herum. Wer war das denn nun? Theo war alles andere als erschrocken. Seelenruhig stand er auf, ging rüber zu der Tür und öffnete sie. Herein kam eine weitere Person und mir entfuhr ein überraschtes: «Traver!» Was machte er hier? War er auch Phils Neffe? Wie, als hatte Traver meinen Gedanken gehört, sagte er: «Theo hat mich informiert.» Verblüfft sah ich Theo an. «Vielleicht könnt ihr euch kurz aussprechen, aber vergnügt euch nicht zu lange.» So aufmerksam und aufgeschlossen hätte ich Theo gar nicht eingeschätzt. Er hatte ganz anders auf mich gewirkt. Ich lächelte Theo dankend an, als er und Phil den Raum verließen, um uns etwas Privatsphäre zu gönnen. Dabei zwinkerte er mir beim Gehen noch spielerisch zu. «Ich komme gleich wieder. Traver muss uns noch auf dem Laufenden halten.» So versorgten sie sich also mit Informationen. Sie warteten nicht auf das nächste Treffen, sondern kamen unabhängig, um neue Erkenntnisse zu teilen.

«Hey», sagte ich. Etwas anderes fiel mir im Moment nicht ein, als wir uns gegenüberstanden. «Ich habe leider nicht viel Zeit. Ich hätte dich gerne früher gesprochen, aber ich wollte nicht riskieren, dass uns jemand zusammen sieht.» Nachdem er seinen Satz beendet hatte, musterte er mich. «Kommst du mit all dem klar?» Erst nickte ich ohne richtig darüber nachgedacht zu haben, doch dann schüttelte ich den Kopf. Alles andere wäre gelogen und ich wollte Traver nicht anlügen. Mit meiner Hand fuhr ich mir durchs Gesicht und sagte: «Es ergibt Sinn, obwohl es keinen Sinn ergibt. Das klingt zwar widersprüchlich, aber verstehst du was ich meine?» Vielleicht verstand *er* was ich damit sagen wollte. Eine kurze Pause, dann lächelte er kurz und nickte. «Die Umstände und das Verhalten erklären sich, auch wenn der Grund absurder denn je ist.» Ich musste auch schmunzeln. Das war genau das, was ich meinte. Doch dann schweiften meine Gedanken zu eben diesem *Absurde*, wie Traver es genannt hatte, ab. Dabei setzte ich mich an den Tisch und er tat es mir gleich. «Ich wurde gelöscht.» Der Satz war eine Aussage von mir und doch wartete insgeheim eine Frage darin. Ich brauchte seine Bestätigung, dass das wirklich das war, was Noah mit mir gemacht hatte. Ob es wirklich sein konnte. Ich wusste es bereits, aber es wurde mir noch deutlicher als Traver langsam nickte. «Ich weiß. Genau wie ich auch.»

«Was? Sacka hat dich auch löschen lassen?» Ungläubig sah ich ihn an. «Er musste es. Es war das Logischste, was er machen konnte. Sonst hätte er mir nicht mehr vertrauen können. Obwohl, eigentlich hat das auch nichts geändert. Er zeigt sein Misstrauen deutlich. Und ich weiß nicht wie ich mich verhalten soll! Wenn der Löschvorgang geklappt hätte, müsste ich mich ständig wundern, warum sich alle so komisch mir gegenüber verhalten. Niemand gibt sich überhaupt die Mühe den Schein zu wahren. Wenn ich mich falsch verhalte, dann...» Genau diese Gedanken kreisten auch in meinem Kopf umher. Was würde passieren, wenn Sacka herausfand, dass es bei uns nicht geklappt hatte? Eine nachdenkliche Pause entstand, dann sagte ich: «In der Siedlung hast du zu Liam gesagt, dass du Sacka kennst. Es klang so als kennst du ihn besser als alle anderen. Warum löscht er dich dann?» Er atmete kurz durch und ich sah, dass ihm mehr auf dem Herzen lag. «Ich habe dir ja bereits gesagt, dass ich so etwas wie seine rechte Hand war und besondere Aufgaben von ihm bekommen habe. Ich denke daher kommt auch der Gedanke der anderen, dass er mich bevorzugen würde. Eine Zeit lang habe ich das um ehrlich zu sein sogar selber geglaubt, aber ich weiß nicht mehr ab wann es mir im Grunde klar war, dass es nicht mehr der Fall ist. Doch vorher hat er mir vertraut. Er hat mir Dinge anvertraut, die nur wenige wussten, hat mich Entscheidungen treffen lassen, wir haben zusammen trainiert. Wenn ich an meine Vergangenheit denke, denke ich an eine positive Zeit mit ihm. Er ist wie ein guter Freund in meiner Erinnerung. Und genau der Punkt macht mich fertig. Ich weiß diese Dinge, aber ich erinnere mich an keine Einzelheiten. Ich kann dir nicht sagen was für Aufgaben das waren, was für Entscheidungen ich getroffen habe und in welcher Art er je als ein «Freund» gelten konnte. Ich bin mir sicher zu wissen, dass das alles manipuliert ist, aber im Grunde kann nicht einmal das mit Sicherheit sagen. Es ist verrückt wie man sich fragt, ob man wirklich schon immer der Mensch war, der man jetzt ist. Zwar habe ich das Merkmal, aber seit wann ist schließlich ebenso ein Rätsel.» Ich nickte nachdrücklich. Es waren *genau* die Gedanken, die ich auch mit mir rumschleppte. Woher sollte ich wissen wer ich einmal war, wenn mit ein wenig Flüssigkeit, alles verändert worden sein konnte? «Man kann seiner eigenen Erinnerung nicht trauen», sagte ich und Traver nickte bestätigend mit dem Kopf. Sein leichtes Lächeln drückte aus, dass er es nicht hätte besser sagen können. Dann schwieg er kurz, um daraufhin anzusetzen: «Vor dem Schlafengehen gehe ich den Tag noch einmal durch, um zu gucken ob ich mich an alles erinnere oder ob es Lücken gibt. Es ist ziemlich unsinnig, da ich es eh nicht wüsste, aber es gibt mir dieses Gefühl von Sicherheit und Kontrolle. Ich tue das schon so lange. Abend für Abend und das obwohl ich weiß, dass das Merkmal mich schützt.» Sein Blick richtete sich verlegen zu Boden. Er wusste selber nicht wie er damit umgehen sollte und probierte so wenigstens ansatzweise damit klarzukommen.

Dass er mir das anvertraute, bedeutete mir viel. Es

schien nicht so, dass es ihm leicht gefallen wäre. Schließlich gestand er damit mir und sich selber seine Unsicherheit ein. Trotzdem wusste ich nicht was ich darauf erwidern sollte, also legte ich einfach meine Hand auf seine, die auf dem Tisch lag. Bei der Berührung trafen sich unsere Blicke und ein warmes Kribbeln ging durch meinen Körper. Ich musste lächeln, als auch er lächelte. Und dann...kam Theo rein. War das sein Ernst? Das waren ja nicht mal zehn Minuten. Ich sah ihn an und wollte mit meinem zusammengekniffenen Blick ausdrücken, dass er wieder gehen sollte. Doch er ließ sich nicht abhalten, schnappte sich einen Stuhl und setzte sich zu uns an den Tisch. Wir beide sahen ihn einen Moment schweigend an. Dann begann er zu reden: «Ich scheine heute nur tiefsinnige Gespräche zu stören, aber glaubt mir ich störe euch echt ungern. Doch Traver sollte nicht so lange hier bleiben. Also was gibt es Neues? Hast du irgendetwas zu berichten?» Damit wandte sich Theo an Traver und Phil kam auch dazu. «Sacka lässt mich beobachten. Es wird schwerer sie abzuschütteln. Es war klar, dass er mich im Auge behalten wird, aber es ist nicht nur das. Er teilt mir nicht einmal mehr eine Patrouille alleine zu.» Phil und Theo nickten beide geschlagen und ich konnte mich ihnen nur anschließen. «Das heißt es wird gefährlicher für uns.» Traver stimmte zu. «Ich sollte am besten jetzt auch wieder gehen. Bevor noch jemandem etwas auffällt», hängte er noch hinten dran und als er rausging galt sein letzter Blick nur mir. Theo sah mich eindringend an, als Traver endgültig verschwunden war. «Traver ist nicht der einzige, der vorsichtig sein sollte. Dich hat Sacka genauso im Visier.»

26 ZOE

Erstaunlicherweise dauerte es nicht lange bis ich über das nächste Treffen informiert wurde, obwohl Travers Schilderungen so warnend waren. Vermutlich einfach, weil die Zeit drängte. Es war aufregend dazuzugehören zu dieser geheimen Gruppe und dass da Menschen waren, die meine Meinung teilten. Natürlich erfüllte es mich ebenso mit Zufriedenheit endlich auch aktiv zu sein. Obwohl aktiv wohl eher in Klammern gesetzt werden sollte.

Als Phil von ihren nächsten Schritten erzählt hatte, war ich schon irgendwie enttäuscht gewesen. Ich wusste nicht was ich mir von einer Rebellion erhofft hatte, aber auf jeden Fall so etwas wie einen konkreten Plan. Doch vermutlich war das nur in den vielen Büchern der Fall. Wo die Hauptfigur der Rebellion beitritt und alle wissen was zu tun ist. Wo nur noch gesagt wird, das und das brauchen wir und der Protagonist ist bereit mitzuziehen. Wie Schade, dass das hier kein Buch war. Dann könnte man einfach ein paar Seiten vor blättern, um zu wissen ob meine Idee gut ausgehen würde. Denn ich hatte einen Plan. Bestimmt nicht der neuste Ansatz, aber es könnte klappen.

Ich trat vor das Haus, um mich auf den Weg zu Phils Haus zu machen, da stand Wise vor meiner Tür.

Anscheinend wollte er noch kurz mit mir alleine reden.

Er stand lässig an einen Zaun gelehnt und ehrlich gesagt freute ich mich sogar richtig mit ihm das Stückchen zu gehen und nicht alleine. Es erinnerte mich an früher, wenn er vor der Schule auf mich gewartet hatte, damit wir zusammen gehen konnten.

Als er mich sah schwang er sich von dem Zaun los und kam auf mich zu. So wie alles andere in meinem Leben hatte auch er sich verändert. Wise sah gut aus, er sah sogar richtig gut aus. Sein Lächeln hatte sich verändert, es wirkte nicht mehr so kindlich wie früher, sondern strahlender, wenn nicht sogar anziehender. Er war auch nicht mehr so schüchtern. Er sagte gerade heraus, was er dachte. Seine Augen hatten ihren eigenen Glanz und trotzdem sah ich in ihm immer noch den Wise von früher. Ich sah immer noch den kleinen Jungen mit dem ich so viel erlebt hatte. Natürlich mochte ich den Wise, der er jetzt war genauso, aber es war anders. «Hey.» Wise kam auf mich zu und wir setzten uns in Bewegung und gingen in die Richtung von Phils Haus. «Hey», erwiderte ich.

«Was hast du deiner Mutter gesagt, wo du hingehst?», fragte er mich, als wir schon ein gutes Stück schweigend gegangen waren. Schulterzuckend antwortete ich: «Dass ich mit dir um die Häuser ziehe und du?»

«Das Gleiche.» Er brauchte einen Moment bevor er

285

den nächsten Satz sagte: «Ich mag es nicht so zu lügen.» Herausfordernd sah ich ihn von der Seite an. «Wieso, was machen wir denn gerade?» Als er keine Antwort gab, gab ich sie selber: «Um die Häuser ziehen. Nichts anderes habe ich ihr gesagt.» Meine nächsten Worte flüsterte ich, sodass nur Wise mich verstehen konnte: «Außerdem was willst du denn sonst sagen? Vielleicht: Tschüss, ich treffe mich jetzt mit Leuten, die du nicht kennst. Mach dir keine Sorgen es sind hauptsächlich aufständische Sacka Gegner. Achso und ehe ich es vergesse, willst du auch wissen was wir dort machen? Wir überlegen uns einen Plan wie wir das Ganze Regime stürzen können. Also wünsche mir viel Glück.» Er lachte und ich fiel mit ein. Doch wie auf Knopfdruck änderte er das Thema. «Vielleicht sollten wir nochmal über den Kuss reden. Was sagst du dazu?» Wise war verlegen, während er es ansprach. Hatte ich mir doch gedacht, dass er etwas bereden wollte. Ich hatte zwar keine Lust dazu, aber trotzdem stimmte ich ihm zu. Er hatte ja Recht. Wir sollten darüber reden, schließlich hatte ich das einfach übergehen wollen. «Es war wohl etwas überstürzt im Nachhinein. Aber in dem Moment hat es sich einfach richtig angefühlt.» Ich schluckte. Er hatte mich geküsst, nachdem er gesagt hatte, dass er die Unterdrückung unterstützen will, was sich daran *richtig angefühlt* hatte war mir nicht ganz klar. «Ja es kam überstürzt», sagte ich nur. «Ich will nicht, dass sich deshalb zwischen uns etwas ändert. Außer du erwiderst es.» *Das war direkt.* Ich sagte ja er hatte sich verändert und sagte was er meinte. «Nun. Gerade passiert so viel. Vieles ändert sich und hat sich bereits geändert. Genau deshalb weiß ich nicht ob ich damit klarkomme, wenn sich das auch noch ändert. Ich...» Wise ließ mich nicht ausreden. Seine Unterbrechung war jedoch sanft. «Sag mir, wenn du damit klarkommst, okay?»

«Okay», sagte ich lächelnd. Doch es war kein Danke-für-dein-Verständnis-Lächeln, es war ein Ich-weiß-nicht-ob-ich-jemals-damit-klar-komme-Lächeln.

Schon von weitem konnten wir die Tannen sehen, die hinter Phils Haus in seinem Garten hervorragten. Phil ließ uns herein, es schien als wären alle anderen bereits da. Liam und Mayleen unterhielten sich mit anderen angeregt im Wohnzimmer, während Mabel, Finley, Elsie, Theo und Aiden am Küchentisch saßen und ebenfalls redeten. Es fühlte sich irgendwie normal an, in diese Gemeinschaft zu kommen, dabei hatte ich den Großteil erst ein- oder zweimal gesehen.

Ich suchte den Raum nach Traver ab und fand ihn im Wohnzimmer zusammen mit Meira. Sie redeten zusammen und lachten. Meira drehte sich gerade in unsere Richtung und lächelte. Mein Blick hätte nicht überraschter sein können, doch dann realisierte ich, dass der Blick Wise galt. Hätte mich auch stark gewundert, wenn sie mich gemeint hätte.

Als Mabel mich sah, kam sie auf mich zu und begrüßte mich herzlich. Sie war wirklich nett. Sie kam einer Freundin am nächsten und genau so eine brauchte ich nach den verworrenen Ereignissen. «Geht es dir gut?», fragte sie. Eine vielschichtige Frage. Was war schon *gut*? Trotzdem nickte ich zaghaft. Wir unterhielten uns kurz über belanglose Themen und es fühlte sich alles erstaunlicherweise sorglos an.

«Ok Leute, wir sind alle da.» Auf Phils Ansage hin, versammelten sich alle an dem langen Tisch zwei Etagen tiefer. Jeder schnappte sich einen Stuhl. Traver und ich saßen gegenüber. Ich schaute ihm direkt in die Augen und er erwiderte es. Wise saß neben mir. Keiner erhob das Wort, was ich als Einladung sah den Anfang zu machen: «Ich habe einen Plan.»

«Kaum gehört sie zu uns, da will sie schon alles an sich reißen.» Meira. *Natürlich.* Es war auch ohne ihre Kommentare schon schwer genug vor der zu reden, die dafür gesorgt hätte, dass ich mich nicht hätte entziehen können, wenn Sacka auf mich gezielt hätte. Ich versuchte darüber hinwegzusehen und fuhr fort: «Die einzige Chance für Veränderung ist die Umkehrung des Serums, um möglichst alle und vor allem so schnell wie möglich, auf unsere Seite zu ziehen.»

«Du meinst der Schlüssel zu allem ist das Nervengift und die Merkmale.» Ich nickte Finley zu und sah weiter wartend in die Runde. «Was ist mit den Leuten, die bereits auf Sackas Seite sind? Das Merkmal hilft nur, wenn die Träger aufs neue gelöscht werden und selbst dann kann es sie nur vor der neuen Manipulation schützen», gab Mabel zu bedenken. «Vielleicht kann man ja mit dem Serum eine Art Gegengift herstellen. Also etwas, das es umkehrt.» Fragend sah ich zu Phil rüber. Er dachte nach: «Das wäre durchaus möglich. Mit den Merkmalen haben wir uns bisher immer auf den Prozess des Stoppens konzentriert und für weitere Versuche fehlte uns das Serum. Aber es ist ein Versuch wert.» Meira machte einen skeptischen Blick. «Zoe wie hast du dir das vorgestellt? Wie sollen wir an das Nervengift ran kommen? Denkst du wir hatten nicht auch schon Ideen wie diese?» Phil und auch alle anderen starrten mich an. Sie sahen aus als ob sie keine Antwort von mir erwarteten, als ob sie dachten, dass ich gar nicht in der Lage wäre mir etwas überlegt zu haben, doch ich hatte einen Plan und so nutzte ich die Gelegenheit sie vom Gegenteil zu überzeugen: «Einer muss sich holen lassen.» Ich ließ ein kurze Kunstpause, dann fuhr ich fort: «Einer wird nach der Nachtruhe draußen sein müssen. Die Person wird abgeführt, vielleicht sogar von euch - Meira, Liam- damit das schon mal glatt läuft. Die Aufmerksamkeit liegt ganz bei der Person. Wenn Sacka dann nach dem Grund für das Brechen des Verbotes fragt, wovon ich ausgehe, müssen ihm genug Gründe geliefert werden, dass er das Serum verabreicht und das muss wieder einer von euch machen. Aber in Wirklichkeit verabreicht ihr es nicht, sondern vertauscht es mit einem Behälter mit gefärbtem Wasser. So oder so hätte es ja keine Auswirkungen. Dann kommen wir damit raus.» Wieder blickte ich erwartungsvoll in die Runde, doch ich konnte schon jetzt absehen, dass keiner wirklich richtig begeistert schien. Sofort kam der erste Kommentar. «Das ist zu riskant. Wir können nicht einfach einen von uns holen lassen. Keiner weiß ob Sacka die Person wirklich löschen wird. Damit riskieren Meira, Liam und Traver nur ihre Tarnung. Die Grundidee ist gut, aber es ist einfach zu riskant und zu unwahrscheinlich, dass es glatt läuft. Wenn Sacka das herausfindet, zeigt das eine Verbindung zwischen Soldaten und Bewohnern.» Es war Theo, der dies sagte und von ihm hatte ich mit so einer Reaktion als letztes gerechnet. Nur mit dem Serum konnten wir etwas erreichen. Wie sollten wir sonst daran kommen? Ich musste die anderen versuchen zu überzeugen, denn ich war mehr als bereit den Plan durchzuführen. «Denkt doch mal nach, das ist unsere einzige Chance. Das ist seine Waffe und wir müssen sie uns zu eigen machen.»

«Nur, dass wir viel aufs Spiel setzen.» Wow, danke

für die Unterstützung Sally. «Du hast recht, wir brauchen das Nervengift. Aber nicht mit deinem Plan. Wir müssen uns einen anderen einfallen lassen. Sacka darf nicht dabei sein, wenn wir es entwenden wollen», sagte Phil. «Liam, Traver und ich sollten auf eine geeignete Situation warten.» Wollte Meira sich jetzt den Plan aneignen? «Ohne einen Gefangenen hat Sacka doch gar keinen Grund das Gift einzusetzen und es so für uns erreichbar zu machen!», gab ich zu bedenken. Meira schenkte mir daraufhin einen bissigen Blick. «Wir werden einfach einen günstigen Moment abwarten müssen. Vielleicht werden sie zur Bewachung darauf angesetzt oder wir stehlen es.» *Ja klar, bisher gab es ja auch so viele Chancen.* Enttäuscht starrte ich Mabel an, die dies gesagt hatte. «Und darauf sollen wir warten? Das ist zu spät. Wer weiß wie oft wir noch die Chance bekommen. Er lässt Traver beschatten und vermutlich bald uns alle. Wir müssen handeln.»

«Nein. Wir müssen uns ruhig verhalten eben, *weil* Sacka uns beobachtet.» Entsetzt sah ich zu Traver. Schon wieder fiel er mir in den Rücken. Wie konnte er das sagen? *Uns ruhig verhalten?* Weil Sacka sich irgendwann einfach dazu entscheidet ihm wieder zu vertrauen? «Wie lange soll das noch weitergehen? Wir müssen was riskieren», rief ich über den Tisch. Ich war aufgebracht aufgesprungen. Es war nicht nur wegen Traver, sondern weil sie so abweisend reagierten. Alle

291

starrten mich ohne einen Ton an. Sie wussten, dass ich Recht hatte und trotzdem waren sie dagegen. Phil stand ebenfalls auf. «Wir machen es wie bereits gesagt wurde. Wenn ihr Meira, Traver und Liam, einen geeigneten Moment seht, dann nutzt ihn. Bis dahin unternimmt kein anderer von uns etwas. Verstanden?» Das war ein gewaltiger Fehler. Phil funkelte mich wütend an. Wir konnten uns so viel Zeit nicht leisten. Enttäuscht schaute ich zu Traver. «Vielleicht setzt es ihre Tarnung genauso aufs Spiel, aber es wird kein anderer gefährdet und es bringt uns nicht in Verbindung.» Nach Sallys Worten fiel mir nichts mehr ein, was ich noch einwenden konnte, um sie umzustimmen. Ich eilte vom Tisch die Treppe nach oben.

Das Haus lag dunkel vor mir. Am liebsten wäre ich nach draußen gerannt. Immer weiter bis ich...verdammt bis irgendwann der bescheuerte Zaun kommen würde. Es war zum Ausrasten. Anstatt nach draußen, eilte ich eine Etage höher in den ersten Stock. Ich hielt in dem langen, dunklen Flur, der sich vor mir erstreckte, an. Am Ende befand sich ein Fenster. Ich ging geradewegs drauf zu. Mein Blick war nach draußen in die Dunkelheit gerichtet. Nur darauf konzentriert meinen Ärger zu unterdrücken. Leise Geräusche waren hinter mir zu hören und jemand kam, wie ich zuvor, die

Treppe nach oben. «Wir waren nicht untätig die ganze Zeit. Wir hatten auch Pläne wie diesen, aber...Keiner ist gegen dich.» Es war Traver. «Es ist eine Chance. Wir müssen was riskieren.» Ich schaute in seinen erwidernden Blick. In dem Dämmerlicht konnte ich ihn noch gut erkennen. Er war es, der gekommen war, um nach mir zu sehen. «Ich weiß.» Er sah zu Boden, als er es sagte. «Warum hast du sie dann unterstützt?» Sein Blick ging wieder zu mir. «Wenn wir deinen Plan durchführen, wer würde sich einschleusen lassen?» Fordernd sah er mich an. «Ich», sagte ich gerade heraus. Ich hatte noch nicht genau darüber nachgedacht, aber als ich es aussprach fühlte es sich richtig an. «Siehst du. Genau das ist der Punkt. Ich wusste, dass du das sagst. Deshalb bin ich dagegen.» Er versuchte sich für sein Handeln zu rechtfertigen. «Denkst du etwa ich schaffe das nicht?» Ich reagierte wütend und aufgebracht. Traver schaute sich um, ob noch jemand von den anderen zu uns stoßen würde, aber da kam niemand. Verzweifelt fuhr er fort: «Ich habe... Angst um dich.» Er stotterte. Seine Worte drangen an mein Ohr und umhüllten mich. «Versprichst du mir, dass du den Plan vergisst?», fragte er und ich konnte nicht anders als in dem Moment ja zu sagen. Ich war nicht wütend auf ihn. Ich verspürte auch keinen Drang ihn vom Gegenteil zu überzeugen, dass ich es schaffen konnte. Ich war einfach nur glücklich, dass er

293

sich Sorgen um mich machte. Er kam vorsichtig auf mich zu und während sein Kopf sich immer mehr in meine Richtung bewegte, sah ich seinen Blick, wie er mich unsicher musterte. Vermutlich wartete er auf ein Signal. Ich merkte wie das Verlangen in mir hochstieg, ich spürte wie alles an ihm mich anzog. Sein anmutiges Kinn, seine Haltung, seine Muskeln, seine starke Ausstrahlung, seine wuscheligen Haare, sein Blick... Ich wich von ihm weg: «Traver ich...» Traurig sah er mich an. «Was ist?» Ich biss mir auf die Unterlippe. «Wise ...» Meine Stimme klang wehleidig. Ich wusste, dass es fair war. Vor allem gegenüber Wise. Ich hatte ihn um Zeit gebeten und vorhin abgewiesen. Genau in diesem Moment wünschte ich mir, dass Wise und ich uns nie geküsst hätten. Traver wich einige Schritte von mir weg. Mein Blick versuchte seinem auszuweichen. «Wir haben uns geküsst und jetzt weiß ich nicht wie es weitergeht. Ich...» Meinen Satz konnte ich nicht beenden, weil er mich unterbrach. Damit hatte ich ihn praktisch abserviert, dabei wusste ich doch gar nicht was ich wollte. «Ich verstehe.» Seine Stimme hörte sich verletzt an. Ich wollte es ihm erklären: «Das war noch bevor ich aus dem Dorf raus bin, sogar noch bevor Isabelle gestorben ist. Seitdem hat sich viel verändert und ich hätte nie gedacht, dass...»

«Dass da etwas zwischen uns sein würde. Schon klar.» Unterbrach er mich wütend und traurig zugleich.

«Ich weiß nicht wie ich mich verhalten soll.» Meine Stimme wurde immer wehleidiger. Ich wusste nicht was ich ihm sagen sollte. Ich wollte ihm sagen, dass ich auch etwas gespürt hatte. Aber gleichzeitig wollte ich nicht Wise verletzten, dem ich gesagt hatte, dass ich keine weitere Veränderung wollte. Allerdings war das doch nur eine Ausflucht gewesen oder etwa nicht?

Ich sah in Travers Augen. Der sonst so anmutige Glanz, verwandelte sich in etwas, das ich nicht benennen konnte. Er fragte: «Hast du denn auch etwas gespürt?»

«Zoe. Ist alles in Ordnung. Wollt ihr nicht wieder runter kommen?» Erschrocken sah ich zum Treppenaufgang, wo Wise stand. Er ließ mir keine Chance auf Travers Frage zu antworten. Ich zögerte, doch dann ging ich wortlos an Traver vorbei. Dabei merkte ich mit jedem Schritt seine Enttäuschung.

27 ZOE

Zwei Tage waren seit dem Treffen vergangen, seit Traver und ich uns beinahe geküsst hatten. Noch in derselben Nacht, auf dem Heimweg in der Dunkelheit war es mir klar geworden. Das Verlangen, das ich in Travers Nähe verspürte war nicht zu vergleichen mit der Freundschaft, die ich für Wise empfand. Ich liebte sie beide, nur auf eine unterschiedliche Art und genau deshalb fiel es mir so schwer diese Entscheidung zu treffen. Aber im Grunde war es für mich klar.

Wise war ein toller Mensch, mein bester Freund, aber er schaffte es nicht *mehr* zu werden. Das wurde mir erst letzte Nacht klar. Und genau das musste ich ihm sagen, so verletzend es auch sein mochte. Ich wollte klare Verhältnisse haben, wollte dass er sich keine falschen Hoffnungen machte und ihm den Schmerz ersparen, wenn er es auf eine andere Art erfahren würde. Irgendwie hatte ich so ein Gefühl, dass ich ihm das schuldig war, auch wenn noch nichts Wildes passiert war. Zwischen mir und Wise war nichts passiert und ebenfalls nicht zwischen mir und Traver. Aber vorerst musste das warten, denn ich hatte auch noch eine andere Entscheidung getroffen. Ich würde den Plan durchziehen ohne Phil, Meira, Theo, Traver und alle anderen. Dieser Plan war unsere einzige Chance. «Hey, da bist du ja», sagte ich als Wise nah genug war. «Du meintest es gibt Neuigkeiten, hier bin ich.» Sein Lächeln an mich war so unschuldig und aufrichtig, dass es mir umso mehr leid tat ihn direkt anzulügen. Ich dachte nicht, dass es anders gehen würde. «Sind deine Eltern gerade nicht da? Dann könnten wir zu dir, um es zu besprechen.»

«Sie sind arbeiten. Wir sind also ungestört.» Wise grinste. «Perfekt», sagte ich prompt und genau da hielt ich inne. *Warum grinste er so?* Dachte er, dass wir uns dann näher kommen würden? Genau diese Art von Veränderung missfiel mir. Die Veränderung, dass es sonst immer so ungezwungen und locker gewesen war und ich jetzt in Wises Grinsen schon etwas rein interpretierte.

In Wises Wohnung setzte ich mich bewusst an den Tisch und nicht auf das Sofa. Als auch Wise saß fing ich an zu erzählen. «Phil hat mir eine Nachricht zukommen lassen.» Ich wartete ob er etwas dazu sagen wollte, doch er schwieg fürs erste und ich redete weiter: «Phil hat gesagt, dass er meinen Plan eigentlich gut fand, allerdings nicht komplett in der Ausführung wie ich es vorgeschlagen habe.» Mist, ich hatte lange nach dem richtigen Anfang gesucht, doch das war wohl etwas unglaubwürdig rüber gekommen, denn Wise starrte mich misstrauisch an. «Aber er war doch total dagegen und ich dachte Traver, Meira und Liam sollen das übernehmen.»

«Ich weiß. Ich war auch erstaunt, also hab ich mich mit ihm getroffen...»

«Wann?», unterbrach er mich. Na das lief doch super er glaubte mir bis jetzt kein Wort! «Gestern Nacht,»

«Du bist einfach alleine hingegangen und hattest keine Zeit mich zu informieren? Und warum hat Phil nicht einfach ein Treffen einberufen?»

«Das ist es ja gerade. Die Aktion soll nicht mit allen umgesetzt werden. Phil meinte, dass wir das Risiko nicht eingehen können die Deckung von Traver, Meira und Liam auffliegen zu lassen. Sacka würde außer sich sein, wenn er herausfindet, dass sie involviert sind und wir könnten nichts mit Garantie sagen. Aber wenn nur Bewohner etwas damit zu tun haben, schöpft er keinen Verdacht einer Verbindung. Das ist dann unsere Chance» Oh man. Ja klar Phil und ich hatten uns nochmal alleine getroffen und er war urplötzlich begeistert von dem Plan. Ich ritt mich rein und ich kam mir so kläglich dabei vor, weil das alles so unrealistisch klang. Schließlich hatte Wise Phils Reaktion mitbekommen. An Wises Gesichtsausdruck spiegelte sich mein Gefühl wieder, dass er es auch für unglaubwürdig hielt. «Wie soll das Serum denn ausgetauscht werden ohne die drei?» Gute Frage. «Das habe ich auch gesagt, aber Phil hatte eine Idee. Er meinte, dass die Person einen Behälter bei sich tragen muss. Man muss Sacka so weit bringen, dass man die Hände frei hat. Wenn er einem das Zeug gibt, schluckt man es nicht in Wirklichkeit sondern tut nur so und behält es im Mund. Wenn er dann abgelenkt ist spuckt man es in den Behälter und verstaut es gut. So kommen wir da dran.» Ein sehr, sagen wir mal, abenteuerlicher Plan, der eigentlich echt auf Glück basierte. «Was ist wenn Sacka nicht abgelenkt wird?», fragte er. «Dafür sorgt eine zweite Person. Sie wird sich später holen lassen und dann für Ablenkung im entscheidenden Moment sorgen», war meine Antwort darauf. «Phil ist wirklich überzeugt, dass das klappen kann?» Ich nickte. «Ich habe mich angeboten und er hat vorgeschlagen das mit Finley durchzuziehen, aber ich habe ihm gesagt, dass ich jemanden brauche dem ich vertraue. Dass ich mir das nur mit dir vorstellen kann.» Ein gemeiner Schachzug von mir, denn ich wusste wie er auf diese Worte reagierte. Seine Augen leuchteten kurz, um dann wieder ernst zu werden: «Wie gehen wir es an?»

«Du bist dabei?» Ich sollte vermutlich nicht so überrascht klingen, aber ich konnte es nicht verbergen. «Du hast doch gesagt, dass Phil überzeugt ist und schließlich brauchst du ja einen Partner, von daher: ja.» Wise zwinkerte und ich musste kurz realisieren, dass ich das mit ihm tatsächlich durchziehen konnte. «Okay, ja großartig. Also einer von uns wird sich zuerst nach 22 Uhr draußen aufhalten. Es wird nicht lange dauern bis das die Aufmerksamkeit auf die Person lenkt. Diese Person hat den Behälter. Der andere wird ungefähr 15 Minuten später das gleiche machen. Wenn wir dann beide bei Sacka sind, müssen wir den Moment genau abpassen und uns möglichst so verhalten, dass er auch denkt, dass das Löschen Erfolg haben wird.»

«Am besten bin ich der mit dem Behälter», sagte Wise überzeugt. «Bist du sicher, du kriegst das hin? Ich stand schon Sacka gegenüber. Nicht, dass dich das zu sehr einschüchtert.»

«Ich bin nicht immun gegen das Serum, daher sollte ich derjenige sein, der es nicht schluckt und du hast Recht, du standest ihm schon gegenüber, daher glaube ich, dass du den Moment am besten finden kannst, wo du ihn ablenkst. Ja ich bin der erste, der sich holen lässt!» Mitten im Sprechen hatte er sich selber davon überzeugt. Ich war überrascht wie bereitwillig er war mitzuziehen. Er glaubte mir die Geschichte, war bereit das Risiko einzugehen, weil er dachte, dass Phil es auch für richtig hielt und die Chancen somit gut standen. Ich musste mich noch einmal absichern, selbst wenn es nichts bedeutete, da er trotzdem nicht die Wahrheit kannte. «Ich will nicht, dass dir etwas passiert. Also wenn es dir damit nicht gutgeht kannst du es jetzt sagen.»

«Es wird alles gut gehen. Wenn Phil das plant dann ist es richtig.» *Phil. Ja genau.* Es war wie ein Schlag in die Magengrube. Es war so, als durchschaute er meine Lüge und fühlte mir jetzt auf den Zahn, bis ich einknicken und von meinen Schuldgefühlen gedrängt würde, ihm die Wahrheit zu sagen. Aber die Wahrheit über diese Wahrheit war, dass Wise sich dann niemals darauf einlassen würde. Klar hatte ich Schuldgefühle. Ich belog ihn, meinen besten Freund, der das wirklich nicht verdient hatte und setzte ihn dadurch einer solchen Gefahr aus, doch trotzdem wusste ich, dass wir das durchziehen mussten. Sonst würde es ewig so weitergehen und das hielt ich nicht mehr aus. Also ja ich hatte Schuldgefühle, aber unser Ziel zu erreichen zählte mehr und vor allem war der Plan der gleiche, ob nun von Phil oder von mir. Wises Entscheidung konnte ja nicht nur von Phil abhängen. «Okay gut. Wir ziehen es in zwei Tagen durch, okay? Wir können nicht ewig warten bis Sacka etwas Neues in die Tat umsetzt. Allerdings sollten wir uns bis dahin von den anderen fernhalten. Wenn man uns dann in Verbindung bringt, könnte uns das in Gefahr bringen.» Hoffentlich überstürzte ihn das nicht, aber ich wollte es so schnell wie möglich durchziehen, bevor Phil oder irgendwer noch einen anderen Plan entwickelte und ein Treffen einberief. «In zwei Tagen?» Er wiederholte meine Worte mit gedämpfter Stimme. «Ja, ich weiß es ist schon bald, aber die Lage spitzt sich immer mehr zu, das einzige was wir nicht haben ist Zeit.» Daraufhin nickte er ernst und ich war wahnsinnig froh darüber. «Wir treffen uns in zwei Tagen bei mir. Meine Mutter will an dem Tag bei Freunden übernachten, das heißt es ist der perfekte Zeitpunkt dafür.»

«Ok gut. Du kümmerst dich darum, dass Phil erfährt, dass wir es durchziehen, ja?» Das einzige, was ich zu Stande brachte war ein halbherziges Nicken, aber das genügte und ich machte mich auf den Weg nach draußen.

Direkt auf seiner Türschwelle blieb ich stehen und beugte mich zu seinem Ohr. «Ab jetzt kein Wort mehr zu irgendwem. Wir sehen uns in zwei Tagen.» Als ich mich von ihm löste, küsste ich ihn. Ich wusste selbst nicht warum. Wise erwiderte ihn zaghaft, aber ich beendete es so schnell wie wir angefangen hatten. Warum hatte ich das getan? Ich wandte mich von ihm ab und ging.

Er schloss die Tür und plötzlich sah ich ein trauriges und schmerzverzerrtes Gesicht. Doch ich ging einfach weiter, denn Traver war der Letzte, dem ich vor unserem Vorhaben in zwei Tagen über den Weg laufen durfte. So sehr es mich auch schmerzte ihn so auf der anderen Straßenseite zurückzulassen.

28 ZOE

Heute war es soweit. Heute war der Tag, an dem ich den Plan mit Wise durchziehen wollte. Ich hatte ihn gestern den ganzen Tag nicht gesehen, denn er würde erst heute Abend kommen.

An diesem Tag hatte ich viel geschlafen, um die Aufregung zu vergessen. Nach meinem dritten Mittagsschlaf wurde ich von dem Weckerklingeln wach. Ich rutschte vom Bett und hämmerte auf den Ausknopf, doch das Klingeln hörte nicht auf. Plötzlich rief meine Mutter von unten: «Zoe, komm mal bitte runter.» Erst langsam verstand ich. Es war nicht der Wecker gewesen, der geklingelt hatte, es war die Tür. Schnell strich ich mir einmal durch die Haare und kam die Treppe herunter. Im ersten Moment verdeckt durch meine Mutter, erkannte ich im Türrahmen einen Jungen mit dunkelbraunen Haaren. «Theo», sagte ich überrascht. Was wollte er hier? Theo lächelte nicht oder ähnliches, er schaute mich nur mit ernster Miene an. Allein das beunruhigte mich. Er öffnete den Mund, doch eine andere Stimme kam ihm zuvor. «Ihr kennt euch?» Es war Sackas Stimme. Alles in meinem Körper spannte sich an, als er sich neben Theo stellte. «Guten Tag Frau Trima.» Er gab meiner Mutter die Hand. «Hallo Zoe.» Im Gegensatz zu meiner Mutter erwiderte ich nichts. Ich konnte nicht anders, als ihn anzustarren.

Sacka machte keine Anstalten sich davon aus dem Konzept bringen zu lassen und ich bemerkte den Fehler von meinem Verhalten: Ich verhielt mich auffällig! Sofort versuchte ich meine Schultern wieder zu entspannen und mich auf seine Worte zu konzentrieren, auch wenn es mir verdammt schwerfiel ruhig zu bleiben. «Wir suchen Freiwillige, die Lust haben an verschiedenen Umfragen teilzunehmen und ich dachte mir vielleicht hast du ja Lust, Zoe? Es geht um Fragen, die das Dorf betreffen und auch mitunter etwas persönlichere Fragen. Doch keine Angst es ist alles anonym.» *Wahrscheinlich war es das.* Sacka wartete auf eine Antwort von mir. Theo versuchte mir mit einem leichten Nicken zu zeigen, ich solle einwilligen, doch ich hatte ohnehin keine Wahl, so viel stand fest. Ich rang mich zu einem Lächeln ab. «Klar gerne, wenn es nicht zu lange dauert.»

«Großartig. Das wird es sicher nicht, wenn ihr die Fragen schnell und wahrheitsgemäß beantwortet.» Er schickte noch dieses freundliche Lächeln hinterher, was ihn wie den sympathischsten Menschen aller Zeiten wirken ließ. «Ich brauche nur noch einen kurzen Moment», sagte ich und rannte nach oben wieder in mein Zimmer. Was sollte das? Wusste er von Wise und meinem Plan? War das ein Trick, um mich wegzulocken? Aber warum war Theo dann dabei? Sollte ich einfach hier oben bleiben und nicht wieder runtergehen? Würde er dann vielleicht wieder verschwinden? *Nein.* Natürlich würde er nicht einfach wieder gehen. Ich wusste es besser. Schnell zog ich mir frische Klamotten an und ging mit gemischten Gefühlen die Treppe runter. Sacka und Theo standen immer noch da. Sacka winkte mich nach draußen und nachdem ich meine Schuhe angezogen hatte, folgte ich ihm, zwei Soldaten, Theo und 7 anderen Bewohnern in Richtung der Schule. Sacka spielte den netten, aber auch das wusste ich besser.

Auf dem Weg dorthin ergab sich keine Möglichkeit mit Theo zu reden, zumal es viel zu riskant gewesen wäre. Also konnte ich nur abwarten und hoffen. Eines war jedoch klar: Ich durfte mir nicht anmerken lassen, dass ich mich noch an alles erinnerte.

Wir wurden in einen Klassenraum geführt und jeder setzte sich an einen Tisch. «Wie schon gesagt, handelt es sich um eine Umfrage, also beantwortet die Fragen bitte ehrlich und gewissenhaft. Wenn ihr fertig seid könnt ihr sie hier vorne abgeben und wieder gehen.» Ein Wunder, dass wir wirklich eine Umfrage machten und das kein Trick gewesen war. Nacheinander wurden uns die Zettel verteilt. Nur vier Fragen waren darauf zu sehen. Auch wenn ich mich immer noch fragte was das sollte, begann ich zu lesen. Die erste Frage lautete:

Sind Sie noch mit den Gesetzen zur

Sicherheitsregelung vertraut? Listen sie die drei Wichtigsten auf.

Trotz, dem immer größer werdenden Unbehagen, das in mir hochstieg, beantwortete ich die Frage. Ich schrieb: *Die Nachtruhe. Betrete niemals den Wald.* und *Verlasse niemals das Dorf.* Zugegeben nicht korrekt formuliert, aber das stand ja auch nirgendwo.

2. Frage:

Beschreiben sie die Umgebung hinter dem Zaun.

War das ein Scherz? Was sollte diese Frage? Ich musste mich zwingen nicht hochzugucken. Wahrscheinlich wartete er nur darauf, wer sich verriet. So wie man beim Schreiben einer Arbeit auch immer vorher einmal hoch zum Lehrer guckte, um zu überprüfen, ob die Luft rein war. Und dann schoss es mir durch den Kopf: Das war ein Test! Sacka testete mich. Aber konnte das wirklich sein? Ich beantwortete die Frage mit: *Ich kann die Umgebung nicht beschreiben, da ich zu meiner eigenen Sicherheit nicht einmal in die Nähe dieser Umgebung gehe.* Wenn er es so haben wollte, sollte er es bekommen. Nur zu gerne hätte ich hoch geschaut und mich umgesehen, hätte zu Theo geguckt. Hatte er die gleichen Fragen? Kam es ihm auch komisch vor?

3. Frage:

Kamen Sie schon einmal in den Kontakt mit dem Tod oder hatten ein Erlebnis vergleichbarer Art?

Mein Stift zitterte als ich das Kästchen hinter dem

JA stand, ankreuzte. Mein Kopf meinte etwas anderes, doch in die Spalte: *Wenn, ja was war das für ein Erlebnis,* schrieb meine Hand: *Die Beerdigung von meiner Tante und der drei weiteren Vermissten.*

Frage 4:

Gibt es irgendetwas mit dem Sie sich unwohl fühlen oder dass sie belastet? Wie fühlen Sie sich?

Was sollte ich darauf antworten? Was war die Antwort, die er darauf hören wollte?

Einige waren bereits fertig mit ihren Fragen und verließen den Raum. Auch Theo stand nun auf und gab sein Papier vorne ab. Er durfte nicht einfach gehen, ich musste mit ihm sprechen. Ich schrieb: *Nein es gibt nichts, das mich belastet* in die dafür vorgesehene Spalte und wusste, dass diese Antwort ferner der Realität war, als von der Erde zur Sonne. Um endlich diesen Raum verlassen zu können, sprang ich regelrecht von meinem Platz auf. Theo konnte noch nicht weit sein, ich musste ihn einholen. Als ich hinter der Tür im Flur stand, wartete er auf mich etwas weiter hinten. Meine Schritte beschleunigten sich. Doch beim Näherkommen erkannte ich, dass es Sacka war, auf den ich zulief. «Danke, dass du mitgemacht hast, bei dieser kleinen Umfrage.» *Weg hier, weg hier.* Schoss es mir durch den Kopf, doch stattdessen sagte ich: «Kein Problem.»

«Normalerweise fange ich niemanden danach ab, aber...» Ich unterbrach ihn. «Normalerweise? So etwas...» Ich zeigte auf den Raum, «findet öfters statt?»

«Gelegentlich ja» Warum wusste ich davon nichts? Weil der Zufall mich wohl noch nie gewählt hat, hätte er vermutlich geantwortet. Dabei war uns beiden klar, dass nicht der Zufall mich hierher geführt hatte. «Jedenfalls der Grund weshalb ich gewartet habe ist der, dass ich mir vorstellen kann, dass du verunsichert bist wegen dem, was vor einer Woche passiert ist. Ich wollte dir nur sagen, dass alles okay ist und dass ich verstehe warum du deshalb nicht weißt wie du reagieren sollst.» Ich schluckte. Bei allem, was passiert war blieb nur die Frage: *Was meinte er?* Auf was wollte er hinaus? Dann wurde es mir klar. *Das Fabrikgelände ist für Bewohner tabu-* das waren Noahs Worte gewesen, die Geschichte, welche ich glauben sollte. Ich antwortete: «Ich weiß wirklich nicht wie das passieren konnte, wegen dem Betreten des Geländes, es tut mir leid. Das kommt nicht wieder vor.»

«Das hoffe ich.» Ein Lächeln, dann verschwand er den Flur entlang und wieder in den Klassenraum und bevor ich sehen konnte was er dort machte, war ich auch schon durch die Eingangstür nach draußen geeilt. Auch wenn man mich durch die Fenster bestimmt sehen konnte, rannte ich einfach. Ich wollte so weit weg wie möglich. *Wo war Theo?* Der Aufprall war hart und unerwartet, als ich gegen jemanden stieß. Viel zu unkonzentriert lief ich durch die Gegend. Hektisch schaute ich der Person in die Augen. Die Verwirrung und Empörung, die mir entgegenschlug hielt mich nicht davon ab einfach weiterzulaufen und dabei nur ein genuscheltes «Sorry» zu erwidern. Eines war auf jeden Fall klar: Ich konnte diesen Plan mit Wise heute nicht durchziehen und das musste ich ihm so schnell wie möglich sagen. Es war zu gefährlich, wenn Sacka mich jetzt schon testete. Aber vorher musste ich mit Theo sprechen. Ich wusste ungefähr wo Theo wohnte, doch wo genau hatte ich keinen Plan. Glücklicherweise brauchte ich den auch gar nicht zu haben. Ich entdeckte Theo wenige Minuten später in der Nähe von dem Abschnitt, wo ich sein Haus vermutete. Er saß auf einer Bank, zwischen ein paar verteilten Bäumen. An der ursprünglichen Markierung auf dem Boden erkannte ich, dass die Bank früher den Blick ins Dorf als Aussicht zeigte, allerdings stand sie andersherum und folglich saß Theo mit dem Rücken zu mir und schaute auf den, etwas weiter entfernten Waldrand. Um zu erkennen wer hinter ihm stand hätte er sich umdrehen müssen, aber er tat es nicht, sondern schaute erst auf, als ich mich neben ihn auf die Bank setzte. Wir beide schwiegen. Ich hatte keine Ahnung wie ich anfangen sollte, also starrte ich stumm auf den Waldrand. Das Feld davor sah weich und einladend aus, doch die

Bäume dahinter toppten diesen Eindruck. Ihre Blätter hatten bunte Farbtöne und noch halb verankert an einem Ast, schaukelten sie bei leichten Böen im Wind, während einige herunterfielen. Der Anblick war schön und auf irgendeine Art beruhigend, aber ich konnte mich nicht mehr zurückhalten. «Als du vor meiner Tür standest...»

«...hast du dich schon gefreut oder?» Hinter seine Antwort schickte er ein geschnaubtes Auflachen. «Na ja ich würde sagen, wenn man bedenkt wen ich danach gesehen habe, kann man es schon Freude nennen.» Von mir kam ebenfalls dieses kurze Auflachen. «Er hat mich gebeten schon mal zu deiner Tür zu gehen. Ich hätte dir ja schon vorher gesagt, was auf dich zukommt, aber plötzlich stand er schon hinter mir. Da konnte ich nichts machen.» Auch wenn er es aus seiner Position nicht sehen konnte, nickte ich. «Du meinst, du wolltest mir sagen, dass das keine Umfrage ist?» Während er antwortete lehnte er sich nach vorne, sodass er sich mit seinen Armen auf seinen Beinen abstütze. «Komisch, dass man sich bei jeder Frage wie ertappt fühlt, oder nicht? Wie man einfach nur den Drang hat hoch zu gucken, um einen Fluchtweg zu finden und die Möglichkeit zu ergreifen sofort da zu verschwinden. Aber gleichzeitig diese Angst sich auffällig zu verhalten und irgendetwas falsch zu beantworten. Ich hasse es, dass er diese Macht über mich hat. Niemand sollte die haben.» Ich hätte nicht gedacht wie ehrlich Theo mir antwortete. «Nein, niemand sollte die haben», wiederholte ich, um seine Worte zu bekräftigen. «Weißt du, dass du das echt durchgezogen hast...» Er zeigte auf den Wald und meinte das damit. «...es war zwar unglaublich dumm, aber du hast meinen Respekt. Die einzige Möglichkeit, die *ich* gesehen habe um hier auszubrechen, war den Soldaten beizutreten.»

«Ich würde sagen, da hast du auf jeden Fall mehr von. Zumindest *darfst* du draußen sein.»

«Das würde ich nicht sagen. Am Anfang dachte ich das auch, dass ich draußen sein kann und mich nicht mehr so erschlagen und eingeengt fühlen würde, aber ich habe nicht an das gedacht, was es noch bedeutet. Ich erledigte die Aufgaben, die dazu beitrugen dieses System zu bewahren. Klar kann ich das für mich nutzen, aber kann ich damit glücklich leben? Und vor allem kann ich damit leben, was ich getan habe? Dass ich...» Er räusperte sich und fing nochmal an: «Nicht jeder, der für Sacka arbeitet, weiß über das Serum Bescheid. Ich hatte keine Ahnung davon, bis ich jemandem begegnete, der mir davon erzählte und frag mich nicht wie Rachel es herausgefunden hat. Sie war auch eine von den Neulingen so wie ich, vielleicht hast du ihren Namen ja schon mal gehört.» Er wartete auf keine Antwort und ich wollte ihn auch nicht unterbrechen. «Auch wenn sich dadurch alles geändert hat, bin ich froh, dass sie es mir gesagt hat. Na ja jedenfalls seit meiner Löschung musste ich mir diese angeblichen *Umfragen* antun.»

«Du machst die öfters mit?» Er sah mich zum ersten Mal von der Seite an, als er antwortete: «Das klingt als ob ich eine Wahl hätte. Schön wärs. Regelmäßig steht er vor meiner Tür und ich gehe mit. Etwas anderes bleibt mir gar nicht übrig. Sacka weiß genau, dass er diese Macht hat und er nutzt sie auch. Als ich von den Umfragen zum ersten Mal gehört habe dachte ich, dass Sacka mich wieder normal behandeln wollte. Ich dachte, dass er nach der, aus seiner Sicht erfolgreichen, Löschung mir eine neue Chance geben wollte. Aber dann habe ich die erste Frage gelesen. Die werde ich nie vergessen: *Rachel Benner wurde kaltblütig ermordet. Was für Gefühle gingen dir durch den Kopf, als du davon erfahren hast?* Ich konnte die Frage nicht beantworten, ich habe nur von meinem Blatt aufgeschaut und ihn angestarrt und Sacka hat zurück gestarrt. Er hatte nur auf meine Reaktion gewartet und er wusste genau, was das bedeutete. Als ich raus wollte, fingen sie mich hinter den Häusern ab. Sie löschten mich ein weiteres Mal und ab da wusste ich, dass ich seinen perfiden Test nicht bestanden hatte. *Du* hast dich erstaunlich gut geschlagen für dein erstes Mal.» Er bastelte ein Lächeln zusammen, welches jedoch so brüchig aussah, dass selbst Kleber keine Hilfe wäre. Ich hoffte er hatte recht damit, dass ich mich gut geschlagen hatte. «Vielleicht hast du ja sogar so ein Glück, dass ihm deine Antworten so gut gefallen, dass du nicht noch einmal dahin musst, allerdings bezweifle ich das. Das war jetzt mein viertes Mal. Entweder hat er noch nie die richtige Antwort von mir gehört oder das soll ewig so weitergehen. Aber wenn wir mal davon ausgehen, dass ich alles vergessen hätte, dann würde ich doch…»

«…misstrauisch werden und es würde sein Serum immer wieder auf die Zerreißprobe stellen, mit der Gefahr, dass Erinnerungen wach gerüttelt werden könnten durch seine Fragen, falls das überhaupt möglich ist.»

«Ich schätze mal, genau das ist der Sinn daran und wenn jemand sich erinnert, ist gleich wer zur Stelle, um sich darum zu kümmern. Mich würde nur mal interessieren was die anderen, die mit uns da waren, so für Fragen haben. Vielleicht hat ja einer von denen das gleiche durchgemacht wie wir...» Theo schaute zu Boden und beendete seinen Satz im Flüstern: «nur er weiß es nicht mehr.» Es klang so als bedauerte er sich selbst, als wünschte er sich, dass auch er es nicht mehr wüsste, doch statt ihn deshalb zu fragen, fragte ich leise: «Das heißt alle haben andere Fragen? Fragen, die sie betreffen und das weshalb sie gelöscht wurden? Sind sie wirklich alle gelöscht worden?»

«Ja, zumindest gehe ich stark davon aus. Wir sind nicht die einzigen, die gelöscht und überprüft werden. Wenn es so wäre wüsste Sacka über das hier Bescheid.» Er zog an seinem T-Shirt und ich sah kurz sein Merkmal, dann verschwand es wieder unter dem Stoff und er redete weiter: «und ich glaube dann wäre das alles etwas anders abgelaufen. Wir beide gehören nur zu den wenigen, wegen denen es Sinn macht einen solchen Test durchzuführen.»

Theos Worte hingen noch in der Luft. Plötzlich wurden wir beide unsanft nach vorne gestoßen. Wir fielen auf die Kieselsteine, die vor uns auf dem Boden lagen und sich nun in meine Handflächen bohrten. Aus dem Augenwinkel erkannte ich mehrere Personen und ein vertrautes Blau, das in mir Galle hochstiegen ließ. Ich hatte nur einen Gedanken: Wir sind erledigt. Von der Seite erkannte ich wie Theo sich hoch stemmen wollte und auch ich unternahm klägliche Versuche, aber es klappte nicht. «Was soll das?», hörte ich Theo sagen, dabei wussten wir es beide ganz genau. Wir wurden von einem halben Dutzend Soldaten festgehalten und daran gehindert, auch nur eine im entferntesten Sinne größere Bewegung zu machen. Danach drehte man uns unsanft um und wir starrten in das Gesicht der Person, die hinter der Banklehne stand und auf uns herablassend runter schaute. Wer hätte es gedacht, Sacka. «Tja wenn die Bank richtig gestanden hätte, hättet ihr uns vorher schon sehen können.» Langsam hatte ich ihn echt genug gesehen, das reichte für ein ganzes Leben, aber so wie unsere Chancen standen, müsste ich ihn auch nicht mehr lange ertragen. Mittlerweile mussten wir mit ihm an jeder Ecke rechnen. *Wie konnten wir so dumm sein?* Warum hatten wir beide nichts gehört? An Sackas Gesicht konnte man erkennen, dass er gewillt war noch etwas an uns zu richten, aber er behielt es für sich und sagte nur zu seinen Soldaten: «Nehmt sie mit!» Hatte er etwas von unserem Gespräch gehört? Hatte er verstanden auf was Theo angespielt hatte? Ich konnte nur mit allem, was mir möglich war hoffen, dass er nichts mitbekommen hatte. Aber warum sollte er uns sonst öffentlich, vor allen anderen angreifen und abführen lassen. Und genau in dem Moment fiel es mir auf. Sacka redete nicht wie sonst mit uns. Nicht wie sonst, wenn er den Schein wahren wollte. Nicht wie sonst, wenn er sich an seine *treuen Untertanen* richtete. Nein, seine Stimme klang so wie das Mal als Traver und ich ihm gegenüber standen. Wo er den Schein fallen gelassen hatte und jetzt tat er es auch. Er machte sich nicht die Mühe uns noch etwas vorzuspielen und genau das verstärkte meine Panik. Ich wand mich, stemmte mich mit den Füßen in den Boden.

Theo wand sich ebenfalls und strampelte, während sie uns auf die Beine zogen. Ich ließ mein ganzes

Gewicht nach unten fallen, doch ich wurde wieder hochgezogen. Zwei hatten meine Arme, jeder jeweils einen, fest im Griff und schleiften mich in ihrer Mitte mit sich. Ein dritter ging hinter mir her. Ich versuchte mich wieder zu wehren, aber es half alles nichts. All meine Kraft versuchte ich gegen sie zu stemmen, doch sie zogen mich problemlos weiter hinter Sacka her, der voranging. Theo konnte genauso wenig ausrichten wie ich und ich konnte nur probieren meine Gedanken zu verdrängen, dass diese Situation Erinnerungen hochkommen ließ, die ich laut Sacka nicht mehr haben durfte. Noah, den ich ebenfalls nur allzu sehr mit den traumatischen Geschehnissen assoziierte, schlenderte gelassen neben her. An einem Transporter stoppten wir, dessen Türen geöffnet und wir unsanft hineingestoßen wurden. Die beiden Soldaten folgten mir und hielten mich wieder fest. Ein hochgewachsener Mann stieg in die Fahrerkabine ein, genauso wie Sacka. Der Wagen fuhr fast geräuschlos los, während ich versuchte etwas in dem Transporter zu erkennen, doch er war komplett verdunkelt. Das einzige was ich wahrnahm, war der unaufhörliche Druck an meinen Armen, das ungleichmäßige Keuchen von Theo und mir und meine Angst, die sich genauso schnell ausbreitete, wie erst vor einer Woche.

Ruckartig hielt das Auto an und genauso unsanft wie

wir rein gestoßen wurden, wurden wir auch schon in die nächsten Arme nach draußen geschubst. Ich schaute mich um, als wir in die Richtung eines riesigen Hauses gingen. Ein Nebengebäude des Krankenhauses.

Alle, an denen Theo und ich vorbei geführt wurde, starrten uns an, und es waren eine Menge Leute, welche zum Großteil bewaffnet waren. Ganz sicher hatten sie nicht das letzte Mal vergessen, als ich hier war. Und auch nicht, was Sacka wegen mir getan hatte. Ich nahm alle Geräusche unglaublich intensiv um mich herum wahr. Es kam mir irgendwie surreal vor. Die Zwei, die mich jetzt im Griff hatten, führten mich eine lange und stetig sinkende Treppe hinunter. Als die riesigen Gitterstäbe zum Vorschein kamen und ich Personen erkannte, die dahinter zusehen waren, wusste ich wo sie uns hinführten. Ein Teil des alten Kerkersystems von dem Phil erzählt hatte, der unabhängig von seinem existierte. Als sie vor einer der Gittertüren hielten, fing ich an mich mit aller Kraft zu winden und mich so zu befreien. Für einen kurzen Augenblick gelang es mir, dass wir anhielten, doch dann gewannen sie wieder die Kontrolle und setzten mich in der Zelle auf einen Stuhl. „Na warte, gleich kannst du dich nicht mehr so wehren", sagte einer von ihnen. Mir blieb nichts anderes übrig, als ihnen zuzustimmen, als ein Dritter mich an dem Stuhl mit Armen und am Bauch fesselte. Danach gingen sie. Mit Theo machten sie das gleiche in der Zelle rechts von mir.

Anders als bei Phils Verlies Abschnitt, schimmerte ein blass orangefarbenes Licht an der Decke. Die Gitterstäbe waren lang und in ihnen waren lauter Kerben eingeritzt. Rechts von meiner und links von Theos Zelle waren ebenfalls solche Stangen. Sie ließen den Blick auf weitere Menschen frei, die entweder bewusstlos oder angekettet waren.

Sacka war nicht mit runtergekommen, aber er würde nicht lange auf sich warten lassen, da war ich mir sicher. «Verdammt», hörte ich Theo immer wieder sagen. «Warum haben wir nichts bemerkt?»

«Ich weiß es nicht, aber wir müssen so schnell wie möglich hier...» Ich verstummte als auf einmal Geräusche von weiter hinten zu uns drangen.

Sacka kam zur Tür herein, gefolgt von einer weiteren Person, die das Gitter hinter sich wieder schloss und sich in die rechte Ecke postierte. Warum musste er denn ausgerechnet zu mir reinkommen? Ich wollte nicht, dass er zuerst redete, wollte seine Stimme nicht hören, wie sie Theos und meine Hoffnung zerschlug, dass er vielleicht doch nicht alles gehört hatte, also begann ich meine Stimme ruhig zu erheben: «Was sind das hier für Leute?», war das einzige, das mir auf Anhieb einfiel, was nichts mit uns zu tun hatte. «Um die solltest du dir im Moment am wenigsten Sorgen machen.» Theo meldete sich aus seiner Zelle

318

ebenfalls zu Wort: «Warum sind wir hier, haben dir unsere Antworten nicht gefallen?» Theo klang in keinster Weise belustigt. Er klang verabscheuend. Sacka wendete sich ihm zu und ich merkte wie ich kaum merklich ausatmete vor Erleichterung, dass seine Aufmerksamkeit nicht mehr mir galt. «Sieh einer an, da zeigt sich nun dein wahres Gesicht, Theo. Nicht dieses scheinheilige, brave, ergebene Getue.» Es hatte keinen Sinn mehr dieses alberne Unwissenheitsgetue durchzuziehen, denn mit jeder Sekunde, die wir hier verbrachten, zerteilte sich meine Hoffnung immer mehr in unendliche kleine Stücke, die sich im Raum verteilten und ich mir wünschte Sacka würde daran ersticken. Aber an Hoffnung kann man wohl nicht ersticken, zumindest nicht wenn es nicht die eigene ist.

Wie als hätte er meinen Gedanken gehört, drehte er sich schlagartig zu mir um und sagte: «Ich frage mich wann sich dein wahres Gesicht zeigt?» Bei seinem Anblick musste ich wieder an die Nacht in dem alten Krankenhaus denken. Die vielen Leute, die vielen Ängste, die vielen Toten. Mir war bewusst, dass er vor nichts zurück scheuen würde, nicht vor Schmerz, nicht vor Angst und nicht vor dem Tod. Alles konnte passieren, es war genauso wie vor einer Woche. Ich war ihm ausgeliefert, schon wieder. Er stellte mich nicht auf die Probe, das musste er auch gar nicht. Der einzige Unterschied war, dass mit mir, Theo und nicht Traver anwesend war und genau das war der Punkt. Traver war nicht da, um mir wieder zu helfen, mir musste alleine etwas einfallen. *Aber was?* Nur eines wusste ich ganz genau, ich wollte nicht mehr einfach nur da sitzen und abwarten, was als nächstes passierte. Ich hatte keine Lust mehr mich wie das Opfer zu fühlen und zu benehmen. Theo und ich brauchten Zeit und einen Plan. «Du schaust es direkt an.» Meine Stimme klang stark und für meine Position, viel zu selbstsicher. Sacka lachte kurz auf und erwiderte: «Das sehe ich. Dein Blick ist tatsächlich verändert seit dem letzten Mal. Du siehst nicht mehr so ängstlich aus.» Mit jedem seiner Worte kam er einen Schritt näher auf mich zu und ich konnte nicht vermeiden, dass meine Augen sich weiteten. Ich konnte nicht vermeiden, dass ich mich überall verkrampfte und dass mein Hals sich plötzlich trocken anfühlte. Er beugte sich direkt vor mich und sofort packte seine Hand meinen Kiefer und schob ihn mit voller Wucht nach oben, bis ich nicht mehr hinterher konnte, da die Fesseln mich abhielten. Ich versuchte dagegen anzukommen, aber er war zu stark. Er schnürte meine Luft ab. «Obwohl doch, da kann ich sie sehen, deine Angst...» Das Wort *Angst* zog er in die Länge. Er gab seinem Griff noch mehr Druck und schaute mir direkt in die Augen, als er fort fuhr: «...du kannst sie nicht vor mir verstecken. Sag mir lieber, was ich hören will, sonst werde ich deinen Ängsten noch gerecht. Denn merk dir eins: ich kriege immer, was ich will. Und soll ich dir noch was sagen? Es gibt eh nichts mehr zu verlieren für dich.» Sacka ließ seine Hand von meinem Kiefer, erleichtert atmete ich auf. Er hatte mir fast die Luft abgedrückt. Während er nun vor mir auf und ab ging und sein Handgelenk ausschüttelte, fing er an weiterzureden: «Du hast dich schon lange verraten und nicht nur, weil du dich gar nicht fragst was für ein *letztes Mal* ich meine. Nein. Jedes Mal wieder konnte ich es in deinen Augen sehen, an deinem Verhalten spüren, dass du nicht Respekt hattest vor mir, sondern Angst. Ich weiß, dass du dich erinnerst und ich will wissen warum?» Ich schluckte. Er hatte Recht, ich hatte wahnsinnige Angst, aber ich wollte nicht, dass er sie sah. *Und was hatte er da gesagt?* Hatte er etwa doch noch kurz geglaubt ich würde mich nicht erinnern? Dann war es jetzt auf jeden Fall zu spät. Ich hatte mich, wie er gesagt hatte, verraten. Plötzlich lachte Theo kurz auf und äffte Sackas Worte nach: «*Ich kriege immer, was ich will,* das klingt ganz schön nach einem eingebildetem Mamasöhnchen, der als Kind kein Nein akzeptieren konnte.» *Oh Gott Theo.* Er war genauso unsicher wie ich und er probierte das mit seinen Sprüchen zu überspielen, aber gerade jetzt war das wohl der unpassendste Moment, den es je geben konnte. Ich sah ihn erschrocken an und als er meinen Blick erwiderte, verstand ich was er vorhatte. Er wollte

Sacka von mir weglenken, damit ich wieder durchatmen konnte und vielleicht auch um mir Zeit zu verschaffen einen Plan zu entwickeln. Theo hatte es auf jeden Fall erreicht, dass Sacka wieder ihm die Aufmerksamkeit schenkte.

Mit einer knappen Handbewegung bedeutete er seinem Soldaten, die Tür zu öffnen, was wenige Sekunden später auch geschah, dann trat er von dem Gang draußen in Theos Zelle. Theo, der gerade noch entschlossen und selbstsicher gewirkt hatte, konnte man für einen kurzen Moment ansehen, dass auch bei ihm Angst aufflackerte. Doch er fing sich wieder und funkelte Sacka an. Der ging nicht auf seine Worte ein, stattdessen sagte Sacka: «Ich bin ziemlich sicher, dass du dich auch erinnerst, vor allem nachdem was ich von eurem kleinen Gespräch gehört habe. Bei dem allerersten Test bei dem du mitgemacht hast, bist du kläglich durchgefallen. Ich hätte schwören können, dass deine Dosierung ausreichend gewesen ist, nach dem zweiten Mal war ich mir sicher, dass es geklappt hatte, aber du hattest einfach nur dazu gelernt. Ich hätte es besser wissen müssen.»

«Ja hättest du», erwiderte Theo provozierend. «Und *du* hättest von Anfang an schlauer sein können», schnitten Sackas Worte durch die Luft. «Es ist zwar nicht so gelaufen, wie ich es geplant habe, aber die Erkenntnis, dass du die ganze Zeit mit dem leben musstest, was du getan hast, erfüllt mich dann doch mit Freude», hängte Sacka mit dran. Ich beobachtete beide von meinem Stuhl aus. Sacka stand noch vor dem, sich auf dem Stuhl windenden, Theo, der versuchte sich zu befreien und allen Anschein sich am liebsten auf Sacka stürzen wollte. Sacka musste meinen irritierten Blick gesehen haben, denn jetzt sagte er: «Hast du ihr die Geschichte erzählt? Weiß Zoe was du getan hast?» An Sackas freudigem Ton konnte ich erkennen, dass er sie mir am liebsten erzählen würde. «Das muss sie nicht wissen», zischte es aus Theo. Wahrscheinlich wollte ich es auch gar nicht wissen. Er fügte noch hinzu: «Das muss niemand wissen.» Als Sacka auf Theos Worte reagierte, sprach er schnell und bestimmt. Genau das Gegenteil von dem wie Theo gesprochen hatte. «Nicht einmal du. Ist es nicht so? Du sehnst dich danach zu vergessen.»

«Tja klappt nur leider nicht», funkelte Theo zurück. Jetzt kam Sacka noch näher und beugte sich halb über ihn, dabei sagte er: «Und ich will wissen warum!» Daraufhin wich Theo Sackas Blick aus und schaute zur Seite. «Erzähl Zoe doch die Geschichte. Teile dein Leid. Das machen Freunde doch so.» Wahrscheinlich hätte ich jetzt etwas sagen sollen, sowie Theo das zuvor gemacht hatte, um ihn von mir abzulenken, aber ich sagte nichts. Vielleicht, weil ein Teil von mir seine Geschichte hören wollte und ich schämte mich dafür, denn ich sah wie Theo mit sich rang ruhig zu bleiben. Nicht einmal vor Wut sondern, vor Trauer und Schmerz. So wie ich nichts sagte, sagte auch er nichts. Ein Soldat kam an unseren Zellen vorbei. Sacka zitierte ihn zu sich: «Noah komm her. Du erinnerst dich noch an Rachel und ihren Abgang oder?» Ganz sicher brachte er es mit Absicht mit dieser herablassenden Art rüber. Ein Blick zu Theo, dann nickte Noah und Sacka fuhr fort: «Zoe kennt die Geschichte nicht. Würdest du sie für uns alle nochmal in Erinnerung rufen? Das ist doch eine schöne Idee, schließlich denkst du ja bestimmt gerne an Rachel zurück, nicht wahr Theo?» Theo sah weder mich noch Sacka an und Noah nahm die entstandene Stille, als Anlass die Geschichte zu erzählen: «Rachel und Theo waren zwei von unglaublich vielen Neulingen...»

«Du warst auch nur einer von diesen *vielen*.» Sacka beendete Theos Kommentar mit einem Schlag in die Magengrube. Erschrocken zog ich die Luft ein und beobachtete wie Theo sich soweit es ging zusammenkrümmte und mehrmals röchelte. Ich konnte nur zusehen, mir fiel nichts ein, was ihm hätte helfen können. Noah machte weiter, als wäre nichts gewesen: «Rachel und Theo verstanden sich ziemlich gut.»

«*Wir verstanden uns ziemlich gut*? Ich habe sie geliebt», unterbrach Theo ihn wieder, diesmal sichtlich empört. «Willst doch *du* die Geschichte erzählen?», mischte sich Sacka wieder ein und daraufhin begann tatsächlich Theo zu erzählen: «Wir waren verliebt. Nachdem sie mir von dem Serum erzählt hat, hatten wir Pläne geschmiedet wie wir es stehlen und hier abhauen konnten. Wir wollten es beenden, jemandem davon erzählen und diesen Ort befreien. Doch bevor wir irgendetwas überhaupt in die Wege leiten konnten, flog auf, dass wir Bescheid wussten. Wir wurden voneinander getrennt und...»

«Und ich stellte ihm eine Aufgabe.»

«Eine *Aufgabe,* dass ich nicht lache. Du hast von mir verlangt eine unschuldige Person umzubringen, um Rachels Leben zu retten.» Jetzt wandte er sich zu mir und sprach direkt mich an.

«Ich konnte das Gesicht der Person nicht sehen, es war mit einem Sack verdeckt." Theo brach ab und schluckte kurz, um dann wieder anzusetzen. Er haderte so mit sich. „Das Gesicht nicht zu sehen, hat es um einiges erleichtert. Ich hätte das nie getan, aber es ging...um Rachel. Ich musste doch etwas tun. Als der Körper zu Boden fiel und ich das Gesicht erkennen konnte, wusste ich was ich getan hatte. Ich habe sie selber erschossen. Ich habe Rachel erschossen.» Sein Stimme ging in Weinen über. Es machte den Eindruck, als war es das erste Mal, dass er es selber ausgesprochen hatte und sich selbst gestand. Ich sah ihn weiterhin an, auch wenn er schon lange aufgehört hatte zu reden. Damit hatte ich nicht gerechnet. Er hätte eine Unschuldige ohne zu zögern getötet, doch stattdessen musste er nun mit einer, für ihn, noch viel größeren Schuld leben. Für mich war es unvorstellbar wie Theo sich in dieser Situation gefühlt haben musste, als er sich dazu entschied Sackas *Aufgabe* zu erfüllen und dann vor dem Ergebnis zu stehen. Sacka hatte ihn in diese Lage gebracht, er sollte auf *ihn* wütend sein, doch stattdessen hörte ich nur den Schmerz und den Hass auf sich selber in seiner Stimme. «Für mich ist es kein Vorteil», hängte er noch hinten dran. Ich erinnerte mich an seine Worte, er meinte das Merkmal. Jetzt verstand ich warum er es nicht als Vorteil sah. Er wollte so gerne vergessen, was er Rachel angetan hatte, wahrscheinlich sogar so sehr, dass er selbst *sie* vergessen wollte. Meine Konzentration hatte sich so auf Theo gerichtet, dass ich fast erneut zusammenzuckte, als Sacka die Stimme erhob. «Sag mir was es ist und ich kann dir helfen. Warum kannst du dich noch daran erinnern? Wenn ich den Grund kenne, kann ich es dich vergessen lassen. Dann musst du diesen Schmerz nicht mehr mit dir tragen.» Fassungslos starrte ich zu den beiden rüber. Sacka konnte doch nicht wirklich diese Karte ausspielen und noch fassungsloser war ich, weil ich sah wie Theo allen Anschein tatsächlich darüber nachzudenken schien. Das konnte doch nicht sein Ernst sein. Sacka zu geben was er wollte, war vielleicht die sicherste Variante, aber in Anbetracht dessen was er dann eventuell tun würde, auch die dümmste. Ich versuchte auf Theo einzureden: «Sacka hat dich in diese Lage gebracht. Ohne ihn wäre das nie passiert. Wenn er dir die Erinnerung daran nimmt, gibst du ihm doch nur noch mehr Macht über dich.» Theo schaute über seine Schulter zu mir rüber, dabei wanderte sein Blick kurz über die Stelle, wo sich sein Merkmal befand. Nicht kurz genug. Meine Hoffnung, Sacka könnte es nicht bemerkt haben, zerschlug sich in dem Moment, als Sacka, der alles aufmerksam beobachtet hatte, den Augenblick ergriff und die Haut und somit das Mal unter Theos T-Shirt zum Vorschein brachte.

«Das hast du auch schon auf der Bank gezeigt. Was ist das? Ist das der Grund? Dieses kleine Ding macht dich resistent? Das würde ja bedeuten...» Er beendete seinen Satz nicht, sondern kam einfach in meine Zelle und zog an der gleichen Stelle mein Shirt zur Seite. «... dass du es auch hast. Woher habt ihr das? Gibt es noch andere die das haben? Wer ist noch geschützt durch dieses Ding?» Mein Blick bohrte sich in sein Gesicht als ich sagte: «Ich habe keine Ahnung.»

«Jetzt hör mir mal gut zu. Ich werde jeden umbringen, der dir wichtig ist und ich werde meine Freude daran haben zuzusehen, wie das Leid dich innerlich zerstört.» Entsetzt starrte ich ihn an. Er machte einen Schritt auf mich zu. «Ich werde dich leiden lassen.» Ich zwang mich stark zu klingen.

«Ich hoffe du verreckst in der Hölle.» Er schnaubte auf. «Wenn es Himmel und Hölle gibt, dann schau dich um, ich kann dir versichern: Das ist nicht der Himmel. Aber verrecken werde ich hier auch nicht, zumindest nicht vor dir. Und jetzt entspann dich und genieße diesen kleinen Augenblick, bevor das Blut all derer, die du liebst an deinen Händen klebt und du wirst nicht hin können um ihnen zu helfen.» Plötzlich räusperte sich jemand im Korridor vor den Zellen, woraufhin Sacka sich erst nach einem endlosen Blick von mir abwandte und zu demjenigen umdrehte. Erleichtert atmete ich aus und schloss kurz die Augen, um mich zu beruhigen. Das konnte doch alles gar nicht wahr sein. Mein gesamter Körper zitterte. Noch mit geschlossenen Augen konnte ich hören, wie die Person, die sich geräuspert hatte sprach: «Guck mal wen wir draußen aufgetrieben haben. Verstoß gegen die Nachtruhe.» Sofort öffnete ich die Augen und sah Wise, der von einem Soldaten hinter sich her gezerrt wurde. «Nein, Wise», schrie ich entsetzt. Wise sah mich mit voller Panik an, ungläubig und überrascht mich hier zu sehen, brachte er auch nicht mehr heraus als ein erschrockenes: «Zoe?» Als sie ihn abführten konnte ich ihm nur hinterher sehen, während weitere Ensetzensgeräusche von mir ihren Weg nach draußen fanden. Sacka sah triumphierend hinter ihnen her und wandte sich plötzlich wieder mir zu. Er sagte: «Wie schön, dann werde ich wohl mit ihm anfangen.»

«Nein. Nein...bitte.» Ich brachte nicht mehr heraus, als diese drei flehenden Worte. «Für ein Bitte ist es längst zu spät.» Das waren Sackas letzte Worte und er verschwand hinter seinen Soldaten und Wise und ließ mich mit meinen Schuldgefühlen und der Angst alleine. Wise war nur hier, weil ich unbedingt diesen dämlichen Plan durchziehen wollte, er war schon vorher viel zu riskant gewesen und wenn ich es jetzt betrachtete relativ chancenlos, aber jetzt konnte ich Wise in keinster Weise retten oder helfen. Ich war selber eine Gefangene und konnte nichts ausrichten. Ich hatte ihn nicht warnen oder abhalten können. Total hysterisch und verbissen rüttelte ich an meinen Fesseln, aber sie schnitten sich nur noch mehr in meine Haut ein und schnürten mir das Blut ab. Keine von ihnen lockerte sich. Ich steigerte mich immer mehr rein und wiederholte immer wieder die Worte «Nein» und «Scheiße», bis sie sich allmählich einfach nur noch in schluchzende Töne verwandelten. «Hey Zoe beruhige dich.» Theos Worte hatten keinen Effekt. *Wie sollte ich mich auch beruhigen?* Sacka wollte alle töten, die mir wichtig waren und ich glaubte ihm. Einer von denen war ihm ja jetzt schon ausgeliefert. Ich konnte nichts tun und er hatte Recht, das Leid zerstörte mich jetzt schon. «Ich wollte nicht, dass er davon erfährt.» Theo

329

meinte das Merkmal. «Ich wollte nur...Zeit schinden.» Ich wollte ihm glauben, aber ich hatte seinen Blick gesehen. «Zoe, rede mit mir. Warum ist Wise hier?» Es hatte keinen Sinn es weiterhin vor ihm zu verschweigen, also sagte ich es ihm: «Weil ich es mit Wise geplant habe.»

«Was?!? Du hast das geplant?» Er machte eine Pause dann fuhr er fort: «Ich hoffe, dass läuft nicht auf das hinaus, was ich denke. Hast du etwa auch geplant, dass wir geschnappt werden?»

«Nein! Eben nicht.»

«Sag mir nicht, dass du deinen bescheuerten Plan durchziehen wolltest.» Ich starrte auf den Boden, zu beschämt von der Erkenntnis, dass ich nun für alles verantwortlich war, was ihm angetan wurde. «Ich habe ihm gesagt, dass Phil sich umentschieden hat, dass wir den Plan doch durchziehen. Der Plan war es, dass wir uns beide holen lassen. Ich habe ihm versichert, dass Phil es auch für chancenreich hält. Oh Gott, was habe ich getan?»

«Das frage ich mich auch gerade, wie konntest du ihm das erzählen? Und wie konntest du das überhaupt durchziehen wollen, nachdem wir alle dagegen waren.»

«Es bringt nichts mir Vorwürfe zu machen, das weiß ich auch so.» Wieder rüttelte ich an den Fesseln: Keine Veränderung. «Wir müssen hier raus. Wir müssen ihm helfen.» Meine Worte waren eine Mischung aus

Verzweiflung und Hysterie. «So finden wir keine Lösung. Du musst dich beruhigen, kapiert? Wir müssen irgendwie diese Fesseln loswerden. Kannst du irgendwo etwas Spitzes an deinem Stuhl spüren?» Ich wollte ihm gerade *nein* antworten, da waren auch schon wieder Schritte im Korridor zu hören. Sofort verstummten wir beide und ich wiederholte seine Worte in meinem Kopf. *Beruhigen.* Sacka kam gefolgt von zwei Soldaten zu mir in die Zelle. Er war rasend vor Wut. «Ich habe Neuigkeiten für dich. Ab jetzt werde ich nicht länger so tun als wüsste ich nicht Bescheid. Glaubst du wirklich meine Leute sind so dumm und könnten keine Person von hinten erkennen? Ich weiß, dass du es warst, die im Wald war und eigentlich mit Isabelle hätte sterben sollen. Ich habe dir genug Zeit gegeben dich aus allem raus zuhalten und dein Leben weiterzuleben, aber du scheinst es geradezu darauf abzusehen. Ehe ich mich versehe spüren meine Leute dich im Wald auf und dann auch noch außerhalb. Selbst da habe ich dir eine Chance gegeben und jetzt wird dein Freund Wise auch noch nach der Ausgangssperre aufgelesen. Langsam ist meine Geduld am Ende.»

«Was willst du jetzt machen?»

«Ganz einfach.» Er holte einen kleinen Gegenstand aus seiner Tasche. Ein Klappmesser und ließ die Klinge vor meinen Augen ausklappen. «Zuerst werde ich dir dieses Ding rausschneiden und dann werden wir testen, ob das Serum bei dir wirkt. Ich habe die Konzentration erhöht. Es wirkt stärker als jede Dosierung davor und wenn es immer noch nicht klappt werden wir es wiederholen und wiederholen, wieder und wieder, bis es wirkt.» Alles in meinem Körper wollte weg von diesem Ort. Wie verrückt rüttelte ich wieder an dem Stuhl und an den Fesseln, aber ich blieb unverändert sitzen.

«Wie willst du herausfinden, ob ich dir nicht nur etwas vorspiele?», fragte ich mit Angst geweiteten Augen. Ich konnte es nicht unterdrücken. Ich fand keinen anderen Ausweg. Er wandte sich um und sagte: «Ich habe Wege. Zum einen habe ich Wise, wirkungsvoller ist jedoch wohl der hier.» Er zeigte in den Gang, wo gerade zwei Soldaten ankamen, die jemanden in ihrer Mitte mit sich schliffen. Ich war unfähig. Unfähig zu sprechen, unfähig mir einzugestehen was für ein Fehler es war zu glauben, ich würde mit all dem durchkommen. Einfach unfähig das alles zu verstehen. Sein Arm griff wieder in eine Tasche an seiner Jacke und holte ein Glasfläschchen raus mit einer blauen Flüssigkeit. Viel dunkler als das, was ich getrunken hatte. Er wollte mich immer noch nicht töten. Er hatte schon so viele Chancen gehabt. Aber was war denn mit mir, dass er mich leiden lassen wollte? Was hatte ich ihm angetan? Auf ein Zeichen hin schleppten die beiden Soldaten die Person herein, die sie schon bereits hierher geschliffen hatten. Erst hatte ich Angst, es könnte sich um Wise handeln, doch das konnte gar nicht sein, denn er hatte gesagt, dass er Wise hatte und *ihn*. Genau in dem Moment, in dem ich überlegte wer es dann sein konnte, hob die Person ihren Kopf und schaute mich mit einem schmalen, geschlagenen Lächeln an. Ich hätte ihn ohne sein Gesicht nicht erkennen können, denn sonst wirkte er immer so stark und selbstsicher und nicht wie diese Person, die sichtlich schwach auf den Boden fiel und sich langsam auf der Stelle aufsetzte. Dabei waren von ihm Schmerzensgeräusche zu hören, als er sich bewegte. Er hielt sich die Seite und musste sich an die Gitterstäbe lehnen. «Guck ihn dir an. Vorgestern habe ich ihn herholen lassen. Hast du dich nicht schon gewundert wo er war. Der liebe Traver. Sieh ihn dir an.» Das tat ich so oder so. Ich sah ihn an und fragte mich was sie nur mit ihm angestellt hatten. Traver erwiderte meinen Blick. Das konnte doch nicht sein, dass Traver ihm auch noch schutzlos ausgeliefert war. Und ich hatte es nicht bemerkt. *Vorgestern,* hatte Sacka gesagt. Das war an dem Tag gewesen, wo ich den Plan mit Wise geschmiedet hatte und er mich gesehen hatte, wie ich Wise geküsst hatte. «Was hast du mit ihm gemacht?» Meine Worte waren zornig geworden. «Oh gut, du bist wütend, zwischenzeitlich hatte ich das Gefühl gehabt, du würdest dich damit abgeben, aber du scheinst wieder kämpfen zu wollen.» Wie sollte ich kämpfen in dieser Position? Mit Worten konnte ich ihn vielleicht hinhalten oder provozieren, aber weg kam ich so auch nicht. Sacka redete weiter, dabei ging er vor Traver in die Hocke und zog dessen Shirt hoch. «*Das* habe ich mit ihm gemacht.» Unter Travers Shirt kam seine Haut zum Vorschein, die mit lauter Blutergüssen und bestimmt unzähligen Prellungen übersät war. Ich zog scharf die Luft ein. «Sein Gesicht habe ich verschont, vielleicht weil ich sehen wollte, ob er es immer noch schafft diesen selbstsicheren Gesichtsausdruck zu ziehen, obwohl er so am Ende ist.»

«Bist du sicher, dass du es nicht einfach nur zu schön fandest, um es anzurühren.» Travers Stimme klang sicher, dennoch mischte sich Schmerz in dessen Klang, als er sich leicht aufrichtete, um Aufzulachen. Doch sein Gesicht hatte eben diesen selbstsicheren Ausdruck, der Sacka ärgerte. «An deiner Stelle würde ich mich nicht bewegen», sagte Sacka mit einem abschätzigen Blick. «Oh bitte, ich habe doch noch nie etwas getan, was du machen würdest.» Sacka fixierte ihn und lehnte sich näher zu ihm. «Du spuckst immer noch große Töne, dabei schau dich doch an…» Ich unterbrach ihn: «Sacka, lass ihn.» Nun kam er zu mir und äffte meine Worte nach: «*Sacka, lass ihn.* Dass ich nicht lache. Du legst dich ja richtig ins Zeug, dabei hast du doch schon fast alle verloren. Traver ist hier, Wise

334

ist ebenfalls in meiner Gewalt. Theo kann auch nichts mehr ausrichten.» Er hatte Recht und eigentlich wollte ich auch nichts mehr sagen, aber ich wollte auch nicht, dass Sacka wieder das Wort bekam. «Warum...» Er unterbrach mich. Er beantwortete meine Frage auch ohne hören, was ich eigentlich fragen wollte. «*Warum* ist nicht der Punkt. Ich habe so viele Gründe. *Warum* beantwortet sich von selbst.» Sacka drehte sich um. «Noah, könntest du das für mich übernehmen?» Ein Nicken von Noah, als Sacka ihm das Messer zeigte. Mein Herz bebte. Es war als zittere es innerlich. Noah nahm ihm das Messer ab und kam auf mich zu. Sacka deutete zu Noah. «Wenn du fertig bist, fessle Traver und sperre sie ein. Ich erledige den Rest nachher, jetzt muss ich mich erst einmal um andere Dinge kümmern.» Dann ging er. Traver saß regungslos da und ich so wieso. «Grins nicht so dämlich, man merkt auch so wie du dich freust», machte ich Noah an, der nun der einzige außer Traver und mir in unserer Zelle war. Ein weiterer Soldat stand im Korridor. Theo beobachtete uns von der Seite, aber auch er konnte nichts ausrichten. «Darauf kannst du Gift nehmen.»

«Wird sie noch», spottete Traver. Noah zog seine Waffe und richtete sie auf ihn. «Steh auf und geh nach da hinten in die Ecke.» Mühsam folgte Traver der Anweisung. Der zweite Soldat, der noch draußen stand richtete seine Waffe auf Traver. Dann kam Noah ganz langsam mit dem Messer auf mich zu und lehnte sich über mich, um eine bessere Position zu haben. Mein Herz schlug wie wild und Theos und Travers Worte, die Noah abhalten wollten, gingen in meinem Schmerzensschrei unter, als er das Messer in meine Haut rammte und es Stück für Stück weiterzog. Meine Zähne bissen auf meine Lippen, um einen weiteren Schrei zu unterdrücken. Am meisten widerte mich Noahs Blick an. Er setzte erneut an und zog eine weitere Wunde. Wollte er es mir aus der Haut ritzen? Trotz dem Schmerz erkannte ich unsere Chance. Als Noah erneut ansetzte, nahm ich meinen Kopf und donnerte ihn gegen seinen Arm. Überrascht von dem Manöver, zog sich sein Arm schlagartig zurück. Entsetzt sah ich das Messer, das einfach in meiner Schulter stecken geblieben war. Ich versuchte mit meinem Mund es zu erwischen. Gerade noch rechtzeitig schaffte ich es bevor Noah danach greifen konnte. Sein Arm kam in meine Nähe, wollte mir das Messer wieder entreißen, doch ich konnte meinen Kopf so bewegen, dass ich ihn mit der Klinge am Arm traf. Es verschaffte mir Zeit das Messer aus seiner Reichweite in Theos Zelle zu schlittern. Der Soldat, der Traver in Schach halten sollte, war von meiner Aktion abgelenkt, sodass Traver ihn außer Gefecht setzen konnte, was mir ein Rätsel war im Vergleich zu seinem vorherigen Zustand. Doch bevor Traver sich zu Noah umwenden konnte, richtete dieser seine Waffe auf Traver und befahl ihm ihn anzusehen. Traver drehte sich schwerfällig um, doch noch in der Drehung änderte sich seine Geschwindigkeit. Traver richtete sich auf und schlug Noah die Waffe aus der Hand. Dieser wirkte sichtlich irritiert und konnte nicht rechtzeitig ausweichen, als Traver zu einem zweiten Schlag ausholte. Er traf Noahs Gesicht. Noah wollte zurückschlagen, doch da sah ich wie Traver sich wieder die Seite hielt. Er musste die Schmerzen nur kurz unterdrückt haben. Ich wollte vom Stuhl aufspringen, um ihm zu helfen, aber ich konnte nicht. Traver wich in der letzten Sekunde aus. Hektisch schaute ich mich um, ich musste doch irgendetwas tun können. Theo deutete von der Seite auf meine Füße. Die einzigen, die ich noch frei bewegen konnte. Ich verstand ihn sofort. Noah kam näher um Traver erneut zu bedrohen, ich streckte meine Beine aus woraufhin Noah stolperte und der Länge nach hinfiel. «Hättest wohl besser nach vorne schauen sollen», sagte ich. Traver gab ihm den letzten k.o. Schlag, dann machte er mich los. Meine Gelenke schmerzten, da wo zuvor die Fesseln gewesen waren. «Wir müssen hier weg», sagte ich geistesabwesend. Das ging mir alles viel zu schnell. «Wir nehmen ihn mit», erwiderte Traver. «Was? Warum?», kam von Theo. «Er ist unsere Versicherung, dass wir es raus schaffen.» Wir zogen den bewusstlosen

Noah auf die Beine, dann legte ich meinen Arm um Traver, um ihn zu stützen und wir befreiten Theo aus seiner Zelle. Durch einen langen, dunklen Flur, der nur spärlich mit ein paar schwachen Lampen beleuchtet war flohen wir. Der Gang wurde mal schmaler, mal breiter und schien in einer leichten Steigung nach oben zu führen. Es war nicht derselbe Weg, den Theo und ich herunter gezerrt wurden. Ich wandte mich an Traver. «Was ist mit Wise.» Seine Augen weiteten sich noch ein Stückchen. Aber er gab keinen Kommentar, sondern führte uns weiter. Wir bogen in eine kleine Seiteneinbuchtung. Dort stand jemand. Ich schlug zu bevor ich Liam erkannte. *Was war in mich gefahren?* «Was zum...» Liam hielt sich die Nase, die äußerlich keine Kratzer zeigte. «Liam, was machst du hier? Du hättest ruhig dazukommen können», knirschte Traver. «Ich habe nur eure Stimmen gehört. Außerdem hattet ihr das doch im Griff. Komm ich helfe euch. Was habt ihr denn mit *ihm* vor?» Er deutet auf Noah, doch keiner von uns antwortete darauf. «Nein, Wise ist hier auch irgendwo, such ihn und bring ihn hier raus. Du weißt wo wir uns treffen», erwiderte Traver. Liam beäugte ihn skeptisch und auch ich war besorgt. Er war stark erschöpft, Theo probierte halb ihn zu stützen und Noah gleichzeitig relativ gerade zu halten, während ich gegen meine eigene Erschöpfung kämpfte. Wir waren immer noch auf dem Gelände von Sacka, trotzdem versicherte

338

ich Liam, dass wir es alleine schaffen würden. «Einer muss ja die Schwerstarbeit machen.» Traver knuffte ihn in die Seite und sagte eindringlich: «Sei vorsichtig.» Damit machte Liam sich auf die Suche nach Wise. Ich hatte kein gutes Gefühl dabei Wise nicht selber zu suchen, aber wir mussten hier raus.

29 TRAVER

Es war keine Überraschung, dass ich Zoe gefesselt in der Zelle gesehen hatte. Sacka hatte Zweien aufgetragen mich runter zum Verlies zu bringen und damit raus aus dem Raum, in dem er mich festgehalten hat. Als sie mich gesehen hatten konnte man ihnen ihre Freude ansehen. Es waren Betty und Esh gewesen. *Natürlich waren es Betty und Esh.* Genau die, die schon immer das Gefühl gehabt hatten, dass ich bevorzugt wurde und sie deshalb in mir ihre größte Konkurrenz sahen. Obwohl, wenn ich drüber nachdachte, hätte Sacka auch jeden anderen beauftragen können. Ich hatte mir außer Meira und Liam nicht wirklich viele Freunde gemacht. Zwar Respekt, aber keine Freunde. Und aus meiner Position, in der mich Betty und Esh gesehen hatten, konnte ich auf den Respekt auch nicht mehr zählen. Ab dem Zeitpunkt, als Esh sagte, dass es fast schon ein Gefallen war mich zu ihr zu bringen, hatte ich geahnt wen er mit *ihr* betitelt hatte. Auch wenn ich um alles in der Welt gehofft hatte, dass ich mich irrte. Doch dann hatte ich sie gesehen. Ihr Blick war entsetzt und wütend gewesen, als sie mich und meine Verletzungen gesehen hatte. Das einzige, was ich in diesem Moment gespürt hatte, war die Trauer darüber gewesen, dass sie mich so sah und wir beide in dieser absolut ausgelieferten Situation steckten.

Sacka und 4 weitere hatten mich dabei erwischt, wie ich bei meinem Kontrollgang, in der Nachtruhe Noahs Radius verlassen hatte. Ich war auf dem Weg zu Zoe gewesen. Ich wollte mit ihr reden, wollte das mit dem Kuss klären, doch bevor ich auch nur ihr Haus erreichen konnte, überwältigten sie mich. Dass sie mich dabei in einem anderen Bereich aufgegabelt hatten, hatte keinerlei Bedeutung. Sie hatten mir so oder so aufgelauert, egal wo sie mich fanden. Als ich aufwachte, befand ich mich in einem Raum des alten Krankenhauses und ich wusste was Sacka wollte. Er wollte sich rächen. Für meinen Verrat, für alles und er wusste über unsere *Rebellion* Bescheid. Das hatte er mir immer und immer wieder vor die Nase gehalten und da war das erste Mal, dass ich gedacht hatte wie leichtsinnig und unvorsichtig wir überhaupt gewesen waren. Aus Sackas Gesicht konnte man dieses dumme Grinsen nicht rausbekommen, was ich ihm liebend gerne vertrieben hätte, als er ständig auf mich eingeschlagen und getreten hatte. Aber das Zeug dazu es alleine zu tun hatte er nicht, er brauchte mindestens 3 Männer, um mich festzuhalten und somit war es kein fairer Kampf.

Ich war nicht so schwach wie ich eigentlich getan hatte, aber trotzdem schwand meine Kraft langsam, dennoch musste ich durchhalten. Zoe würde nicht ohne mich gehen, doch genau das mussten wir. Verschwinden. Theo stützte eigentlich komplett alleine Noah und probierte gleichzeitig auch noch mir zu helfen, obwohl er genauso wenig in der Lage sein musste wie Zoe.

Den Weg, den wir langliefen würde hinter dem Gebäude rausführen. An der Tür standen rund um die Uhr zwei Wachen. Eigentlich sollten wir es schaffen sie zu überwältigen, wenn ich nochmal meine Kraft sammelte. Außer man hatte unsere Flucht bereits bemerkt, was ziemlich wahrscheinlich war, aber warum war dann niemand hinter uns? Irgendetwas stimmte hier nicht. Es war so leer. Zoe fiel es ebenfalls auf. Sie sah sich öfters um und rechnete mit Verfolgern. Aber noch war niemand hinter uns her. Konnten wir wirklich so viel Glück haben?

Der Ausgang war direkt vor uns. Ich gab allen ein Zeichen, dass sie sich bereit machen sollten. «Sollen wir wirklich da raus?» Ich verstand Theos Skepsis, aber ich versicherte ihm: «Ich denke da haben wir keine andere Wahl.» Mein Blick wanderte zu Zoe. Sie nickte mir aufmunternd zu und ich nahm es dankend zur Kenntnis. Sie war stark. Meine Muskeln spannten sich an. *Was würde uns hinter der Tür erwarten?* Wir hatten keine Waffen, nur müde Muskeln und einen schlaffen Noah in unserer Mitte. Ich konnte nur hoffen, dass ich mich die eine Nacht nicht verhört hatte, als Sacka mit

Noah geredet hatte. Ich konnte nur hoffen, dass er wichtig genug war, um uns als Schutz zu dienen.

Wir standen vor der Tür. Ich stieß sie auf. Die Laternen des Geländes strahlten uns an, während ringsherum Dunkelheit herrschte. Der Wind war kalt. Alles war wie erwartet, nur das vor uns keine zwei Wachen standen. Vor uns stand eine gefühlte Armee und ganz vorne stand Sacka. *Deshalb war es so leer gewesen!* Ihre Gesichter verrieten, dass sie auf uns gewartet hatten. Trotzdem hatten sie keine Waffen. Sie standen in einem Halbkreis vor der Tür. «Überraschung.» Sackas Stimme durchschnitt kalt die Luft. «Lasst uns gehen!» Meine Stimme klang viel zu stark und selbstsicher für unsere Situation, aber ich war nicht bereit jetzt Schwäche zu zeigen. Jemand, den ich nicht aus der Menge raus filtern konnte, rief: «Wohin? Wohin wollt ihr gehen?» Ein anderer rief: «Wir werden euch so oder so finden, damit verzögert ihr euren Tod nur um wenige Augenblicke.» Wenige Augenblicke können ja wohl ausreichen, um noch irgendetwas in die Wege zu leiten, Idiot. Aber die erste Frage war nicht dumm gewesen. *Wohin wollten wir?* Eine wirklich gute Frage. Wir mussten die anderen warnen, aber damit würden wir sie geradewegs ausliefern. Raus aus dem Dorf konnten wir nicht, das würde Sacka nicht zulassen, jetzt nicht mehr. Außerdem hatten wir dort keine Deckung, keinen Schutz. Wir würden ohne

Verpflegung nicht lange überleben. Ich hatte keine Ahnung wie wir danach am besten weitermachen sollten und trotzdem war es ja wohl das Dümmste einfach aufzugeben. Sacka erhob über das Gemurmel hinter sich, seine Stimme: «Wollt ihr zu euren Leuten? Zu eurer *Rebellion* oder wie ihr es nennen wollt?» Er wirkte sichtlich amüsiert. Ich wusste bereits, dass Sacka davon wusste. Ich wusste nur nicht wie viel und *was* er wusste. Vielleicht wusste er alles über uns, unsere Namen, unseren Treffpunkt, aber vielleicht wusste er auch nur von unserer Existenz und mehr nicht und darauf setzte ich alles. Theo und Zoe neben mir schienen sich immer unbehaglicher zu fühlen. Vermutlich wussten sie nicht, dass wir aufgeflogen waren. Zoes Blick fixierte mich für einen kurzen Moment, lange genug um mir zu zeigen, dass das einzige, was sie noch ruhig hielt und nicht in Panik ausbrechen ließ, meine selbstsichere Art war, die nicht verriet wie tief wir in der Scheiße steckten. «Lasst uns gehen und verfolgt uns nicht oder wir töten ihn.» Ich zeigte zu Noah, der immer noch bewusstlos in Theos Armen hing. Ich hängte unsere drei Leben an den kleinen Funken der hoffte, dass hinter den Worten, die Sacka mit Noah gewechselt hatte, mehr steckte als ich anfänglich geglaubt hatte.

Erst jetzt schien Sacka aufzufallen, dass wir zu viert anstatt nur zu dritt waren. Der amüsierte Blick wich aus

344

seinem Gesicht, was mir eine gewisse Genugtuung brachte. Ich hatte also recht gehabt.

«Warum sollte mich Noahs Leben mehr interessieren als euer Tod.» Selbst mit seinen Worten konnte er es nicht vor mir verbergen. Noah war unser Druckmittel. *«Weil er doch etwas ganz Besonderes ist, mit einer wichtigen Rolle»*, zitierte ich seine Worte, woraufhin seine Mundwinkel zuckten. Er machte einen Schritt auf uns zu. Bevor ich darauf reagieren konnte, handelte Theo in wenigen Sekunden. Er klappte ein Messer auf und hielt es Noah an die Kehle. Es war das Messer mit dem Noah Zoe das Merkmal rausschneiden wollte. Die Klinge war noch gefärbt von ihrem Blut. Sacka blieb augenblicklich stehen. Wir alle, auf beiden Seiten, warteten auf seine nächste Reaktion. Er verzog seinen Kiefer mehrmals und fuhr sich einmal mit der Hand über den Kopf. Er überlegte. Sein Blick schweifte mehrmals zu uns und zum Boden. Dann sagte er plötzlich: «Ihr könnt gehen, aber glaube mir, ein zweites Mal wird es nicht so ablaufen.» *War das sein Ernst?* Kamen wir wirklich davon? Trotz der Protestrufe und ungläubigen Gesichter seiner Soldaten, unternahm keiner von ihnen etwas als wir uns in Bewegung setzten. Ich drehte mich noch einmal um. Ich sah wie Sacka uns fixierte und dann auf der Stelle kehrtmachte und Richtung Krankenhauskomplex verschwand. Wir hatten ihn in der Hand gehabt und ich

345

konnte schwören, dass er das nie im Leben noch einmal zulassen würde.

Ich packte Zoe am Arm und dann rannten wir los. Theo folgte uns mit Noah. Ich konnte nicht lange rennen, also stolperte ich mehrmals und Zoe übernahm die Führung. Wir waren hinter der Fabrik, vor uns grenzte der Wald und auch wenn das der auffälligste Weg war, rannten wir direkt auf ihn zu. Wir mussten irgendwie zu Phils Haus kommen und die anderen warnen, selbst wenn Sacka genau wusste, dass wir das vorhatten.

Wir erreichten den Wald und rannten noch ein Stück weiter rein, dann hielt ich an. «Ist alles ok bei euch?» Wir alle brauchten diese Pause. «Oh mein Gott wir haben es wirklich geschafft, aber warum?», sagte Zoe voller Verwirrung und Erschöpfung. Ich sah sie an. Theo ließ Noahs Körper zu Boden sinken, dann sagte er: «Was ist mit ihm, dass er unser Leben gerettet hat?»

«Ich weiß es nicht. Ich weiß nur, dass er eine wichtige Bedeutung für Sacka hat.»

«Was machen wir jetzt? Sacka hat die Rebellion erwähnt, er weiß also Bescheid. Wenn wir jetzt die anderen warnen, ist das ihr Tod und auch unserer. Ich denke nicht, dass Sacka uns noch einmal laufen lässt.» Ich nickte bei Zoes Worten, genau das dachte ich auch. Sie fuhr fort: «Wir müssen wieder zurück, zumindest einer von uns.» *Okay, aber das dachte ich auf keinen*

Fall. Theo war schneller als ich mit einer Antwort. Er war zwar der gleichen Meinung wie ich, reagierte jedoch ganz anders, als ich es erwartet hätte. Seine Stimme war verbittert und herablassend. «Nein! Wir gehen nicht zurück! Willst du etwa deinen Plan zu Ende bringen? Wie lächerlich, dass du immer noch daran festhältst.» Zoe schien auch sichtlich überrascht zu sein von seiner Reaktion, doch im Gegensatz zu mir, schien sie zu verstehen warum er so aufgebracht war. «Nein verdammt. Wir müssen Meira, Liam und Wise, da rausholen und vor allem warnen. Sie wissen von nichts. Liam hat nur unseren Ausbruch mitbekommen, woher soll er wissen, dass Sacka über uns Bescheid weiß?» Auch sie war nun ungehalten und ich verstand nicht warum beide ausgerechnet diesen Moment für angebracht hielten. «Wir können nicht zurück, du hast doch gerade selber gesagt, dass er uns nicht noch einmal davonkommen lässt. Wir müssen hier verschwinden. Liam wird vorsichtig sein. Er kann eins und eins zusammenzählen und Meira kann sich um sich alleine kümmern. Wir können jetzt nichts anderes machen, als zu hoffen, dass sie es rausschaffen.» Ich versuchte so ruhig wie möglich zu klingen und das auf beide zu übertragen, aber es half nicht. «Und ich halte nicht mehr daran fest. Ich weiß wie leichtsinnig der Plan war, aber was hätte ich denn machen sollen, schließlich saßen wir in diesen Zellen fest», sagte Zoe.

«Der Punkt ist, dass du es durchgezogen hättest, wenn wir nicht in diesen Zellen gewesen wären und es wäre schief gegangen, so wie das hier beinahe schief gegangen ist.» Das hier *wird* auch noch schiefgehen, wenn sie so weitermachten. War es der Schock, der sich jetzt seinen Weg nach oben bahnte?

«Woher weiß Sacka eigentlich von der Rebellion? Vielleicht hat er ja alles von deinem Wise erfahren?» Das war Theo. «Spinnst du? Das würde er nicht tun, außerdem was ist denn mit dir? Warum hat mir Noah, denn das Messer in die Schulter gerammt? Weil du zu feige bist, um damit zu leben, was du getan hast. Sogar so feige, dass du Rachel ganz aus deinem Leben auslöschen willst.» Jetzt reichte es. Ich musste sie stoppen. «Wisst ihr nicht mehr, dass wir gerade nur knapp lebendig davongekommen sind? Wir sollten uns überlegen wie wir es auch noch länger bleiben und mit jedem Wort, das ihr euch an den Kopf werft, verringert ihr unsere Chancen.» Noah regte sich plötzlich, woraufhin Theo ihn, noch Zorn geladen, wieder bewusstlos schlug. Theo schien anscheinend danach auch den Ernst der Lage wieder zu verstehen, denn er sagte: «Ich weiß wie wir unbemerkt zu Phil kommen. Wir müssen da entlang.» Ohne weitere Worte legte er sich Noahs Arm über die eine Schulter und ich stütze diesen von der anderen Seite, während Zoe meinen Arm sich umlegte, um mich zu unterstützen. Theo ging

348

ziemlich schnell und ich hatte Mühe mitzuhalten, was relativ neu in meinem Leben war. Er führte uns ein gutes Stück weiter durch den Wald, dann bogen wir wieder leicht Richtung Dorf ein und kamen irgendwann an einem alten Brunnen an, der überwuchert von Pflanzen und Wurzeln war. Der Brunnen bestand aus vielen Steinschichten die Kreisförmig übereinander getürmt waren. «Und jetzt?», fragte ich. «Wir müssen da runter. Wenn mich nicht alles täuscht, sollten wir dort unten über mehrere Abzweigungen zu dem Kerkerabschnitt unter Phils Haus gelangen. Ich hoffe ich kenne noch den Weg.» Ich sah ihn irritiert an. «Wie, du hoffst du kennst noch den Weg, wieso noch?» Darauf antwortete er nicht, sondern holte etwas abseits aus dem Gestrüpp ein Seil und warf es über einen dicken Ast, der über den Brunnen ragte, dann gab er mir ein Seilende in die Hand. «Knote dir das um den Bauch. Das Seil wird sich vermutlich etwas in deine Haut einschneiden, aber du musst probieren Noah mit runter zu nehmen.» Ich befolgte Theos Anweisung und band mir das Seil mit festen und gut haltenden Knoten um. Ich schlang zweimal meinen Arm um das Seil und dann legte mir Theo Noah über meine Schulter. Vorsichtig positionierte ich meine Beine über den Brunnenrand und als Theo und Zoe das andere Seilende packten, um mich zu sichern und langsam nach unten abzuseilen, ließ ich mich von dem Rand gleiten und hing über dem Brunnenloch. Mich alleine zu halten, war für die beiden schon schwer genug, aber mit Noah noch als zusätzliche Last, hatte ich Bedenken, ob sie das schafften. Aber nach wenigen Minuten erreichten meine Beine den Boden und meine Schuhe füllten sich mit Wasser. Der Brunnen schien zwar trocken gelegt zu sein, aber das Regenwasser hatte hier keine Chance abzufließen. Noah ließ ich einfach in die Pfütze fallen. Es war so niedrig, dass sein Kopf problemlos rausragte. Nachdem ich mich von dem Seil befreit hatte, sah ich dem Ende hinterher, wie es schwingend wieder nach oben gezogen wurde. Mein Blick schweifte zu den moosigen und vom Regen leicht feuchten Brunnenwänden. Ich war schon öfters durch diesen Wald patrouilliert und gestreift, aber dieser Brunnen war mir noch nie ins Auge gesprungen. Woher wusste Theo von seiner Existenz und vor allem, wie ging es weiter, wenn wir alle hier unten waren? Denn wenn ich mich einmal um mich selbst drehte, sah ich nur Wände, keinen Ausgang und keine Tür.

Von oben seilte sich eine weitere Person ab, ich tippte auf Zoe. Nachdem auch sie unten war, nahmen wir beide das Seilende in die Hand und nach einem Zeichen von uns, kam auch Theo durch das Loch zu uns hinunter. «Ganz schön eng hier», bemerkte Zoe. Ich antworte ihr mit einem kurzen Nicken, welches im Schatten des Tunnels kaum zu erkennen war. Die

Stimmung war immer noch gespannt. Nicht nur zwischen Zoe und Theo, sondern auch zwischen ihr und mir. Aber erst mal mussten wir weiter. «Und wie kommen wir jetzt weiter?»

«Dieser Tunnel befindet sich am Ende eines Ganges eines alten Kanalsystems. Es ist immer noch Wasser in den Vertiefungen, aber es wird nicht mehr aktiv genutzt. Dieses System wies Fehler auf, wenn es um die Umleitung und den Abtransport ging, daher wurde eine neue Anlage verlegt, die nur an manchen Stellen, das alte System kreuzt. Durch diese Gänge könnten wir zentral im Dorf wieder rauskommen. Irgendwo hier...» Er sprach nicht weiter sondern tastete suchend an der Brunnenwand herum. Dann machte er ein erfreutes Geräusch, als er mit einem Haken mehrere Steine aus der Wand entfernte und ein kleines Loch auf Höhe meiner Brust entstand. «Da müssen wir durch, dann kommen wir in den Gang. Aber Moment, wo ist Noah?» Irritiert starrte ich zu der Stelle, wo ich ihn abgelegt hatte. «Ich habe ihn da abge...» Ich verstummte. Er war wirklich nicht mehr zusehen. Ich bückte mich. Meine Hände fuhren durch das Wasser. Ich spürte nichts außer Blätter und andere Pflanzen, die im Wasser schwammen und den Boden. «Was ist, wenn er abgehauen ist? Mist!», fluchte Theo genervt. Ich tastete weiter den Boden ab und schaute ihn nicht an, aber hätte ich es getan, hätte er meinen Blick gesehen, der so viel sagte wie: Bist du bescheuert? «Dein Ernst Theo? Wie soll er denn hier raus gekommen sein? Ist er die Wand hochgeflogen?» Der Boden bestand aus einem Gitter, auf dem wir standen. Ich konnte durch eines der Gitterlöcher greifen und spürte immer noch Wasser. Unter uns musste es noch weiter in die Tiefe gehen. Zoe kam näher, sie sah mich an. Doch als sie einen Schritt auf mich zu machte, schrie sie plötzlich auf und verschwand auf einmal im Boden. Nur noch ihr Kopf ragte raus, der erschrocken und zittrig nach Luft rang. Mit ihren Händen versuchte sie sich an dem Bodengitter hoch zu stemmen. Theo und ich zögerten keine Sekunde ihr zur Hilfe zu eilen und zogen sie wieder hoch. Ihre nassen Klamotten klebten an ihrem Körper. «Da ist ein Loch im Boden und es ist nicht gerade flach», sagte sie erschrocken. «Noah muss da rein gerutscht sein. Anscheinend führt der Brunnen noch tiefer. Wenn er wirklich jetzt unter uns ist, sinkt er immer weiter. Seine Klamotten werden sich voll saugen.» Während ich sprach, zog ich meine Schuhe aus. «Du willst da rein? Das Wasser ist total dunkel und dreckig. Du wirst nichts sehen können da unten. Es ist Noah, willst du wirklich für ihn so viel riskieren? Wer weiß wie tief es noch geht?» Ich stoppte trotz Theos Worten nicht und ließ mich ins Wasser gleiten. «Er wird ertrinken», waren meine letzten Worte, dann holte ich tief Luft und tauchte ab ins Wasser. Es war kalt, aber ich spürte es kaum. Ich war zu sehr darauf fixiert Noah zu finden. Mein Versuch die Augen zu öffnen brachte gar nichts. Theo hatte Recht, ich konnte nichts sehen. Also musste ich es mit geschlossenen Augen versuchen. Wenn ich mich lang machte, konnte ich die Brunnenwand jeweils mit meinen Füßen und mit meinen Händen spüren. Wenn Noah hier irgendwo war, müsste ich ihn auf meinem Weg nach unten berühren. Ich atmete aus und kleine Luftbläschen bahnten sich ihren Weg nach oben. Ich spürte sie an meinem Gesicht nach oben steigen. Der Druck auf meinen Ohren stieg und ich versuchte diesen so gut es ging auszugleichen, doch gleichzeitig merkte ich wie mir die Luft ausging. Wenn ich jetzt weiter tauchen würde, wusste ich nicht ob ich noch genug Sauerstoff hatte, um wieder hochzukommen. Plötzlich spürte ich eine Bewegung im Wasser und etwas streifte meinen Bauch. Ohne zu überlegen packte ich danach und bekam etwas zu greifen. Meine Hände schlossen sich um einen Arm und ich begann wie wild mit meinem freien Arm uns in Richtung Zoe und Theo zu befördern. Dabei stieß ich mich mit meinen Beinen an etwas ab. Noah -zumindest hoffte ich, dass ich Noah mit mir zog- zog uns nach unten und ich merkte wie wir immer langsamer wurden. Von ihm ging keine Bewegung mehr aus. Jede Sekunde war für ihn zählend. Ich durfte nicht aufgeben, das wäre sein und mein Tod. In der letzten Sekunde erreichten meine Finger das Gitter und ich tastete nach dem Loch. Ich schob erst Noah und dann mich selbst hindurch. Zoe und Theo zogen uns beide nach oben und ich sank auf das Gitter, sodass mein Kopf noch aus dem Wasser ragte, so wie Noahs zuvor. «Oh mein Gott, du hast ihn», hörte ich Zoes Stimme, während Theo sich über Noah beugte und dann mit einer Herzdruckmassage anfing. Immerhin stand er jetzt nicht einfach tatenlos daneben. Mit Erfolg: Noah spuckte das restliche Wasser, was sich in seiner Lunge gesammelt hatte aus und kam panisch nach oben. Theo probierte ihn zu beruhigen und sagte: «Hey, es ist alles gut.» *So viel Mitgefühl hätte ich von Theo nicht erwartet.* Noah atmete kurz und heftig ein und aus, dann fand er seine Sprache wieder. «Alles ist *gut*? Wo bin ich? Was war das?» Theo antwortete ihm. «Du bist gerade beinahe ertrunken. Du kannst von Glück reden, dass Traver hier mit uns ist. Ich wäre garantiert nicht hinter dir her gesprungen, um dich zu retten.» Ein kurzer Blick zu mir ließ mich in seinem Gesicht einen Anflug von Dankbarkeit erkennen, bis er sich wieder besann und auch zu Theo und Zoe blickte. Vermutlich registrierte er erst jetzt mit wem genau er hier war, denn er fragte: «Was habt ihr mit mir vor?» und ich antwortete: «Im Moment bist du erst mal unsere Geisel. Wenn wir ankommen, sehen wir weiter.»

«Ankommen? Wo?» Niemand reagierte auf diese

Frage.

Wir zwängten uns alle durch das kleine Loch, das Theo vorher frei gemacht hatte. Erst Theo, dann Noah. Nach ihm Zoe und zum Schluss ich. Theo verschloss es mit den Steinen wieder und reichte Zoe eine Taschenlampe, eine andere behielt er selber. *Woher hatte er die ganzen Sachen?* Das Seil, die Taschenlampen und woher kannte er den Weg?

Trotz dem Schein der Taschenlampen, konnten wir das Ausmaß des Ganges, in dem wir uns befanden nur erahnen. Der Gang führte immer weiter geradeaus. Dunkle Schatten an den Seiten wiesen auf Abzweigungen hin. Links von dem Weg auf dem wir gingen, waren Vertiefungen. Wasserrinnen, in denen sich noch eine kleine Menge Wasser sammelte. Theo führte uns an und ich folgte direkt hinter ihm mit Noah im Schlepptau. Zoe leuchtete uns von hinten den Weg. Ich konnte nur hoffen, dass Noah seine Lage verstand und keine Dummheiten machte, aber vorsichtshalber versuchte ich es ihm noch einmal verständlicher zu machen. «Wenn du irgendetwas planst oder abhauen willst, dann wirst du dich beim nächsten Aufwachen, gefesselt auf dem Boden wiederfinden, wie ich dich hinter mir herschleife, verstanden?», zischte ich in Richtung seines Ohres. Sein Kiefer spannte sich an, das sah ich selbst bei dem schwachen Licht, dann sagte er:

355

«Tu dir keinen Zwang an.» Seine Miene verriet mir, dass er mir am liebsten noch ganz andere Dinge an den Kopf geworfen hätte. Dass er sich seine Worte verkniff, nahm ich mal als kleinen Sieg an.

Theo führte uns immer weiter durch die Gänge, manchmal bogen wir rechts ab, manchmal links, aber meistens folgten wir dem Gang bis zum Ende, bis dieser in einer Verzweigung endete und wir gezwungen waren eine andere Richtung einzuschlagen. Es war fast schon gespenstisch wie Theo sich hier auskannte. Er stoppte kaum, um sich zu orientieren oder zu überlegen. Doch dann stoppte er doch ganz plötzlich und Noah und ich liefen fast in ihn rein. Er drehte sich um und bedeutete uns leise zu sein. «Hier kreuzen sich die neuen und die alten Kanäle. Wir müssen ein Stück durch den neuen Teil», flüsterte er uns zu und als er sich wieder in Bewegung setzte folgten wir ihm noch vorsichtiger als zuvor. Der neue Teil zeichnete sich durch ein besseres Mauerwerk und Lampen an der Decke aus, die im Moment aus waren. Doch nicht lange. Denn plötzlich leuchteten die Lampen mit einem flimmernden Geräusch auf. Wir stoppten augenblicklich. Ich sah mich um, doch es war niemand zu entdecken, dabei musste ja jemand hier sein. Mein Blick wanderte zu Zoe, die schreckhaft ihre Taschenlampe ausschaltete.

Hier weiter rumzustehen, war keine gute Idee. Wir

mussten weg, aber der Gang vor uns zeigte keine weiteren Abzweigungen. Unsere einzigen Möglichkeiten war vor oder zurück. Und dann hörten wir sie. Aus der Richtung, aus der wir gekommen waren kamen Geräusche. Sicher ahnten sie nicht, dass wir hier unten waren, aber wenn man uns finden würde, wüssten sie genau was zu tun war. Wir konnten nur nach vorne. Sofort fingen wir an zu rennen. Noch hatte uns keiner gesehen. Doch ich hatte nicht damit gerechnet was als nächstes passierte. Noah blieb ganz plötzlich stehen und wehrte sich gegen meine Arme, die ihn versuchten weiterzuziehen und dann schrie er. Vorher hatten uns unsere lauten Schritte verraten, jetzt war es eindeutig Noah. Ich verpasste ihm einen Hieb in die Seite, wodurch sein Schrei in einem Schmerzensgeräusch erstarb. Doch das hielt ihn nicht lange auf. Theo handelte sofort. Er drehte sich um und schlug ihn ebenfalls, worauf er wieder bewusstlos zu Boden sank. *Wie schaffte Theo das immer wieder?* Zu zweit packten wir Noah und zerrten ihn mit uns. Schritte donnerten hinter uns, doch ich wagte es nicht mich umzudrehen. Endlich kam eine Abzweigung und wir folgten ihr. Dann waren Schüsse zu hören. Bei den nächsten zwei Abzweigungen bogen wir wieder ab und liefen dann immer weiter geradeaus. Die Schüsse hallten durch die Gänge, gefolgt von den schnellen Schritten. Direkt hinter mir vernahm ich Zoes schnellen

Atem. Wir kamen wieder in den alten Kanalteil, der ohne Beleuchtung war und hier wurden wir langsamer und pressten uns in einer Abzweigung an die Wand. Zoe hielt die Luft an und ich drückte ihre Hand, um sie zu beruhigen. Aber es gab keinen Grund sich zu beruhigen, denn eines war klar: Noah reichte nicht mehr aus, um uns das Leben zu retten. Die Schritte kamen immer näher und wir pressten uns weiter an die Wand, sodass die spitzen Ecken der Steine sich in meinen Rücken bohrten. Mit den Schritten kamen auch Stimmen. Sie waren so nahe, dass sie uns mit Licht locker hätten sehen müssen. Aber aus irgendeinem Grund hatten sie keine Lampen dabei. Eine gefühlte Ewigkeit standen sie dort und mit jeder Sekunde mehr, konnte ich nur hoffen, dass Noah nicht aufwachen würde. *Atmete Noah überhaupt noch?* Okay, ja immerhin das. Ich wollte schließlich keine Leiche mitschleppen oder zurücklassen. Das wäre mir einfach zu viel für heute.

Endlich wurden die Stimmen schwacher, ihre Schritte verhallten in den Gängen und ich spürte wie Zoe erleichtert ausatmete. Theo überflog uns mit einem Blick, dann flüsterte er: «Lasst uns weiter gehen, bevor sie zurückkommen. Es ist nicht mehr weit.»

Zoe half mir mit Noah und wir bogen noch ein paar Mal ab, bis wir in einer Sackgasse ankamen. Ich hatte schon Bedenken, dass Theo uns falsch hergeführt hatte, doch dann legte er am Boden etwas frei. Ein weiteres Loch, wo eine Leiter nach unten führte. Auf meinen irritierten und erstaunten Blick erwiderte er nichts. Wir alle kletterten nacheinander nach unten und Theo schloss die Öffnung von innen wieder. Hier unten war es noch kälter als in dem Gang über uns und wir alle, bis auf Theo, steckten immer noch in unseren nassen Klamotten.

«Warum kennst du dich hier so gut aus? Und warum lag alles schon bereit, so als ob es geplant war?» Es klang mehr wie eine Anschuldigung als es sicherlich von Zoe beabsichtigt war, aber Theo fasste es genauso auf. Ich konnte nur hoffen, dass wir jetzt weit genug unter der Erde waren, dass uns niemand hören konnte. «Du unterstellst mir, dass ich das geplant habe? *Ich* habe gar nichts geplant», sagte er sichtlich aufgebracht. Schon wieder so eine Anspielung, die ich nicht verstand. Dann wurde er etwas ruhiger und fügte hinzu: «Zumindest nicht so. Rachel hatte die Kanalpläne besorgt und wir hatten sie studiert und alles für unsere Flucht vorbereitet, bevor...» Wenn er von Rachel sprach wurde er immer ruhiger. Ob vor Trauer oder vor Erinnerung konnte ich nicht sagen. Ich wusste generell nicht viel von diesem Vorfall, nur das sie es fast raus geschafft hatten, bevor Sacka sie erwischt hatte und dass seitdem Rachel kein Thema mehr war, laut Sacka. «Und du willst das alles vergessen? Du willst sie vergessen? Dann hätten wir es nie bis hierher geschafft.» Ich rechnete damit, dass Theo wieder aufgebracht reagieren würde, doch er schaute Zoe ruhig an und seine Stimme blieb es ebenfalls, als er auf ihre Worte einging. «Nein. Ich will sie nicht vergessen.» Er machte eine Pause bevor er weitersprach: «Aber ich stelle es mir leichter vor. Jedes Mal wenn ich wieder in solch eine Situation komme, jedes Mal wenn ich kurz davor bin wieder abzudrücken, sehe ich sie vor mir, wie sie zu Boden geht und das kann ich nicht. Ich kann es nicht immer und immer wieder durchleben. Das schaffe ich nicht. Es macht mich unfähig zu handeln und wenn wir jetzt zwangsläufig gegen Sacka vorgehen müssen, kann ich nicht wie gelähmt reagieren. Dann weiß ich lieber nichts von diesem Kampf, als unfähig in ihn zu ziehen.»

Zoe brauchte lange bis sie die richtigen Worte als Antwort fand. «Es macht dich nicht unfähig, es macht dich menschlich. Um das jedoch zu bleiben musst du die Erinnerung an sie wahren. Sacka ist dafür verantwortlich. Du und Rachel wolltet abhauen, wegen seiner Machenschaften, habt alles aufs Spiel gesetzt, weil das was hier geschieht menschenverachtend, manipulativ und in keinster Weise zu rechtfertigen ist und jetzt nach alldem, bist du bereit dich einfach so geschlagen zu geben? Sacka zu erlauben dir deine Identität zu nehmen, wäre nicht nur ein Verrat an

Rachel, sondern auch ein Verrat an dir selbst, findest du nicht?» Dann war es plötzlich still, keiner von beiden sagte mehr etwas dazu und ich hielt es auch für keine gute Idee jetzt noch weiter nachzuhaken. Anscheinend war das genau das, was Theo hören musste, denn sonst war er nicht der Typ, der einfach schwieg.

Wir setzten unseren Weg stumm fort. Ich hätte sie gerne noch auf so viele Dinge angesprochen, aber ich verkniff es mir. Vorerst zumindest.

Nach wenigen Metern stoppte Theo und sah uns an. «War es wirklich eine gute Idee Liam und Meira ihrem Schicksal zu überlassen?»

«Ich kann nur sagen was ich vorhin schon gesagt habe. Meira kann für sich alleine sorgen und Liam wird Wise finden und ihn sicher rausbringen. Er hat das Meiste mitbekommen. Er wird um die Gefahr wissen, schließlich wird er nicht denken, dass Sacka uns einsperrt und keine Verbindung zu ihm sieht. Ich fühle mich auch nicht wohl bei dem Gedanken, aber wir hätten nicht zurück gekonnt.» Bei meinen eigenen Worten lachte ich innerlich auf. Ich fühlte mich nicht einfach nur *nicht wohl*. Ich hatte ein total beschissenes und mieses Gefühl. Ich glaubte ja nicht mal meinen eigenen Worten. *Hatte Liam wirklich das Meiste mitbekommen? Wusste er von der Gefahr?* Wir waren die ganze Zeit wie als Wolf getarnte Schafe gewesen in Mitten einer gewaltigen Raubtierherde. Daran hatte sich nichts geändert, nur dass die Wölfe allmählich unsere weiße Wolle durchschimmern sahen und das war unser Todesurteil.

«Woher hat Sacka von der Rebellion erfahren?», fragte Theo, woraufhin Zoe sofort wieder gereizt zu ihm guckte. Sofort beschwichtigte er sie. «Ich sag ja gar nicht, dass es Wise gewesen sein muss, aber irgendjemand muss ihm doch davon erzählt haben.» Ich nickte. Selbst wenn wir auffällig gehandelt hatten, war das eine naheliegende Schlussfolgerung, doch dann sagte ich: «Als er zu mir kam hat er auch schon davon erzählt. Eher damit geprahlt, *dass wir aufgeflogen sind.* Ich weiß nicht, ob ihm jemand etwas erzählt hat oder ob wir einfach viel zu leichtsinnig gewesen sind. Allerdings denke ich, dass er nichts Genaues über uns weiß, denn wenn doch verstehe ich nicht warum nur ihr beide und Wise da ward. Warum hat er nicht gleich alle hergeholt?» Theo und Zoe sahen sich an. «Uns gegenüber hat er nichts von der Rebellion erwähnt. Er wusste aber darüber Bescheid, dass wir uns erinnern konnten. Bevor er uns in die Zellen gesperrt hat, hat er uns zu einem dieser Tests geschickt und entweder war da unser Fehler oder er hat uns belauscht, als wir danach geredet haben. Wir waren so bescheuert.» Zoe ergänzte Theos Worte: «Obwohl ich glaube nicht, dass der Test oder das Gespräch der Auslöser waren, er hatte es schon vorher geahnt.» Irritiert fragte ich beide:

«Wenn ihr nicht dagewesen seid, weil Sacka unsere gesamte Gruppe dort versammeln wollte, warum war dann Wise da? Warum sollte Sacka ihn im Visier haben?»

«Weil ich es mit ihm so abgesprochen habe.»

«Was?» *Was sagte Zoe da?* Wie *abgesprochen*? Theo erklärte es anstelle von ihr. «Sie hat ihren Plan, den sie uns vorgestellt hat mit Wise durchgezogen. Na ja oder sagen wir, fast. Dafür hat sie Wise belogen und gesagt, dass es von Phil abgesegnet ist.» Ich fixierte sie. «Du hast weiterhin an dem Plan festgehalten, obwohl wir dir alle davon abgeraten haben? Obwohl du mir dein Versprechen gegeben hast?» Bei meinen Worten zitterte sie leicht. Sie wirkte auf einmal so zerbrechlich und unschuldig, dass ich sie am liebsten in den Arm genommen, sie geküsst und nie mehr losgelassen hätte, aber ich konnte nicht weiter daran denken, wenn ich an sie und Wise dachte. Ich wandte mich ab. Etwas Warmes legte sich auf meine Schulter. Ihre Berührung war so sanft und ich sehnte mich nach nichts anderem, aber es erfüllte mich mit Schmerz zu wissen, dass Berührungen von ihr, nicht mehr mir gelten würden. Ich wollte ihre Hand nicht. Nicht so, also ging ich einen Schritt nach vorne und sie glitt von meiner Schulter.

30 ZOE

«Traver», hörte ich mich selbst sagen, obwohl es eher eine Art Flehen war. Er sollte mir gefälligst zuhören. *Aber wie sollte ich anfangen?* Ich fand doch selber, dass es ziemlich beschissen gelaufen war. «Wir müssen weiter zu Phil und den anderen. Es ist doch nicht mehr weit oder?» Theo bestätigte mit einem Nicken Travers Vermutung, dann ging er los, aber ich blieb stehen und brachte ihn mit meinen Worten ebenfalls dazu. «Es tut mir leid wegen dem Kuss. Das ist es doch, was dich am Meisten aufregt oder nicht?» Traver hatte sich wieder mir zugewandt und ich blickte in seine Augen, die verletzt aufgerissen waren. «Ich dachte dein Versprechen an mich bedeutet etwas.» Jetzt benahm er sich aber kindisch. Als ob es ihm darum ging. Ich wich seinem Blick aus. «Das tut es auch.»

«Du hast ihn angelogen und darein geschickt. Wegen einer Lüge hat er sich darauf eingelassen. Aber warum ihn? Wie hattest du dir das vorgestellt? Alle alleine aus dem Weg zu räumen?» *Danke, dass wusste ich jetzt auch selber.* Wise war wegen mir bei Sacka. *Ich* hatte ihn in Gefahr gebracht, aber Liam würde ihn befreien. *Oder nicht?* Ich konnte Traver das alles nicht sagen. Konnte nicht laut gestehen wie dumm es war. Das Einzige, was ich tat war schuldbewusst zu Boden blicken und das reichte auch schon aus. «Ist es das, was du an ihm so magst? Dass er jeder Zeit bereit ist, irgendeinen hirnrissigen Plan auszuführen. Dass er nicht nachdenkt und sich einfach in die Gefahr stürzt?» Ich antwortete genauso Wut entbrannt wie er: «Willst du ihm jetzt unterstellen, dass er mir geglaubt hat oder was?» Traver senkte seine Stimme: «Nein, ganz sicher nicht. Dann müsste ich auch mir unterstellen, dass ich an dein Versprechen geglaubt habe.» Ich konnte es echt nicht mehr hören. «Okay, was willst du hören? Dass der Plan gründlich schief gegangen ist? Verdammt nochmal, ja ist er. Er hat ja noch nicht einmal stattgefunden. Aber auch wenn ich nicht in dieser Zelle gesessen hätte wäre er schief gegangen. Willst du hören, dass ich eine Lügnerin bin, dass ich Wise in Gefahr gebracht habe, dass alles meine Schuld ist? Gerne: Es ist alles meine Schuld! Da hast du es. Immerhin habe ich es probiert, nicht wie ihr. Ihr wollt nur weiter zusehen und nichts tun, während...» Ich unterbrach mich selbst, als ich in seine Augen sah. «Während was? Du kannst doch selbst nicht sagen was hier abgeht», sagte Traver. «Natürlich kann ich das, aber darum geht es doch überhaupt nicht.»

«Du hast recht es geht darum, dass du mit...»

«Was? Dass ich mit Wise da war? Willst du den Grund wissen?» Traver war der erste von uns beiden, der nun seinen nächsten Satz nicht mehr Wut geladen zum Ausdruck brachte, sondern ihn zwischen zusammengepressten Zähnen hindurch knirschte: «Nein.» Er blieb auch der Einzige, denn ich machte weiter: «Du willst nicht einmal den Grund wissen?» Und auch er verlor wieder die Beherrschung: «Natürlich will ich den Grund wissen...»

«Warum sagst du dann nein?»

«Weil ich nicht will, dass du es aussprichst.»

«Was denn aussprechen?» Ich hielt inne und dachte über seine Worte nach. Er hatte das doch alles total missverstanden und ließ mir nicht mal die Chance es zu erklären. Okay ich hatte mich nicht an mein Versprechen gehalten, ich hatte ihn somit hintergangen und ich hatte das alles mit Wise geplant. Er hat gesehen wie ich ihn geküsst hatte, aber doch nur für den Plan. Oh Gott ich war so mies gegenüber Wise und für Traver sah das wirklich nach keinem Missverständnis aus. Ich versuchte mich zu beherrschen und war bei meinen nächsten Worten ruhig: «Dass du es immer noch nicht verstanden hast. Warum ich es ohne dich gemacht habe? Weil du der Einzige bist, der mich hätte abhalten können. Weil ich dir vertraut hätte, wenn du mir gesagt hättest, dass wir das auch anders schaffen werden, aber ich wusste, dass das unsere Chance war. Und der...der Kuss, ich...ich weiß es selbst nicht genau warum ich es getan habe, vielleicht weil ich nicht wollte, dass er abspringt. Aber darum geht es auch nicht! Es geht um das, was ich gespürt habe. Du hast mich gefragt ,ob ich auch etwas zwischen uns gespürt habe. Die Antwort ist: *Ja.* Und wegen dem Kuss, da kann ich dir sagen...Es war nicht...» Traver küsste mich. Es war der ungünstigste Zeitpunkt und der ungünstigste Ort, aber er tat es trotzdem. Seine Hände fuhren meinen Nacken entlang. Unsere Lippen schmiegten sich aneinander und es war gar kein Vergleich mit Wises Kuss. Es fühlte sich an als wären unsere Lippen schon immer für einander bestimmt gewesen. Ein Kribbeln und Hitze stieg durch meinen Körper, während auch ihn ein Feuer zu durchströmen schien. Seine Lippen forderten immer mehr von mir ein und ich war bereit es ihm zu geben. Meine Hände schlossen sich auch um seinen Nacken und das Kribbeln nahm kein Ende.

Als wir uns lösten sagte er: «...wie das hier.» Ich fixierte ihn und stimmte ihm lächelnd zu: «Nein, es war nicht wie das hier.» Unsere Blicke trafen sich. *Es war wirklich kitschig, aber ich liebte es. Ich wollte nur ihn.*

«Oh mein Gott Leute! Nehmt euch ruhig noch mehr Zeit für euer kleines Drama. Nächstes Mal dann bitte wo anders, ich muss das nicht unbedingt mit ansehen.» Bei seinem Kommentar erkannte ich endlich wieder den alten Theo.

Nachdem wir uns weiter einen Weg durch die Gänge geschlagen hatten und Theo uns gefühlte 20 Mal um weitere Ecken lenkte, kamen wir endlich an einem etwas zugeschütteten Gangende an. Theo deutete darauf. «Dahinter ist die Kerkeranlage.» Mit wenigen Handgriffen legten wir mehrere Steine beiseite und verschafften uns so einen Zugang. Auf der anderen Seite legten wir wieder Steine davor, wir mussten nur noch um eine Ecke und dann kamen wir schon in dem Bereich der Kerkeranlage an.

Wir hatten keine Ahnung was Sacka plante, er wusste über uns Bescheid und genau deshalb war es auch so wichtig die anderen zu warnen, wenn es nicht schon zu spät war.

Die gesamte Anlage war im Dunkeln. Hier unten waren sie also nicht. Phil musste sich oben befinden, zumindest hoffte ich das. Plötzlich richtete sich ein heller Strahl auf uns. Unsere Taschenlampen waren dagegen nur ein leichtes Schimmern. Geblendet konnten wir nichts sehen. Ich legte meine Hand schützend vor meine Augen. Dann hörten wir ein bekanntes Klicken. Ich kannte es nur zu gut, das Entsichern einer Waffe. Sofort verfiel ich in eine Schockstarre. Doch dann senkte sich das Licht und Mabels vertraute Stimme rief: «Entwarnung, nehmt die Waffen runter. Es sind Traver, Zoe und Theo.» Das Licht wurde angemacht und verteilte sich über unseren Köpfen. Vor uns standen Mayleen, Mabel, Aiden, Finley und 3 weitere mit Waffen im Anschlag. Die

Überraschung, die sich in Aidens Frage wiederfand, spiegelte sich auch in den Gesichtern der anderen: «Wo kommt ihr her?» Theo erzählte von den Kanalplänen. Doch ich hörte nicht hin, sondern konzentrierte mich auf Mabel, die erleichtert auf uns zukam und mich umarmte. Es war schön jemanden zu haben, der mich noch nicht dafür verurteilte was ich Wise angetan hatte. «Wir haben mitbekommen, dass du und Theo von Sacka verschleppt wurdet. Ich habe mir große Sorgen gemacht. Und warum bist du so nass?» Als sie sich von mir löste umarmte sie auch Theo. Sie kam gerade auf Traver zu und sagte: «Und wo warst du, dich haben wir auch lange nicht mehr gese...» als sie verstummte. Ihr Blick fiel auf Noah, der immer noch bewusstlos in Travers Armen hing. «Warum ist *er* hier? Ist er tot?»

«Nein,...», antwortete Traver, während er Noah in eine der Zellen schleifte und ihn dort an die Wand kettete. «...er lebt noch. Wegen ihm konnten wir vor Sacka fliehen. Wir hatten keine andere Wahl, als ihn mitzubringen. Sacka hat mich auch überwältigt.» Sie sah ihn bestürzt an. Wohl mehr über die Tatsache, dass er sich hatte überwältigen lassen, als darüber dass wir Noah hatten mitbringen müssen. Traver verschloss die Eisenstangentür mit einem lauten Quietschen und holte von weiter vorne ein Schloss, mit dem er Noah in seiner Zelle einsperrte. Wobei ich mich aus irgendeinem Grund fragte, wie oft er das wohl schon gemacht hatte.

«Kommt erst mal aus den nassen Sachen raus. Oben gibt es sicherlich trockene.» So nett es auch war, aber ich musste Mabels Hand abschütteln, die mich am Handgelenk hielt und nach oben mit ziehen wollte. Meine Klamotten waren nebensächlich. «Wo ist Phil?», sagte ich stattdessen. Mabel deutete gerade hinter sich, da kam er auch schon auf uns zu. «Ihr habt überlebt», rief er freudig. *Wie jetzt? Hatten sie uns etwa schon aufgegeben?* «Finley hat uns berichtet, dass Sacka euch mitgenommen hat. Was wollte er von euch? Wir wollten auf Liam und Meira warten, um sie zu fragen ob sie nähere Informationen haben, aber bis jetzt...» Traver unterbrach Phil. «Meira und Liam sind noch nicht wieder zurück?» Das war eine rhetorische Frage gewesen. Es war offensichtlich, dass sie noch nicht zurück waren. Er versuchte es sich nicht ganz anmerken zu lassen, aber ich spürte wie besorgt Traver war. Wenn Liam es problemlos geschafft hätte, müsste er doch schon längst hier sein. Bestimmt hatten sie es geschafft und Liam schätzte die Lage noch zu kritisch ein, um zu uns zu kommen. Vielleicht versteckten sie sich irgendwo und warten nur auf eine passende Gelegenheit. Dieser Gedanke beruhigte mich tatsächlich, aber ich teilte ihn nicht mit Traver, denn ich wusste, dass es bei ihm nichts bewirken würde.

«Es gibt Probleme. Wir müssen sofort alle

zusammen holen!», sagte ich hastig. Meine Stimme klang höher als gewollt. Phils dagegen wie immer tief und beständig: «Das haben wir uns bereits gedacht und haben alle hergeholt. Was ist passiert?»

«Sacka weiß Bescheid!» Diese Worte von mir reichten aus, um zu spüren wie die Anspannung von allen noch weiter stieg. Vermutlich hatten sie schon etwas geahnt, schließlich hatten sie uns mit schussbereiten Waffen empfangen, aber es tatsächlich zu hören verbannte selbst den kleinsten Rest Hoffnung. Ich schaute in jedes ihrer Gesichter und Traver redete weiter: «Wir wissen nicht wie viel er weiß, aber wir sollten davon ausgehen, dass Sacka unseren Treffpunkt kennt und vielleicht auch unsere Namen. Das ist allerdings nicht sicher.» Phils Blick wandte sich von mir ab und nickte zu Traver. «Warum sind wir dann alle hier, damit haben wir uns ihm ausgeliefert.» Die Stimme kam aus der Menge, die sich nun vor uns gebildet hatte. Alle standen vor uns und sahen uns mit gemischten Gefühlen an. Manche waren ernst und zum Teil sogar wütend, während andere traurig und ängstlich wirkten. «Wir müssen uns etwas überlegen falls Sacka irgendetwas plant und er hat garantiert etwas geplant.»

«Von wem weiß er von uns?», fragte Mayleen. Mich irritierte, dass sie gleich fragte *von wem* und somit gleich davon ausging, dass uns jemand verraten hatte.

«Ich weiß es nicht. Dazu hat er nichts gesagt», gab Traver zu. Ich schielte zu Theo. Ob er jetzt nochmal die Chance nutzte Wise zu beschuldigen? Doch er blieb ruhig, obwohl auch sein Blick zu mir gewandert war. «Was sollen wir jetzt machen?» Aiden fragte das. Eine wirklich gute Frage. Ich blickte zu Traver, auch er hatte keine Antwort parat. Es wurde eine neue Frage rein geworfen. «Wissen Liam und Meira von der Gefahr? Wissen sie das wir aufgeflogen sind?»

«Wir haben Liam noch getroffen. Er hat etwas mitbekommen. Wie viel ist unklar. Wir müssen hoffen, dass sie aus dem Tumult ihre Schlüsse ziehen konnten.» Man konnte Traver seine Besorgnis ansehen, denn wie schon erwähnt, sollten Liam und Wise schon lange die Flucht gelungen sein, wenn alles glatt gelaufen war. Aber die Tatsache, dass sie noch nicht hier waren, hatte einen verdächtigen Beigeschmack. «Warum ist Liam nicht mit euch mitgekommen, wenn ihr ihn sogar noch getroffen habt?» Travers Blick ging unsicher zu mir. Er war sich nicht sicher, was er sagen sollte und es war auch nicht seine Aufgabe es zu sagen, also redete ich: «Ich wollte meinen Plan ohne euch durchziehen und...» Verdammt. Ich verfluchte mich selbst dafür, dass ich nicht schnell genug geredet hatte, um um die Unterbrechungen der anderen drumherum zu kommen, aber kaum hatte ich den ersten Satz beendet, ging es auch schon los:

«Du hast was?»

«Na super.»

«Wir hatten uns dagegen entschieden.»

«Was ist genau passiert?»

«Wir hatten doch gesagt, dass das unsere Tarnung gefährdet!»

«Wie konntest du das aufs Spiel setzen?»

Es prallte alles an mir ab. Insgeheim war ich schon darauf vorbereitet gewesen, aber *etwas* ging nicht einfach so an mir vorbei. Es war das Schweigen eines Einzelnen. Phils Schweigen. Er war der einzige, ausgenommen von Traver und Theo, der nichts sagte, einfach nur da stand und mich anschaute. Genau das, sein Schweigen zusammen mit diesem Blick, ließen mich all die Schuld spüren, die ich bei den Worten der anderen ebenso spüren sollte. Sein Blick sagte so viel wie kein anderer im Raum. Es war eine Mischung aus Verständnislosigkeit und aus irgendeinem Grund Bewunderung. Verständnislosigkeit, nicht weil er sich fragte aus welchen Gründen, denn die kannte er nur zu gut, sondern Verständnislosigkeit, warum ich so dumm sein konnte, um es wirklich alleine umzusetzen.

Bewunderung vermutlich, weil ich es dennoch gewagt hatte und es trotz alledem lebend wieder raus geschafft hatte. Dabei kannte er noch nicht alles und das war es, was mich schuldig fühlen ließ. Sie alle kannten noch nicht alles. Sie wussten noch nichts von

Wise. Wie ich ihn praktisch ausgeliefert hatte und ich hatte Angst vor ihren Reaktionen, wenn ich ihnen alles erzählen würde, aber sie mussten es erfahren. Also wandte ich den Blick von Phil ab und erhob meine Stimme, wobei ich darauf achtete ruhig zu klingen: «Ich habe...» Abrupt brach ich ab. Ich wusste nicht wie ich anfangen sollte, wie ich es ihnen sagen sollte. Da übernahm plötzlich Traver: «Diese Aktion ist nicht der Grund weshalb wir aufgeflogen sind. Der Grund weshalb Liam nicht gleich mit uns mitgekommen ist, ist weil Wise auch von Sacka gefangen gehalten wird oder besser gesagt wurde. Liam ist los, um ihn zu befreien. Mittlerweile sollte ihnen die Flucht ebenfalls gelungen sein und sie sollten jeden Moment hier auftauchen.» Ich schluckte. Ohne meinen Plan mit Wise, wäre Liam jetzt auch mit uns hier. Wieder ging der Stimmenhagel los. Sie fragten sich alle das gleiche: «Wieso war Wise da?» Und dann unterbrach Phil das Gemurmel. Bei seiner Stimme wurde mir noch mulmiger als zuvor. «Was ist passiert? Erzähl alles, Zoe.» *Zoe,* wie er es aussprach. Es lag keine Bewunderung oder Verständnislosigkeit mehr darin, weder in seiner Stimme, noch in seinem Blick. Es war pure Enttäuschung, weil er genau ahnte, was Wise mit dem ganzen zu tun hatte. Diese Enttäuschung bei ihm zu sehen, brach mich. Ich wollte nicht vor den anderen so kläglich rüber kommen, aber plötzlich sprudelte alles aus mir heraus und ich konnte nicht anders als die Tränen zuzulassen, bei dem was ich vermasselt hatte: «Ich habe Wise belogen, dass wir im geheimen beschlossen haben den Plan doch durchzuführen, habe ihm gesagt, dass du Phil, es abgesegnet hast. Er war bereit es durchzuziehen, aber dann stand Sacka plötzlich vor meiner Tür und ich musste an einem dieser Tests teilnehmen. Danach hat er Theo und mich überwältigt. Sie haben uns gepackt und zu den Zellen gebracht. Im Verlies hat er uns damit konfrontiert, dass er darüber Bescheid weiß, dass wir uns erinnern können. Er weiß auch, dass es an dem Merkmal liegt. Dann konnten wir gemeinsam mit Traver fliehen...» Bei der Erwähnung des Merkmals, hatte ich kurz zu Theo geschaut, der meinem Blick beabsichtigt ausgewichen war und danach hatte ich mein, immer noch nasses T-Shirt zur Seite gezogen um mein Merkmal zu zeigen. Erst bei dem Anblick fiel mir wieder ein, dass Noah probiert hatte es zu entfernen. An der Stelle, an der die Schnitte waren, war eine leichte Kruste aus getrocknetem Blut, die so verlaufen war, dass die Wunde eindeutig größer aussah, als sie in Wirklichkeit war. Sofort verbarg ich es wieder. Sie alle schwiegen einen Moment bis Mabel fragte: «Also hält Sacka Wise immer noch gefangen?» Traver antwortete ihr: «Ja, also nein. Wie schon gesagt, Liam ist ihn suchen gegangen und müsste jeden Augenblick hier auftauchen.»

«Ihr habt sie nicht gewarnt?» Ohne, dass ich richtig wusste was ich sagte und überhaupt merkte, *dass* ich etwas sagte, kamen die Worte einfach so. Wobei sie im Grunde einfach eine Wiederholung von Travers Worten von vorhin waren: «Wir konnten da nicht nochmal rein. Sacka hat uns gerade nochmal mit dem Leben davon kommen lassen. Ein zweites Mal, wäre es aus gewesen. Und Meira und Liam sind stark und schlau, sie werden es schaffen. Wir müssen abwarten.»

«Außer Abwarten sollten wir uns etwas überlegen. Was könnte Sacka vorhaben?», sagte Theo. «Ich verstehe das nicht. Wie lange weiß er schon von uns? Wieso hat er nicht schon früher etwas unternommen? Wenn er wirklich etwas gegen uns plant, hätte er es dann nicht sofort umgesetzt? Glaubt ihr er hat nur darauf gewartet damit so etwas wie jetzt passiert und wir gewarnt sind?» Elise sprach genau das aus, was ich und bestimmt auch die anderen alle dachten. Doch sie ließ es sich nicht nehmen mir noch mehr Schuldgefühle aufzudrücken, denn bei ihren Worten: *so etwas wie jetzt passiert,* hatte sie mich mit einem missbilligendem Blick gemustert. *Super, danke.* Phil nickte.

«Hat Sacka irgendwelche Andeutungen gemacht, was er vorhaben könnte?» Ich konnte nicht mehr definieren wer die Frage stellte. Ich hörte nur die Worte, aber nahm keine Stimme dazu wahr, sondern es war mehr als geisterten sie einfach so im Raum herum nur darauf wartend, dass jemand eine Antwort gab. Abwesend schüttelte ich den Kopf. Jetzt hörte ich noch andere Sätze und Wörter. Oh Gott ich war schon wie eine Verrückte und zusätzlich sah ich bestimmt ziemlich verwirrt aus, denn Theo kam auf mich zu, packte mich an den Schultern und sah mir in die Augen. Sein Mund bewegte sich, aber diesmal hörte ich nichts. Sein Gesichtsausdruck verriet mir, dass er seine Worte schon mehrmals wiederholt hatte. Dann ließ er von mir ab und ich erkannte Traver vor mir. Sein Mund bewegte sich und ich verstand seine Worte: «Ist alles Okay?» Ja, gute Frage. Was war nur los mit mir? War das der Schock? Der Schock von allem was passiert war? Das war ja ein perfektes Timing. Den konnte jetzt niemand gebrauchen. Verständlich war es zumindest. Ich hatte Isabelles Tod miterlebt, hatte herausgefunden, dass alles eine Lüge war. Dass das hier kein richtiges Leben war. Ich hatte so viele Menschen sterben sehen und das Schlimmste daran war, dass sie wegen mir getötet wurden. Ich stand jetzt schon so oft Sacka gegenüber und war ihm einfach nur ausgeliefert, war auf der Flucht, hatte keine Ahnung wie es weitergehen sollte und dann war da noch die Sache mit seiner Drohung. Verständlich war es auf jeden Fall, aber umso mehr war es unpassend. Mehr als unpassend. Ich brauchte meine Konzentration und konnte jetzt nicht alle anderen Geschehnisse verarbeiten. Wann anders würde dafür noch genug Zeit sein, zumindest hoffte ich das. Worte drangen wieder an mein Ohr, aber diesmal wusste ich woher sie kamen. Aiden: «Wir müssen unsere Familien warnen.»

«Ich muss hier raus!» Mit diesen Worten war ich auch schon auf der Treppe. Aiden rief mir noch meinen Namen hinterher, aber als ob mich das aufhalten würde weiter in diesem Raum zu bleiben, mit all ihren stummen Anschuldigungen.

Oben war alles dunkel. Kein Licht brannte, alle waren unten und so lag alles ruhig vor mir. Hinter mir kam noch jemand die lange Treppe nach oben. Ich wusste wer es war. «Was hat er noch gesagt? Irgendetwas hat er noch gesagt, sag es mir.» Ich hatte Recht behalten, Traver. Es hatte keinen Sinn zu diskutieren «Er hat gesagt, dass er jeden umbringen will, den ich liebe und dass er seine Freude daran haben wird, wie es mich innerlich zerstört! Ich glaube er hat Recht. Das tut es bereits.» Bei der Wiederholung von Sackas Worten überkam mich wieder diese Angst. Ich glaubte ihm immer noch aufs Wort. «Hey. Ich bin hier. Mir kann Sacka nichts antun und Liam hat Wise sicher befreit. Es ist nur zu riskant für sie beide jetzt während der Nachtruhe herzukommen.» Traver nahm mich in die Arme. Seine Worte trösteten mich tatsächlich, auch wenn er mit Absicht nicht meine Mutter erwähnte, weil er genau wusste, dass sie nicht vor Sacka in Sicherheit war. Genauso wie die Familien und Freunde von allen, die unten saßen und auch keine Idee und keinen Plan hatten. Aber Elise hatte Recht, wenn er etwas gegen uns machen wollte, hätte er es sofort getan. Dann hätte er uns alle geschnappt.

Als ich zu Traver aufsah, sah ich meine eigenen Bedenken in ihm wiederspiegeln. «Er hat etwas geplant, aber ich weiß nicht was», sagte Traver. «Rache? Will er uns leiden lassen, bevor er uns tötet?» *Töten,* es klang merkwürdig es auszusprechen, aber genau das würde er machen. Plötzlich schwirrten mir lauter Gedanken im Kopf herum, die nach Antworten suchten und dann sagte ich einfach, was ich dachte: «Vielleicht liegt ihm etwas an mir?» Traver sah mich überrascht an und ich war es genauso bei meinem Gedanken, der Ekel bei mir auslöste. «Ist das dein Ernst? Meinst du er hat irgendwelche Gefühle für dich? Das wäre eine ziemlich kranke Art das zu zeigen. *Ich* habe Gefühle für dich, aber anstatt dich zu töten mache ich das hier.» Er nahm meinen Kopf in die Hände und küsste mich. Ein wunderbares Gefühl überkam mich. Schön, dass ich in Anbetracht der Situation immer noch fähig war diese Gefühle zu fühlen. Als er meine Lippen wieder freigab, sagte ich: «Das ist es ja gerade. Er tötet mich nicht. Er hatte schon so viele Gelegenheiten, das hat er sogar selber gesagt. Warum tut er es nicht bei mir, aber bei so vielen Unschuldigen?»

«Du bist auch unschuldig.»

«Nicht in seinen Augen. Was ist wenn ich Recht habe?»

«Hmm ich weiß nicht. Aber dieser Gedanke gefällt mir nicht. Obwohl ich es generell nicht verstehe. Er hat es doch praktisch darauf angelegt, dass wir fliehen»

«Wie meinst du das?», fragte ich. «Sacka hat zu Noah gesagt, er soll das mit deinem Merkmal übernehmen, weil er noch etwas erledigen muss und als wir draußen ankamen, stand er mit allen anderen bereit. Wenn er einfach nur gegangen wäre und sich wirklich um etwas anders gekümmert hätte, hätte er niemals mit so vielen, so schnell bei uns sein können, um uns abzufangen. Wahrscheinlich hat er auch noch weitere Soldaten bei den anderen Ausgängen postiert.»

«Vielleicht ein Test?»

«Nein. Den hätte er nur gemacht, wenn das sein gewünschtes Ergebnis erzielt hätte. Er wusste wir fliehen. Aber was hat ihm das gebracht wenn er dachte, dass er uns bevor wir richtig abhauen können wieder schnappt? Das alles ergibt nur Sinn, wenn er...» Traver hielt inne. Die nächsten Worte sprach ich aus. «Er wollte, dass wir fliehen.» Dann erfüllte nur noch Schweigen den Raum. Wir beide dachten darüber nach. Es war die einzige Möglichkeit, die sein Verhalten erklärte. Traver wiederholte meine Worte, um so den

Sinn zu prüfen, aber wir beide wussten, dass es so war. «Er wollte, dass wir fliehen. Er muss geplant haben uns laufen zu lassen, aber wahrscheinlich hat er sich das Ganze nicht mit Noah vorgestellt.» Wieder war Stille, bis Traver plötzlich zur Wand ging und einmal mit der Faust auf sie einschlug. «Verdammt, er wollte, dass wir fliehen. Womöglich, dass wir ihn sogar hierher führen, vielleicht hat er auch nur geblufft, was sein Wissen angeht. Aber das wäre zu riskant.» Ich ging zu ihm rüber. «Das glaube ich nicht. Wenn er was geahnt hat, wird er von dem Haus wissen. Er braucht uns nicht, um zu wissen wo es steht, außerdem ist uns niemand gefolgt», versuchte ich ihn zu beruhige, dabei war ich mir selbst nicht sicher, ob meine Worte überhaupt beruhigend waren. Ich redete weiter: «Okay, lass uns überlegen. Er weiß wir sind geflohen. Er weiß auch wohin, zwar könnten wir überall sein, vielleicht sogar draußen, aber ich denke er weiß, dass wir nicht abhauen würden, ohne die anderen zu warnen. Das bedeutet er muss denken wir sind hier und warnen die anderen, was wiederum bedeutet, dass wir entweder zu den anderen gehen müssen oder sie hierher kommen.» Traver folgte aufmerksam meinen Überlegungen. «Vielleicht weiß er nicht wer sich noch gegen ihn verschworen hat. Vielleicht schaut er wer alles kommt oder zu wem wir gehen um alle Namen zu wissen.» Ich antwortete: «Wenn er uns hier jemals gesehen hat wird er auch die anderen gesehen haben oder nicht? Er will doch sicher seine Feinde kennen. Vielleicht will er das wir alle an einem Fleck sind um...»

«Um uns alle auf einmal zu töten.» Auch wenn es genau das war, was ich sagen wollte, lief mir ein kalter Schauer den Rücken herunter. «Aber würde das so viel Sinn ergeben? Ich meine jetzt sind wir doch auf alles gefasst.»

«Das schon, aber davor konnte er sich nicht sicher sein, ob alle immer da waren, jetzt ist es am wahrscheinlichsten, dass wir alle hier sind.» Traver rannte noch im Reden zur Treppe, die in den Keller führte und war mit wenigen Schritten unten. Ich folgte ihm so schnell ich konnte. «Am Wahrscheinlichsten ist, dass Sacka unseren Tod will. Jetzt sind wir alle auf einem Haufen und er weiß, dass wir hier sind. Ihr habt recht wir sind wie ausgeliefert, aber er weiß nichts von diesem Teil der Kerkeranlage. Wie auch immer er vorgehen will, wir müssen uns hier verschanzen und verstecken. Das ist unsere einzige Möglichkeit zu überleben.» Alle starrten Traver an. Erstaunlicherweise begannen sie ungewöhnlich schnell seinen Worten zuzustimmen, sicherlich hatten sie daran auch schon gedacht. «Aber was machen wir dann?» Traver sah von der einen Ecke des Raumes zur anderen und dann sagte er: «Dann werden wir losziehen müssen. Wir werden uns ihm stellen müssen, denn desto länger wir uns hier unten versteckt halten, mit desto stärkeren Mitteln wird er versuchen uns rauszulocken.» Und Sackas Mittel waren unsere Familien und Freunde. Das war uns allen bewusst. Allen unbehagte dieser Gedanke unsere Liebsten, schutzlos zurückzulassen, aber ich redete mir ein, dass Sacka sie nicht einfach töten konnte, denn dann hätte er kein Druckmittel mehr. Und wenn er sie nicht tötete, hatten wir immer noch Chancen sie in Sicherheit zu bringen. Finley ergriff das Wort: «Wir müssen von oben alles runterholen, was wir hier unten gebrauchen können. Decken, Kissen, Lebensmittel, Eimer mit Wasser, Taschenlampen. Alles was nützlich erscheint. Aber macht kein Licht an.» Alle schwärmten sofort los und rannten nach oben, um die genannten Dinge und alles andere Mögliche zu holen. Mabel kam zu mir. «Zieh dir trockene Klamotten an. Mit einer Erkältung nutzt du uns gar nichts. Ich komme mit, dann können wir gleich alles mitnehmen, was wir tragen können. Hier unten wird es nicht wärmer werden.» Ich nickte ihr dankend zu und folgte ihr nach oben. Die nassen Sachen waren wirklich kein angenehmes Gefühl.

Oben in Phils Schlafzimmer angekommen, rissen wir seine Kleiderschranktüren auf. Ich unterdrückte das schuldbewusste Gefühl, dass wir in Phils Privatsphäre eindrangen und sein Haus regelrecht plünderten. Der

Mond schien so hell in den Raum, dass wir nicht einmal Licht brauchten, wenn wir welches gewollt hätten. Ich schlüpfte schnell in einen etwas großen Pullover und warf mein Shirt auf den Haufen, den Mabel schon aus dem Schrank auf das Bett gehäuft hatte. Ich wollte nichts hier oben lassen, das auf mich schließen konnte, falls Sacka und seine Leute hier eindrangen. Dann tat ich es Mabel gleich und warf alles an Klamotten auf die Bettdecke. Als ich auch an die Schubladen ging und die letzte öffnete, lachte mich aus ihr ein nettes und hübsches Gesicht an. Vorsichtig nahm ich das Foto in die Hand. Der Mondschein erhellte alles, sodass ich es gerade noch gut erkennen konnte.

Es war eine junge Frau, mit leicht lockigen, dunkelblonden Haaren zu sehen. Ihr Gesicht zierten Sommersprossen und ihr Lächeln wurde von kleinen Lachfalten eingerahmt. Die Person wirkte auf eine eigene Art sehr vertraut. Unter dem Foto lag etwas aus rotem Stoff. Es könnte alles Mögliche sein, dass konnte ich bei dem Licht nicht genau erkennen. Vielleicht ein Kleid? «Ich bringe das hier runter, bringst du deinen Stapel mit?» Ich sah über die Schulter zu Mabel. Sie hatte den Klamotten Haufen bereits in ihren Armen und war auf dem Weg nach unten. Ich schob die Schublade wieder zu, aber verstaute das Bild in meiner Hosentasche. Wenn Phil es so besonders aufbewahrte, musste ihm etwas daran liegen. Ich ging zu dem Bett und hob die Enden der Bettdecke nach oben, sodass die Klamotten von der Decke umhüllt, wie in einem Sack, gut transportierbar waren.

Unten häuften sich die Gegenstände. Ich legte meine Sachen zu den Decken und Klamotten, die bereits dort lagen. Aufräumen und sortieren konnten wir später, jetzt musste erst Mal alles nach unten. In einer Ecke stapelten sich Konservendosen und Phil kam sogar mit noch mehr, in einem Karton in seinen Armen nach unten. Wie viele davon besaß er? Zusätzlich hatte er noch einen Gaskocher und mehrere Gaskartuschen dabei. Trotzdem fragte ich mich wie lange die reichen würden? Mayleen brachte alles an Kerzen und Streichhölzern nach unten, was sie finden konnte und auch ich wollte mich gerade wieder auf den Weg nach oben machen, als ich zwischen dem Gedränge und Herumwuseln der anderen, Travers Stimme vernahm. Ich drehte mich um und suchte den Raum mit meinen Augen ab. Er stand weiter hinten vor einer der Zellen. Vor Noahs Zelle. Ich kam näher, in einiger Entfernung blieb ich stehen. Jetzt konnte ich seine Worte verstehen. «Was ist so besonders an dir?» Anscheinend war Noah wieder bei Bewusstsein, denn er antwortete: «Gar nichts. Sacka hätte euch so oder so laufen lassen, um euch alle einzupferchen wie Tiere und jetzt nehmt ihr ihm sogar die Arbeit ab, indem ihr euch unter der Erde verkriecht. Wie die Leichen. Wie passend, dass ihr bald schon welche sein werdet, dann könnt ihr gleich hier bleiben.» Traver ging einen Schritt näher auf Noahs Zellentür zu. «Du sitzt mit uns hier fest. Mit dem Unterschied, dass du dich nur in diesem Umkreis bewegen kannst, während wir noch fliehen können.» Traver zeigte auf Noahs Zelle. «Falls du wirklich noch darauf setzt, dass ihr verschont werdet, weil ich mit euch hier bin, dann irrst du dich. Wenn Sacka herkommt, wird er nicht bei mir Halt machen. Meine Geiselnahme hat eure Flucht nur glaubwürdiger wirken lassen.» Travers Kiefer spannte sich an, dann sagte er: «Das mindert erheblich den Grund dich am Leben zu lassen.» Als Noah nichts antwortete fügte er noch hinzu: «Aber schön, dass du selbst merkst, dass Sacka sich nicht um irgendjemanden schert. Das beweist immerhin, dass du nicht völlig hirnlos bist.» Dann wandte er sich ab und wollte gehen, doch Noahs Worte ließen ihn stoppen. «Hast du mich deshalb gerettet? Weil du dachtest, dass ich eure Freikarte hier raus bin?» Traver verweilte einige Sekunden, dann führte er seinen Weg fort, ohne einen weiteren Kommentar, hoch zu den anderen. Dabei fuhr er sich mit den Händen durchs Gesicht und wirkte alles andere als selbstsicher.

Mich hatte er nicht gesehen. Kurz entschlossen ging ich, als er weg war wieder zurück zu dem Klamottenstapel, schnappte mir ein graues Sweatshirt mit einer Aufschrift und ging zu Noah. Vor seiner Zelle blieb ich stehen und betrachtete ihn kurz. Jetzt stand ich auf der anderen Seite der Zelle. Nicht gefesselt in ihr drin. Aber so oder so, es war ein scheußliches Gefühl. «Traver hat dich gerettet, weil er zu den *Guten* gehört. Die *Guten* retten für gewöhnlich andere.» Ich verpasste meinem Satz einen belehrenden Unterton. Noah sah von seiner Position zu mir auf. «Wer unterteilt schon in gut und böse? Würdest du dich als gut bezeichnen? Du hast Amy und Case umgebracht.» Ich schluckte als er es ansprach, dann sagte ich mit fester Stimme: «Ich habe niemanden umgebracht.» Noahs Mundwinkel gingen kurz nach oben, aber nur für einen Sekundenbruchteil. «So oder so. Wenn es jemand anderes war, hat er es getan, um dich zu retten. Das macht dich genauso schuldig.» Er schwieg danach und genoss sichtlich wie seine Worte durch meinen Kopf kreisten. Doch ich besann mich schnell und verdrängte seine Worte, was ihn veranlasste noch etwas hinten dranzuhängen: «Und was ist mit Theo? Gehört er auch zu den *Guten*, wie du sie nennst? Er hätte mich nicht gerettet.» Ich überlegte kurz. Ich war mir nicht sicher, ob es die Wahrheit war, aber trotzdem sagte ich: «Ich auch nicht. Aber ich mache das hier.» Ich nahm die Schlüssel zu der Zelle, die Traver vorher wieder abgelegt hatte und öffnete seine Zellentür. Die Tür quietschte laut und ich hoffte, dass niemand es mitbekommen würde. Noah setzte sich interessiert auf. «Das macht dich nicht *gut*, das macht dich dumm.»

«Ich lasse dich nicht raus, falls es das ist was du denkst.» Die Tür ließ ich offen. Er war schließlich noch mit den Handgelenken an das Mauerwerk gekettet. Hoffentlich war das noch intakt. Ich kam näher und griff nach einem seiner Gelenke. Er beobachtete meine Schritte ganz genau. Er könnte mit seinen Füßen probieren mich zu Fall zu bringen, aber das tat er nicht. Zumindest noch nicht. Ich befreite seine rechte Hand und brachte mich mit etwas Abstand aus der Kontaktzone. «Und jetzt?», fragte er irritiert und mit einem Ton, der ausdrückte, dass er mich für total bescheuert hielt. Ich warf ihm das Sweatshirt zu, welches ich von dem Stapel genommen hatte und sagte: «Zieh das an. Das ist trocken.» Sein Blick war immer noch leicht verstört. «Du willst, dass ich mich vor dir ausziehe?»

«Ich will das Travers Tauchgang nicht umsonst gewesen ist. Nicht, dass du bald an einer Grippe stirbst. Außerdem, sollten wir hier länger feststecken und du krank werden, habe ich keine Lust das Gejammer zu hören.» Noah begann tatsächlich während meiner Worte, sich mit seinem freien Arm die nasse Jacke und das Shirt darunter, über den einen Arm und den Kopf zu ziehen und das trockene Sweatshirt dort drüber. Während dem ganzen *Vorgang* schaute ich ihm nur in

388

die Augen. Fast schon zwanghaft und er starrte provozierend zurück. Wobei ein arrogantes Lächeln seine Lippen umspielte. Als er mit der Seite fertig war, ging ich auf ihn zu und kettete sein Handgelenk wieder an. Dann ging ich zu der anderen Seite und befreite sein linkes. Die nassen Sachen glitten von seinem Arm und er schlüpfte auch in den zweiten Ärmel. «Die Hose auch?» Ich starrte auf ihn runter. *Das brauchte ich jetzt nicht auch noch zu sehen.* «Darum kann sich wer anders kümmern», sagte ich betont monoton. Dann beugte ich mich runter um seinen linken Arm wieder zu befestigen, da schoss seine Hand vor und griff nach meinem Handgelenk. Sofort warf ich den Schlüssel möglichst weit von mir und ihm weg. Er zog mich zu sich runter an sein Gesicht und sagte an meinem Ohr: «Ich könnte dich zu Fall bringen und still und heimlich erwürgen. Niemand würde etwas mitkriegen. Glaub mir das schaffe ich auch mit einer Hand.» Das konnte ich mir gut vorstellen. Sein Griff um mein Gelenk war unglaublich stark. Ich probierte erst gar nicht mich loszureißen, das würde ihm nur zeigen, dass ich Angst hatte. Ich drehte mein Gesicht, sodass ich ihm direkt in die Augen schaute. Unsere Gesichter waren so nahe. Ich konnte seinen Atem spüren und unsere Nasen berührten sich fast. «Wenn du mich umbringst, findet man meine Leiche bei dir. Auch wenn die Tür auf ist, kommst du nicht raus und die *Guten* können auch zu anderen Mitteln greifen, weißt du?» Ich wusste nicht wo meine plötzliche Selbstsicherheit herkam, aber ich nutzte sie in vollen Zügen. «Dann rufe ich eben jemanden und drohe ihm mich freizulassen im Tausch für dein Leben.»

«Ruf Elise, ich denke wirklich sie hätte ihre Freude daran mich sterben zu sehen, aber wenn wer anderes kommt, dann wie gesagt können sie auch zu anderen Mitteln greifen.» Es war ein milder Konter, doch Noah ließ mein Handgelenk los. Ich gönnte mir nicht erleichtert auszuatmen, erst wenn ich außer Sichtweite war. Schnell schnappte ich den Schlüssel und machte mich daran, sein linkes Handgelenk zu greifen, als er mich erneut stoppte. Mein Körper spannte sich wieder an. Doch er sagte nur: «Vielleicht ziehst du dich auch nochmal um. Das da sickert durch.» Mit den Worten ließ er mich los und zeigte auf meine Schulter. Tatsächlich hatte sich ein roter Fleck an der Stelle gebildet, an der er mir das Messer reingerammt hatte. Ich schluckte.

Mit dem Schlüssel verschloss ich die Fessel und auch seine Tür. Erst jetzt von weiter weg erkannte ich was auf dem Shirt, das ich ihm gegeben hatte stand. Ich schmunzelte und sagte im Weggehen: «Genieße mal die Luft um dich herum, vielleicht gehörst du dann auch bald zu den *Guten*.» Noah war außer Sichtweite. «Das war riskant gepokert», flüsterte Theo, der anscheinend von weiter hinten alles beobachtet hatte und ich nickte. Das war es. Aber ich musste trotzdem weiter schmunzeln. Hätte nicht gedacht, dass Phil ein Sweatshirt besaß mit der Aufschrift: *Love is in the air.*

31 ZOE

Im oberen Bereich der Wohnung wuselten immer noch alle herum. Stühle wurden nach unten getragen, sowie die zwei Matratzen aus dem Doppelbett runter geschleppt. Hektik schlug mir entgegen, als Phil an mir vorbeiging. «Die nehmen mein ganzes Haus auseinander», sagte er mit einem spaßigen Tonfall, der zu sehr mit dem Klang von Sorge gemischt war. Er blieb nochmal stehen, bevor er ganz an mir vorbei gegangen war und zeigte auf meinen Pullover. «Ist das nicht meiner?»

«Ja, ich...» Weiter kam ich nicht, denn ein anderes Geräusch erweckte unsere Aufmerksamkeit. Motorengeräusche waren zu hören. Erschrocken sahen wir uns an. Ich eilte nach oben, wo ich sah wie ein Transporter in die Straße zu Phils Haus einbog. *Jetzt?* Kamen sie tatsächlich jetzt, wenn wir alle zusammen waren? Alle stoppten in ihren Bewegungen und starrten aus dem Fenster auf die Straße, wo der Transporter immer näher kam. Aber es war nur einer! *Reichte einer aus?* Von dem Geräusch angelockt, kamen auch die anderen von unten. Wir starrten auf den Transporter, warteten einfach. Keiner machte irgendwelche Anstalten etwas zur Verteidigung zu holen, denn ein Transporter alleine machte einfach keinen Sinn. Oder?

Direkt vor dem Eingang vom Weg zu Phils Haus

hielt er. Jetzt würde die Tür aufgehen, Soldaten würden raus stürmen und uns... Es kam anders. Die Tür wurde von innen aufgezogen. Bevor irgendjemand in der Lage war zu reagieren, traten zwei Soldaten nach draußen. In ihrer Mitte hing ein schlaffer Körper. Die Angst es könnte Wise sein, verflog augenblicklich als ich lockige rote Haare erkannte. Meira.

Aiden rannte sofort raus, gefolgt von Finley, doch ehe sie die beiden, die sie trugen erreichten, ließen diese Meira auf den Boden fallen und sprangen wieder zurück in den Transporter. Sie schlossen die Tür und als sie nur noch einen kleinen Spalt offen war, sah ich wie mich ein durchdringender Blick fokussierte. Es war als konnte er mich durch die Spitzenvorhänge, in der Dunkelheit erkennen. Ein Schauer lief über meinen Rücken und selbst als die Wohnungstür erneut aufgerissen wurde, Aiden und Finley mit Meira in ihrer Mitte reinstürmten und der Transporter davonfuhr, sah ich immer noch Sackas Blick. Sein Blick hatte eine Bedeutung und nur eines brannte sich mir in den Kopf: Er hatte uns da, wo er uns haben wollte! Ich brauchte nur wenige Sekunden um meine Stimme zu finden. «Bringt sie schnell nach unten und alles andere, was ihr in den Händen habt. Sacka hat jetzt die Info, die er braucht und zwar, dass wir alle hier sind. Was auch immer er vorhat, es beginnt.» Sie wussten, dass ich Recht hatte und so reagierten sie auch. Aiden und

Finley trugen Meira nach unten, mit der Hilfe von Elise. Phil schloss die Haustür ab, das konnte zwar niemanden aufhalten, brachte uns aber vielleicht doch noch zwei Sekunden mehr. Alles baute darauf, dass Sacka nichts von der Kerkeranlage wusste. Theo lief an mir vorbei. «Theo warte», rief ich ihn zurück. «Du hast uns mithilfe von Plänen hierher geführt. Hat Sacka diese Pläne auch?» Theo nickte. «Ja, aber ich weiß was du denkst. Die Anlage bei Phil ist nicht eingezeichnet. Den Weg habe ich selber herausgefunden.» Okay das war beruhigend, allerdings nicht wenn man bedachte, dass einfach noch weitere andere Pläne existieren konnten. Theo ging auch runter, der einzige der außer mir noch oben war, war Traver. «Traver?» So viele Fragen auf einmal lagen in meiner Stimme, als ich seinen Namen sagte. Doch die Drängendste war: Worauf wartest du? Dabei wusste ich worauf er wartete. Liam. Traver bestätigte meinen Gedanken. «Meira konnte Sacka nicht entkommen. Was ist mit Liam und Wise? Wenn sie herkommen, werden sie nicht wissen wo wir sind und wie sie zu uns finden können.» Daran hatte ich noch gar nicht gedacht. Ich hatte sogar gar nicht mehr daran gedacht, dass Wise auch noch nicht hier war. «Hätte Sacka sie erwischt, wären sie jetzt sicherlich auch hier. Wenn wir uns sicherer fühlen, werden wir sie suchen.» Es waren schwache Worte meinerseits, doch es spielte keine Rolle mehr. Plötzlich waren wieder Motorengeräusche zu hören. Mehrere diesmal, nicht nur von einem Auto verursacht. Dann bogen sie um die Ecke. Drei Transporter an der Spitze, dahinter folgten bestimmt noch mehr. Ich schaute nicht mehr hin, sondern griff Travers Arm und zog ihn zur Treppe. Ich zog ihn schnell an der Kellertreppe vorbei. Von innen verschloss er hastig die Luke zum Kellereingang. Das würde auch niemanden ganz aufhalten, aber wenigstens für kurze Zeit. «Kommt endlich.» Das war Phil, der ganz unten stand. Wir sprangen die letzten Stufen zu ihm, dann klappte er hinter uns ebenfalls eine Luke nach unten. Würde man jetzt in den Keller von oben gehen, würde diese Luke wie ein Boden neben der gewöhnlichen Kellertür wirken, zumindest hofften wir das. Er und zwei andere befestigten ein Gitter zwischen den Stufen, sodass man erst das Gitter entfernen müsste, um die Stufen weiter nach unten gehen zu können. Als letztes trennte er eine runde Metallplatte ab und setzte diese unterhalb des Gitters. Von uns aus führte die Wendeltreppe nun in die Decke, beziehungsweise in die Platte.

«Ich hoffe es klappt alles.» Ja, das hoffte ich auch, genau wie alle anderen. Ihre Blicke sprachen mehr als ihre eigentlichen Worte. «Boyd, hast du alles eingerichtet?» *Was eingerichtet?* Ich wandte mich zu Boyd. Er saß vor einem Computer und versuchte etwas auf den Bildschirm zu bekommen. «Die Verbindung ist etwas schlecht, weil wir so tief unten sind, aber es sollte gehen», sagte er. Alle versammelten sich um ihn und den vergleichsweise kleinen Computer. Dann erschien tatsächlich etwas auf dem Schirm. Es war eindeutig Phils Wohnung zu erkennen. Das Bild auf dem Display zeigte Phils Küche oder eher gesagt einen Teil davon, denn außer der Spüle und einem Stück vom Tisch, war zum Großteil das Fenster im Fokus, welches zur Straße hinausführte. Zuerst dachte ich, dass es sich dabei um ein Foto handelte, doch dann konnten wir durch die Vorhänge, hinter der Scheibe, einige von Sackas Soldaten erkennen. Mit angelegten Gewehren, an denen Lichter befestigt waren, schlichen sie an das Haus heran und dann waren sie auch schon wieder aus unserem Sichtfeld verschwunden.

«Passiert das gerade in diesem Moment?», fragte ich. Boyd drehte sich auf seinem Stuhl zu mir um, sichtlich zufrieden mit sich selbst, dass es geklappt hatte und sagte: «Wir haben einen Laptop von Phil, auf dem Küchentisch platziert und ich habe unseren Bildschirm hier unten mit der Kamera von dem Bildschirm oben verbunden. Das war Aidens Idee, damit wir wenigstens etwas mitkriegen von dem, was da oben läuft.» Damit wandte er sich wieder dem Bildschirm zu. Erst bewegte sich wieder nichts, bis auf einmal die Soldaten von vorhin, von dem Haus abrückten und das Bild wieder bewegungslos vor uns stand. «Sind sie im Haus drinnen?» Die Frage kam von irgendwo hinter mir. Niemand antwortete. Die Stimmung war zu angespannt. Alle warteten auf das, was als nächstes passieren würde. *Würde überhaupt etwas passieren?* Oh ja würde es. Für einen kurzen Moment war ein rötlich, gelber Lichtschimmer zu erkennen. Dann ein lautes Poltern und Knallen, das Bild verwackelte und alles schien umherzuwirbeln, bis das Bild ganz verschwand. Der Bildschirm war schwarz. Unwillkürlich starrten wir alle an die Decke nach oben. Was war da passiert? Staub rieselte auf uns herab und ich musste meinen Kopf senken, um meine Augen zu schützen. Nach Minuten des Schweigens wurden Stimmen laut: «Was war das?»

«Was haben die gemacht?» Mayleen sprach aus, was wir alle nur erahnen konnten: «Ich denke wir haben gerade gesehen wie Phils Haus in die Luft gesprengt wurde.» Ihre Stimme klang genauso fassungslos wie alle Anwesenden sich jetzt betrachteten. Bis vor kurzem waren wir noch alle dort oben gewesen. Phils Haus war unser Anlaufpunkt gewesen. Egal wie weit wir in unseren Planungen waren, es hatte für mich Freiheit bedeutet und vor allem Hoffnung. Sacka hatte es einfach in die Luft sprengen lassen, obwohl er davon ausging, dass wir da drinnen waren. Nein, *weil* er davon ausging, dass wir da drinnen waren. «Wie will er das vertuschen?», fragte jemand und jemand anderes antwortete: «Mit einem Gas Leck vielleicht? Explosionen kann man durchaus auf natürliche Weise erklären.»

«Die Detonation hat sicherlich jeden aus dem Schlaf gerissen. Sie alle werden wach sein und vielleicht sogar rausgucken und sehen was passiert ist. Sie werden wissen was der eigentliche Grund ist.»

«Niemand wird etwas sagen. Niemand wird einen Protest beginnen und schon gar nicht wenn sie gesehen haben, dass Sacka dafür verantwortlich ist. Er wird sich irgendeine Geschichte hierzu ausdenken und jeder wird sie annehmen. Ob sie sie glauben oder nicht, spielt da keine Rolle.»

«Was ist mit unseren Familien? Was will er denen erzählen?»

«Wahrscheinlich wird er uns als Lügner darstellen.»

Ich konnte den ganzen Überlegungen nicht mehr folgen. Am liebsten wäre ich raus gestürmt, an die frische Luft, aber dafür war es schon lange zu spät. Um ein bisschen Abstand zu gewinnen, ging ich einfach in Richtung der Zellen. Die Stimmen waren immer noch laut und deutlich zu hören, aber hier hinten war es eine andere Stimme, die meine Aufmerksamkeit erlangte. «Ihr solltet euch nicht so viele Gedanken darüber machen *wie* Sacka es vertuschen will. Das schafft er so oder so. Die eigentliche Frage ist doch, was kommt als nächstes, wenn man gar keine Leichen von euch findet.» Ich ging näher an Noahs Zelle, um ihn direkt anzusprechen: «Hast du gewusst, dass er das vorhat.» Er machte eine kurze Pause und sagte dann: «Nein, aber ich sagte ja bereits, dass ich keine Garantie mehr für euer Überleben bin.» Als er das sagte, spürte ich, dass er ebenfalls fassungslos war, zumindest ein bisschen. Er hatte Recht. Sacka würde nur Schutt und Bruchstücke finden, aber niemanden von uns. Wenn er unseren Familien erzählen würde, dass wir tot wären, würden die bestimmt unsere Leichen sehen wollen. Er könnte erzählen, dass wir alle abgehauen wären, aber was würde das über ihn und sein System preisgeben? Zu viel. Was auch immer er jetzt plante, mit diesem Zug hatte er viel riskiert.

32 ZOE

Phil saß stumm in einer Ecke, während sich alle anderen allmählich beruhigten. Zumindest akustisch, denn in ihren Gesichtern blieb der Ausdruck. Der Ausdruck, dass es jetzt kein Zurück mehr gab.

Ich näherte mich Phil und setzte mich zu ihm. Phil schaute nicht einmal auf. Sein Haus war zerstört. Ein Teil seines Lebens, wenn nicht sogar sein Leben. Aus meiner Hosentasche zog ich das Bild von der jungen Frau, welches ich in Phils Schrank gefunden hatte. Ich hielt es ihm hin. «Das habe ich oben gefunden. Es hatte den Eindruck, als bedeutet es dir viel.» Immer noch schweigend nahm er das Foto in die Hand. Vorsichtig strich er darüber. «Danke. Das tut es.» Als er nichts ergänzte fragte ich nach. «Wer ist sie?» Phil seufzte kurz bevor er antwortete. «Erkennst du sie nicht?» Ich sah mir das Bild noch einmal genauer an. Die Sommersprossen, die Lachfalten, die Grübchen. Ich nickte. «Ich habe dich bei ihrer Beerdigung gesehen. Wusstest du, dass Sacka einen leeren Sarg beerdigen lassen hat?» Phil horchte auf. «Was? Aber...»

«Ich habe sie danach noch im Wald getroffen. *Da* hat Isabelle mir gesagt, dass ich das Dorf verlassen soll. Sie hat mir geholfen, doch dadurch sind Sackas Soldaten ihr auf die Schliche gekommen. Sie hat mich weggeschickt und ich habe sie seinen Leuten

400

überlassen und die haben sie vor meinen Augen endgültig...getötet.» Meine Augen wurden glasig, als ich mich daran zurückerinnerte. Phil hingegen lächelte. «Ich wusste, dass sie sich nicht einfach so von Sacka überlisten lässt», sagte er schmunzelnd. Ich musste auch lächeln. Auf die Art hatte ich es noch gar nicht betrachtet. Dann drückte er kurz meine Hand. «Zoe, sie ist gestorben wie sie gelebt hat: Nicht kampflos alles hinnehmen und in Liebe zu ihren Nächsten.» Das war ein schöner Gedanke, woraufhin *ich* diejenige war, die *Danke* sagte.

Meira war am Leben, sie hatte viele Verletzungen, Prellungen, Schürfwunden, Kratzer, die sich durch ihr Gesicht zogen und definitiv Narben hinterlassen würden. Sie lag in einer Zelle weiter entfernt von den ganzen Geräuschen, dort war es zwar kälter als im vorderen Teil, aber auch eindeutig ruhiger und genau das brauchte Meira. Sie musste erst mal wieder zu Kräften kommen. Als sie gekommen war, war sie bewusstlos gewesen. Ich trat so leise wie möglich bei ihr ein. Erst machte es den Eindruck als schliefe sie, aber das Geräusch meiner sich nähernden Schritte musste sie wohl doch geweckt haben, sodass sie ihre Augen öffnete und sich unsere Blicke trafen. Ich musste mich zusammenreißen keine Miene bei ihrem geschundenen Gesicht zu verziehen. Wir waren uns nie wirklich nah oder sympathisch gewesen, aber trotzdem tat sie mir bei diesem Anblick unendlich leid. Es fühlte sich irgendwie nicht richtig an sie, die toughe, starke Meira, so zu sehen.

Die anderen hatten alles für sie eingerichtet, dass es von allen Schlafmöglichkeiten einem Bett am nächsten kam. Sie lag auf einer von Phils Matratzen. Ihr Kopf ruhte sanft auf einem Kissen und zugedeckt war sie mit einer der Bettdecken, die Mabel und ich aus Phils Schlafzimmer geholt hatten. Ich wusste nicht wie ich anfangen sollte und so stand ich unbeholfen vor ihr und versuchte mir irgendetwas einfallen zu lassen. Am liebsten hätte ich sie nach Wise und Liam gefragt. Ob sie etwas gehört hatte und danach was ihr passiert war, aber ich wusste nicht, ob es dafür nicht noch zu früh war. Sie hatte zwar schon mit den anderen geredet, allerdings wurden die schwierigen Themen dabei ausgelassen. Selbst Traver hatte sich bisher zurückgehalten. Zu seiner Verteidigung hatte er auch nicht wirklich viel Zeit zwischen ihrer Ankunft und der Sprengung gehabt. Ich setzte mich vor ihr auf den Boden und dann fragte ich einfach: «Wie geht es dir?» Wahrscheinlich von allen möglichen Anfängen der Dümmste und bestimmt empfand sie das ebenfalls so, denn sie lächelte nur erschöpft, so als wollte sie sagen: Etwas Besseres ist dir nicht eingefallen? Ich lächelte ebenfalls schwach und es war das erste Mal, dass es wenigstens kurz danach aussah, als würden wir uns verstehen. «Es tut mir leid», sagte ich nach kurzem Schweigen. Ich hatte das Gefühl, dass ich ihr das sagen musste. Dass ich ihr das schuldig war. Klar war es nicht meine Schuld, dass Sacka Bescheid wusste und es war auch nicht meine Schuld, dass wir jetzt hier unten feststeckten, aber wir hatten sie zurückgelassen. Sie, Liam und Wise. Egal wie sehr ich Travers Worten darüber beigepflichtet hatte, er wusste es genauso gut wie ich. Deshalb hatte er auch so eine Angst. Angst davor, dass Liam es nicht schaffte und er es war, der ihn noch zurückgeschickt hatte. Wir hatten sie ins Messer laufen lassen, weil wir von der Gefahr wussten und sie nicht gewarnt hatten. Meira und Liam. Und in dieser Hinsicht haben wir die Schuld daran. Wir alle drei: Traver, Theo und ich. Nur bei Wise musste ich die ganze Schuld auf mich alleine laden und das wusste ich. Genauso gut wie alle anderen. «Denkst du etwa, dass das *deine* Schuld ist?» Hätte ich nicht ihre Betonung gehört, hätte ich vielleicht sogar gedacht, dass sie mir die Last meiner Schuld nehmen wollte, aber ich hatte ihre Betonung gehört und die war voller Ironie und Verachtung gewesen. Der Moment, der Sympathie vermittelt hatte, war vorbei. Ich ignorierte ihre Andeutung und sie fragte: «Was ist gerade passiert?» Ihre Verachtung wich und ich konnte in ihren Augen leichte Angst erkennen. Ich wusste nicht, ob sie schon wusste warum die Situation so eskaliert war, oder warum Liam und Wise noch nicht hier waren. Allerdings fragte ich mich, ob sie das alles schon hatte registrieren können. Wusste sie, dass Sacka uns gefangen gehalten hatte? Doch ich wollte ehrlich gesagt das alles nicht noch einmal erzählen. «Wir haben alles Brauchbare nach unten verfrachtet und uns verschanzt. Gerade noch rechtzeitig. Kurz nachdem du bei uns ankamst, hat Sacka in Phils Haus eine Explosion ausgelöst. Es existiert nicht mehr.» Das konnte ich zwar nicht mit Sicherheit sagen, aber es war stark davon auszugehen. Sie nickte. Sie hatte mit etwas Schlimmen gerechnet und ich hatte es ihr geliefert.

«Was ist mit Liam?», fragte ich plötzlich. Ich konnte nicht länger warten zu fragen, bestimmt hatte sie Etwas gehört. Bei dem Namen, Liam, füllten sich ihre Augen mit Tränen, aber nur kaum merklich, dann schüttelte sie traurig den Kopf. Was? *OH Gott nein!* Das konnte doch nicht sein, er war doch...er war...und Traver erst...er...! Was wird Traver sagen? «Und was ist mit Wise?» Meine Stimme klang leer. «Sacka hält ihn immer noch gefangen.» Ihre Stimme hingegen klang trocken, also reichte ich ihr, wie geistesabwesend ein Glas Wasser, was auf einem kleinen Hocker neben ihrem Bett stand, aber meine Hand zitterte zu sehr, sodass der halbe Inhalt auf dem Boden landete. «Was ist los?» Bei Theos Stimme drehte ich mich wie betäubt um und sah neben ihm auch noch Mabel und Finley stehen, aber das Glas ließ ich erst bei Travers Anblick fallen. «Wise ist Sackas Gefangener, aber Liam, er...er ist tot.»

33 ZOE

Einen kurzen Moment, nur einen kurzen Moment, erlaubte ich mir, mir eine andere Umgebung vorzustellen. Nur einen kurzen Moment deshalb, weil ich mich zu sehr danach sehnen würde. In Gedanken war ich draußen. Ich dachte so den Kopf frei zu bekommen und mich abzulenken. Ich stellte mir vor, wie der Wind durch die Bäume wehte, ließ ihre Äste im Wind schwingen. Morgendämmerung schlich sich von oben heran und tauchte Alles in ein warmes Licht. Ich fühlte mich wohl bei dem Gedanken. So als wäre alles nie passiert. Aber es *war* alles passiert und natürlich konnte diese kurze Einbildung das nicht verdrängen. Meiras Anblick war so erschreckend gewesen und die Nachricht von Liams Tod erst recht. Wir wussten einfach nicht wie unser Plan aussehen sollte. Sacka war zu allem bereit, das hatte er eindeutig gezeigt.

Die Gefühle, die ich verspürte waren zu überwältigend. Hass, Wut, Trauer, Schuld, Verzweiflung, Angst und noch so viele mehr. Ich musste meine Gefühle unter Kontrolle bringen, meinen Kopf ordnen, aber ständig kam ein neuer Gedanke. Was würde Sacka als nächstes unternehmen? Was wollte er uns mit Liams Ermordung zeigen? Dass er zu allem bereit war? Wie lange würden wir es noch aushalten? Wie lange würden wir noch überleben? Was hatte er mit

Wise vor? Wollte er mich ködern? Wenn Ja, hatte ich Angst, dass es funktionierte. Aber all diese Gedanken musste ich verdrängen. Durfte mich nicht leiten lassen in der Verzweiflung zu versinken, also versuchte ich die Fragen irgendwie abzuhaken. Was würde Sacka als nächstes unternehmen? Ich hatte keine Ahnung. Wie lange würden wir es noch aushalten? Keine Ahnung. Wie lange konnten wir hier unten überleben? Und auch hier hatte ich wieder keine Ahnung, doch das war immerhin eine beständige Tatsache, vermutlich sogar die einzige, die ich mit Sicherheit sagen konnte.

Und es war ebenfalls eine Tatsache, dass mein erster Gedanke, als ich von Liams Tod gehört hatte, nicht ihm gegolten hatte, sondern Wise. Ich hatte nicht gewagt es auszusprechen, dass Liams Tod nichts Gutes für Wise bedeutete. Den anderen war das sicher auch bewusst und wir waren nicht naiv genug, um zu glauben, dass Sacka ihn einfach so freilassen würde und er jeden Moment um die Ecke schlendern würde, um uns freudig zu begrüßen, aber niemand verlor ein Wort über *den* Teil der Situation. Sie würden Wise nie im Stich lassen, das wusste ich, aber angesichts der Umstände war er nicht ihre Hauptsorge und aufgrund ihrer derzeitigen Abneigung zu mir, waren auch alle Versuche, den Fokus auf Wise zu lenken, erfolglos.

Es war mein Plan gewesen. *Ich* war daran schuld, dass Wise noch immer bei Sacka war und *ich* war daran

407

schuld, dass Liam...tot war. Ohne mich und den Plan hätte er nie zurückgehen müssen. Die anderen wussten das. Ihre Blicke, die sie zu mir rüber warfen, waren eindeutig. Trotz dem ich es wusste, konnte ich es mir nicht eingestehen, denn das würde alle Gefühle zulassen und dann wäre ich noch unfähiger. Ich glaubte manche gaben mir auch an der ganzen Situation die Schuld, aber hatte ich die? Hatte ich jemanden umgebracht? Nein. Hatte ich Meira so entstellt? Nein. Hatte ich Phils Haus in die Luft gesprengt? Nein. Hatte ich uns verraten? Nein. Ich war vielleicht Teil des Auslösers gewesen, aber hätte das nicht auch jeder andere sein können? Also warum ich? Warum straften sie mich so mit ihren Blicken und Gedanken? Ich hatte keine Ahnung und da waren wir wieder am Anfang bei der einzigen klaren Tatsache. Fast so als wäre *Tatsache* mein Synonym für: Keine Ahnung.

«Hey», ertönte hinter mir und ich schluckte meine Wut und den Hass herunter. Es war nicht Travers Aufgabe auf mich zuzugehen, das war meine. Ich wartete bis er sich neben mich auf eine kleine Erhöhung setzte. So Vieles forderte im Moment unsere Aufmerksamkeit, Liams Tod, Wises Gefangenschaft, Sackas Pläne, Meiras Gesundheit, doch trotzdem saßen wir einfach stumm nebeneinander und starrten irgendwohin, nur nicht zueinander, zumindest am Anfang, denn dann fing ich an ihn aus dem

Augenwinkel zu betrachten. Seine Unterarme hatte er auf seine Beine abgestützt, seine Hände hingen schlaff zur Seite. Sein Gesicht wirkte blasser als sonst und auch seine Haltung war verändert. Man merkte wie die Situation ihm zu schaffen machte. Wem ging es nicht so? Er fuhr mit seiner Hand über seinen Nacken und ein Schmunzeln huschte über meine Lippen. Wenigstens etwas Vertrautes, das sich nicht geändert hatte. Ich bemerkte wie er neben mir nach Worten suchte um das Gespräch anzufangen, aber ich musste feststellen, dass ich es nicht hören wollte. Ich wollte nicht, dass er anfing zu reden, nicht wo ich doch schon längst den Anfang hätte machen sollen.

Auch wenn die Worte keinen großartigen Trosteffekt hatten, sagte ich sie. Dabei schaute ich ihn von der Seite an. Meine Mundwinkel waren verzerrt und es war mehr ein Flüstern: «Es tut mir so leid.» Langsam drehte er seinen Kopf ebenfalls in meine Richtung. Ich starrte in seine, er in meine Augen. «Ich weiß.» Bei seinen Worten merkte ich wie bei mir langsam Tränen hochstiegen. Es war nicht wegen dem *Was* er gesagt hatte, auch nicht wie er es gesagt hatte, sondern *weil* er Etwas gesagt hatte. Einfach seine Stimme ließ alles in mir hochkommen. «Ich weiß nicht wie das alles passieren konnte. Ich weiß nicht wie ich das zulassen konnte.» Bei diesen, von mir so wehleidig ausgesprochenen Worten, sah er mich nicht mehr einfach nur an, sondern nahm mich in den Arm. Meine Tränen durchweichten sein T-Shirt und ich schmeckte seine salzige Haut als es verrutschte. «Wie sind wir nur in das alles rein geraten?», fragte er. «*Tatsache*», flüsterte ich zu leise für seine Ohren. Ich rückte ein Stück von ihm weg, aber nur ein kleines Stück. Um ihn besser ansehen zu können und gleichzeitig seine Nähe nicht zu verlieren. Unsere Gesichter waren auf gleicher Höhe. Mein Blick wechselte zwischen seinen Augen und seinen Lippen. Ich wollte ihm zeigen wie sehr ich seine Nähe wollte, wie sehr ich seine Nähe brauchte. Doch er ließ es nicht zu und stand auf. Ein Gefühl der Kälte überkam mich und ich meinte in seinem Gesicht ebenfalls Enttäuschung zu sehen, aber am meisten sah ich, dass ihn etwas bedrückte. «Es bringt nichts sich hier hinten zu verstecken!» Mit den Worten nahm er meine Hand und brachte mich auf die Beine. Wieder setzte er an, um etwas zu sagen und wieder kam ich ihm zuvor. Einfach, weil ich Angst hatte was seine Worte bei mir auslösen würden. «Liam ist wegen Wise nicht mit uns mitgekommen und Wise ist wegen mir da.» Ich konnte seine Augen sehen, die mich mitfühlend ansahen, aber gleichzeitig waren sie auch traurig. Er war sich über diesen Umstand bewusst, aber er wusste auch, dass ich für Sackas Taten nichts konnte. Plötzlich nahm er mich wieder in den Arm, woraufhin ich mich an ihn schmiegte. Ich brauchte seine Nähe, seine Wärme. Ich brauchte ihn. Als ich mich so an ihn lehnte, zuckte er kurz zusammen. Sofort nahm ich etwas Abstand und sah ihn erschrocken an. Ich hatte seine Verletzungen total vergessen. Vorsichtig schob ich sein Shirt nach oben. Die Blutergüsse und Prellungen sahen nicht weniger erschreckend aus als zuvor. «Du solltest dich ausruhen», gab ich sorgenvoll zu Bedenken. «Keine Angst. Was das betrifft, komme ich klar.» Ich nahm meine Hand und strich über seine Wange. Traver legte seine Hand auf meine und führte die Bewegung für einen Augenblick mit durch, dann nahm er meine Hand und küsste sie. Ich genoss jede seiner Berührungen, auch wenn es mir sogleich wieder verwehrt wurde, als Elise uns unterbrach. «Traver. Ich denke du solltest mal zu Meira gehen. Sie sollte sehen, dass wenigstens du noch lebst!» Elise kam näher. Ihr vorwurfsvoller Ton spiegelte sich in ihrem grimmigen Blick wieder. Schon seit dem sie mich zum ersten Mal gesehen hatte, war Elise mir aus dem Weg gegangen. Der Blick, mit dem sie mich jetzt musterte, war so verbittert und fast schon angewidert. Sie konnte mich echt überhaupt nicht leiden. Nicht mal nach allem was geschehen war, hatte sie den Anstand mich zu verschonen, aber vermutlich stachelte sie das jetzt erst recht an. «Meira hat mich bereits gesehen. Wir haben sogar gesprochen», sagte Traver. «Ich mache mir Sorgen um sie.» Ach. «Okay, wenn das so ist...» Traver sah mich eindringend an und zog mich am Arm mit sich mit, «...dann gehen wir eben nach ihr sehen.» Sie lächelte, als wäre das genau das, was sie gewollt hatte, aber das war es nicht. «Ja, danke. Ähm Zoe kann ich dich noch kurz vorher sprechen?» Was wollte sie? Mich jetzt als Teufel beschimpfen? Würde ich es nicht besser wissen, wirkte sie wirklich so als wäre sie der freundlichste Mensch auf der Welt, mit ihrem breiten Grinsen. *Hatte ich denn eine Wahl?* Widerwillig nickte ich. Aber mehr als Bestätigung an Traver, als an sie und als sie sicher war, dass Traver sich auch wirklich entfernt hatte, verschwand ihr Grinsen schlagartig. Nichts anderes hatte ich erwartet, aber mit dem was als nächstes kam hatte ich nicht gerechnet. Sie kam ein paar Schritte auf mich zu. Unweigerlich entfernte ich mich einen Schritt von ihr. Plötzlich packte sie mich an den Schultern und presste mich nach hinten. Dann drängte sie mich gegen eine Zellenwand und drückte mich mit ihrer Kraft dagegen. Die Stäbe drückten sich hart in meinen Rücken. «Du bist schuld an Liams Tod», zischte sie. «Ich hab von Anfang an gesagt, dass du nichts Gutes mitbringst.» Ich wagte es nicht etwas zu sagen. Ihre Augen hatten ein hasserfülltes Leuchten und sie sah zu allem bereit aus, was auch immer sie im Sinn hatte. Ihr Griff an meiner Schulter schmerzte, sie packte genau in meine Wunde. Ich verzog unweigerlich das Gesicht. «Du hast uns das eingebrockt. Merkst du nicht, dass du deine Mitmenschen in Gefahr bringst? Wer ist als Nächstes dran?» Oh nein das konnte sie nicht mit mir machen. Dafür hatte sie kein Recht. Sie hatte keine Ahnung was ich alles durchgemacht hatte, was mir widerfahren war und was ich mir alles aufgelastet hatte. Aber anstatt ihr alles an den Kopf zu knallen, bemühte ich mich unter großer Anstrengung es zurückzudrängen. Ich schluckte meine aufflammende Wut einfach herunter. «Was ist wenn Meira auch noch gestorben wäre? Hättest du dich dann auch so gefreut wie bei Liam? Alle haben doch dein Grinsen gesehen, dass er tot ist und vor allem dein Wise noch lebt.» Was? Sie war doch nicht einmal dabei gewesen. Das ging zu weit. Liams Tod war das, was ich mir von allen Sachen nie im Leben verzeihen würde. Meine Wut siegte. Elise war nicht vorbereitet. Ich riss mein Knie nach oben, lockerte dadurch ihren Griff und stieß sie von mir weg. Ich starrte in ihre entsetzte Miene, als ich sie auf der anderen Seite selber gegen die Wand drückte. «Ich soll mich gefreut haben? Darüber das Liam tot ist? Wie krank bist du eigentlich?» Ihr jetzt, ängstlicher Blick änderte nichts an meiner Wut. «Ich wollte das nie! Nichts hiervon, hörst du? Mir wäre es lieber, ich wüsste nichts von Alledem und ich würde einfach wieder unwissend ein glückliches Leben führen.» Elise sah mich genauso überrascht an, wie ich über meine Worte war. *Stimmte das?* Wollte ich wirklich lieber

413

ahnungslos leben? Wenn es das Leid aufhob, wenn alle die gestorben waren, dafür noch leben würden. Immer noch gefangen in ihrem Leben, aber immerhin lebendig, dann ja. Ich denke dann würde ich lieber ahnungslos leben. In dem Moment kam mir Theo in den Sinn: Er wollte das gleiche mit Rachel.

Aber andererseits, was war mit der Freiheit und...Traver? Stimmte es überhaupt? Wenn ich damals nicht in den Wald gegangen wäre, mein Schicksal nicht so herausgefordert und Isabelles Leben geopfert hätte, einfach weiter gehorsam nichts getan hätte, hätte das das Leid vermieden? Wäre dann nicht wer anderes dahinter gekommen und es hätte genauso stattgefunden, nur mit jemand anderem? Elise öffnete den Mund, aber ich drückte sie mit noch mehr Nachdruck gegen die Wand. Sie verstummte. «Du solltest dich eher darauf konzentrieren, dass du dich auf die richtige Sache konzentrierst», knurrte ich, bevor ich mit einem warnenden Blick von ihr abließ. Dann schritt ich an ihr vorbei. Weiter hinten sah ich wie alle in ihren Tätigkeiten innegehalten hatten. Sie alle beobachteten uns stumm. Wäre ich allein gewesen, hätte ich mich an eine Wand gelehnt, wäre an ihr hinab gesunken und hätte tief durchgeatmet, aber diesen Luxus hatten wir nicht mehr. Und außerdem wollte ich mich nicht länger rechtfertigen müssen und mich eingeknickt vor ihnen verhallten. Allerdings konnte selbst diese Einstellung

414

nicht verhindern, dass Elises Worte nachhallten: *Wer ist als Nächstes dran?*

34 TRAVER

Elises Vorwand war schwach gewesen, aber da sie nie locker gelassen hätte, wenn Zoe sich nicht auf sie eingelassen hätte, war es wohl das Beste, dass ich wirklich einfach zu Meira gegangen war. Elise war provozierend und impulsiv, aber Zoe hatte ihren Standpunkt klar gemacht.

Niemand sprach, dabei gab es so viel zu sagen und trotzdem gab es keine Reaktion, die angebracht wäre. Meira war entkräftet, aber sie war am Leben und das war etwas worüber man sich freuen sollte, in gewisser Weise zumindest. Aber ich konnte es nicht, keiner von uns konnte es, denn Liam war tot. Es brachte nichts, wenn wir aneinandergerieten, denn es änderte nichts. Es zeigte nur deutlich die Spannung, die sich unter allen verbreitete. Liam, mein bester Freund und einer der so hätte nie sterben dürfen, war tot. Sacka war grausam, er tötete, das war mir nicht unbekannt und trotzdem hatte mich das Ausmaß seiner Taten mehr als nur geschockt. Liams Tötung, Meiras Schändigung und Phils Haussprengung. Es war einfach alles zu heftig, zu krass, um es zu verarbeiten. Aber mit der Zeit, wurde wahrscheinlich alles zum Hindernis und wir waren es schon zu lange. Also wann begann er seine nächsten Schritte, um uns aus dem Weg zu räumen?

Allmählich ging jeder wieder eigenem Kram nach.

«Was sollen wir jetzt machen?» Wie oft kam diese Frage schon? Wie oft hatte ich sie mir selber gestellt und zum wievielten Mal stellte Theo sie jetzt? Ich erhob mich von dem Hocker, auf dem ich neben Meira gesessen hatte und drehte mich zu ihm um. Und obwohl Mabel direkt neben mir stand, richtete sich seine Frage nur an mich. Was erwartete er? Was erwarteten sie alle? Immer schauten sie zu mir, aber ich war kein Anführer. Ich machte das was ich für richtig hielt, handelte situationsbedingt und war stark, das gab ich zu, aber ich übernahm nicht gerne die Verantwortung für alle anderen. Das war ich nicht. Vielleicht suchten sie auch einfach nur einen Schuldigen. Aber das war ich auch nicht. Ich wusste, ich hatte Liam losgeschickt, hatte ihn auf die Suche nach Wise geschickt, aber hätte ich es nicht getan, hätte Sacka trotzdem Bescheid gewusst und gehandelt. Das hieß nicht, dass ich keine Schuldgefühle hatte, aber mir einzureden, dass es nicht meine Schuld war, half mir. Besser als die Schuld jemand anderem zu geben und ich konnte nicht auch Zoe die Schuld geben, es reichte schon wenn sie sich die selber gab.

Theos Frage stand immer noch unbeantwortet im Raum und ich fragte mich, ob es überhaupt eine Antwort gab. «Wir werden kämpfen müssen», sagte ich ohne jegliche Betonung. Denn nichts passte zu dem, was ich fühlte. «Ja, nur das wir dann sterben werden. Sie sind in der Überzahl.» Leer starrte ich Mabel an. Es war das erste, was sie gesagt hatte, nachdem Meira wie eine Leiche abgeladen wurde. «Schlag ruhig etwas anderes vor, wir können Ideen gebrauchen.»

«Das hat doch keinen Sinn, das hatten wir alles schon. Dieses wahllose hin und her schieben von Plänen bringt uns nicht voran. Es gibt zwei Möglichkeiten. Wir hauen ab oder wir wehren uns. Die Tore hier raus sind zwar bewacht, aber vielleicht würden wir es schaffen. Dort werden weniger Soldaten sein, als bei einem direkten Angriff. Das Problem daran ist, dass wir alle im Stich lassen, man wird uns verfolgen und früher oder später wird es dazu kommen wozu es auch hier kommt, wenn wir nichts unternehmen, also bleibt nur eine Möglichkeit.» Sally, die gerade zu uns stieß, ergänzte Theos Satz: «... und dabei viele Probleme. Sacka ist vorbereitet, er erwartet das doch nur oder nicht? Er hat mehr auf seiner Seite. All unsere Freunde, alle mit denen wir schon so viel durchgemacht haben, sie alle folgen Sacka und wir alle wissen, dass sie skrupellos sein werden. Denn was für eine Perspektive gibt es denn schon wenn, das alles ein Ende findet? Er hat alle Waffen und von den Bewohnern wird sich keiner trauen sich uns anzuschließen, um sich gegen ihn zu stellen, geschweige denn uns überhaupt zu glauben. Selbst wenn wir ein Gegenserum hätten, gibt es noch diejenigen, die Sacka nicht manipuliert hat. Die, die ihm bereitwillig folgen.» *Skrupellos,* es stimmte, davon war ich auch überzeugt. «Hey, aber zum Aussteigen ist es jetzt schon zu spät», sagte ich. «Ich meine ja nur», gab sie schulterzuckend zurück. «Scheiße Leute, wie sollen wir das regeln? Vielleicht sollten wir echt abhauen, uns ergeben. Ja vielleicht sollten wir uns ergeben! Ich will nicht eine ganze Armee, als Feind.» Mabel wurde allmählich immer verzweifelter. Theo packte sie an der Schulter und hinderte sie damit daran, weiter aufgebracht auf und ab zu gehen. «Mabel! Schau mich an. Es geht nicht darum in dem besseren oder stärkeren Team zu sein, es geht um das *wofür* wir kämpfen. Wir sind hier, weil niemand das Recht hat irgendjemandem seine Vergangenheit zu nehmen. Weil niemand das Recht hat uns hier einzusperren! Und ich werde mich Sacka nicht ergeben. Nicht nach allem, was er uns angetan hat.» Ich sah zu Theo rüber. Er sah so aus, als wusste er, dass seine Worte die richtigen waren, aber trotzdem wirkte er nachdenklich. Viele von uns hatten sich tyrannisieren lassen, viele hatten geliebte Menschen verloren, viele hatten aufgegeben und zu viele wussten nichts von dem, was um sie geschah und was ihnen angetan wurde. Ich dachte daran, dass ich eigentlich jeder Zeit hätte gehen können. Ich war *frei* gewesen, aber jetzt zählte es wohl auch nicht mehr. Ich gab Sally recht, ergeben kam nicht in Frage. «Sally hat recht und selbst wenn wir wollten, könnten wir nicht fliehen. Wo sollten wir hin? Hinter den Außenstützpunkten, gibt es nichts weiter als kahles Land, außerdem wären innerhalb von Minuten, sämtliche Jeeps hinter uns her!»

«Es ist nicht nur das Problem.»

«Sacka hat uns mit Wise in der Hand.»

«*Wegen* Wise.» Es war Theo, der seine Vorwürfe laut machte, aber insgeheim gab ich ihm Recht. Auch wenn mir klar war, dass Sacka auch jeden anderen außer Wise als Druckmittel hätte nehmen können. Er wollte noch etwas hinzufügen, doch er stoppte abrupt ab. Als ich mich, nach dem Grund suchend umschaute, fand ich ihn auch so gleich in der Tür stehend. Zoe. Seufzend stand ich auf, aber nicht wegen Zoe, sondern wegen der ewig misstrauischen und enttäuschten Blicke der anderen. *Leute, es war doch nicht alles ihre Schuld.* Sie behandelten sie als wäre sie für alles verantwortlich, so als könnte sie etwas für Sackas Taten. «Was wolltest du sagen Theo?», forderte ich ihn heraus. Er wandte sich ab und verließ den Raum mit einem knappen «Nichts.» Ja klar: nichts. «Wie geht es ihr?» Zoes Stimme klang keineswegs eingeknickt vor den anderen, aber ich wusste es besser, denn mir entging ihr bedrückter und nachdenklicher Gesichtsausdruck nicht. Mit einer nervösen Handgeste trat sie näher an Meiras «Bett» und wandte sich, nach einem traurigen Blick auf ihr geschundenes Gesicht, wieder fragend in die andere Richtung. Mabel machte Anstalten ihr zu antworten: «Sie ist immer noch ziemlich erschöpft. Aber wenn sie sich weiter ausruht, ist sie bestimmt bald wieder die Alte. Hoffe ich doch mal.» Die Wut, die in ihrer Stimme mitschwang, richtete sich nicht gegen Zoe, sondern gegen Sacka. Dass es dennoch Spuren hinterlassen würde, musste wohl kaum mehr erwähnt werden. Zoe nahm es mit einem Nicken hin. Bei ihrem Anblick überkam mich der Drang, sie zu küssen, sie zu umarmen, ihre Nähe zu spüren. So wie, als Elise uns unterbrochen hatte. Ich wollte ihr zeigen, dass sie nicht alleine war und ich wollte selber spüren, dass ich nicht alleine war, aber ich tat es nicht. Nicht vor allen im Raum. Sally und Mabel mussten es spüren, denn wenige Sekunden später verließen sie den Raum. Wir waren alleine, bis auf, die mittlerweile wahrscheinlich wache und stalkende Meira. Zoe ergriff das Wort. «Ich habe Angst, Traver.» Einen Augenblick schauten wir uns wortlos in die Augen. Es war offensichtlich, dass wir alle Angst hatten. Doch es ausgesprochen zu hören machte dieses Gefühl so real. Dann hielt ich es nicht länger aus und wir schlossen uns in die Arme. Dieses Mal wollte ich sie so lange bei mir spüren wie es nur ging. Niemand sollte dazwischen kommen. Ihre Wärme umhüllte mich und spendete mir Trost. Meine Gedanken kreisten für diesen Moment nur um Zoe.

35 ZOE

Durch mein Shirt -Phils Shirt- spürte ich Travers muskulöse Arme, die den Anschein machten mich nie wieder loszulassen und genau das wollte ich. Nie wieder etwas anders tun, als in Travers Nähe zu sein und ihn zu spüren. Aber die Realität konnte so grausam sein und brachte uns dazu, uns wieder zu lösen. Eigentlich hatte ich vor gehabt ihm noch mehr zu sagen. Dass ich mir Sorgen um unsere nächsten Schritte machte, dass ich nicht mehr sicher war, ob wir richtig gehandelt hatten, uns hier unten zu verschanzen. Dass ich nicht einmal wusste wie es mit uns weitergehen sollte und vor allem, dass ich mir Sorgen um meine Mutter machte. Besonders nach Elises Worten. Meine Mutter wusste von nichts und war somit ein leichtes Ziel für Sacka und ein besseres Druckmittel noch dazu, wenn er erst mal bemerkte, dass wir nicht tot waren. Aber andererseits, wie sollten wir davon erfahren? Ein Druckmittel, war erst dann ein Druckmittel, wenn man davon wusste. «Leute, kommt schnell her», rief eine aufgeregte Stimme. Sofort schrillten bei mir die Alarmglocken. Alle horchten auf und liefen nach vorne zu Boyd, der gerufen hatte. «Was ist passiert?» Finleys Worte klangen so, als rechnete er mit dem Schlimmsten und um ehrlich zu sein tat *ich* das auch.

Boyd, der gerade noch mit dem Rücken zu allen

gestanden hatte, drehte sich um und auf seinem Gesicht war ein breites Grinsen, dann sagte er: «Wir haben wieder eine Verbindung mit den Kameras.» Man merkte deutlich wie alle automatisch ruhiger wurden. Boyd schien gar nicht bemerkt zu haben, wie erschreckt alle ausgesehen hatten. Er redete einfach weiter. «Aber das Beste kommt noch, schaut euch das Bild an.» mit einem Schritt wich er zur Seite und wir konnten den Bildschirm erkennen, auf dem wir zuvor die Explosion gesehen hatten. Zu sehen war eine Straße aus dem Dorf. Ich erkannte sie. Es war nur zwei Straßen weiter von hier. «Das ist wohl nicht mehr die Laptop Kamera», sagte einer, auf den Bildschirm starrend. «Und das ist noch nicht alles.» Boyd betätigte während seiner Worte die Pfeiltaste und wir sahen einen anderen Teil des Dorfes. Um genauer zu sein, die Straße mit dem Schulgebäude. Jemand zog laut die Luft ein, während Boyd ständig weiterklickte. «Wir haben zwar das Signal mit der Webcam verloren, aber danach hat der Desktop das Signal der Überwachungskameras gefunden. Wir können jetzt darauf zugreifen.» Wieder blickte er freudestrahlend in unsere Gesichter. Mabel sagte als erste etwas dazu. «Warte was? Da gab es Überwachungskameras? Das heißt wir wurden die ganze Zeit überwacht?» Sie klang genauso fassungslos wie ich es war. Überwachungskameras erklärten einiges. Allerdings, war das wirklich so eine

Überraschung? Im Grunde hätten wir doch mit so etwas rechnen müssen, immerhin ging es hier um Sacka. «Kein Wunder, dass wir aufgeflogen sind, wenn er uns immer dabei beobachten konnte wie wir uns getroffen haben. Warum wussten wir nichts davon?» Traver reagierte: «Ich hatte keine Ahnung.» Boyd verstand nicht warum alle so geschlagen aussahen. «Es ist zwar nicht jeder Winkel mit Kameras ausgeschmückt. Hauptsächlich nur die öffentlichen Gebäude, der Zaun und der Waldrand,» *Der Zaun und der Waldrand*, hätte ich das mal früher gewusst. «aber trotzdem genug. Versteht ihr, was das bedeutet. Wir haben Zugriff da drauf, wir können alles sehen, während er uns nicht sehen kann.» Langsam schlich sich die Euphorie auch unter die anderen und jemand ergänzte: «Jetzt sind wir ihnen einen Schritt voraus.» Ein leichtes Grinsen überkam auch die anderen Gesichter. Doch auch ein ironisches Auflachen mischte sich unter die Leute. «Lachhaft.» Alle drehten sich in Richtung der Zellen, aus der Noahs Stimme kam. Es war klar wie wenig Theo von Noah hielt und wie er ihn verabscheute. Vor allem nachdem, was ich mitbekommen hatte, als wir bei Sacka gefangen waren und Noah von Rachel angefangen hatte zu erzählen. Jetzt ging Theo in Richtung Noahs Zelle und baute sich davor auf. «Was hast du gesagt?» Wir anderen blieben zurück, doch selbst von hier konnte ich sehen wie Theos Augen

425

wütend blitzten. Wieder war Noahs Stimme zu hören: «Armselig. Ihr wisst nicht was ihr als nächstes tun sollt und ihr wisst nicht was Sacka als nächstes geplant hat. Ihr solltet euch besser organisieren.» Warum provozierte Noah ihn? «Du solltest besser die Klappe halten!», erwiderte Theo ungehalten. Und warum ging Theo darauf ein? «Warum? Weil es die Wahrheit ist?», setzte Noah noch einen drauf. Theo schloss Noahs Zelle auf und ging rein. Wir konnten ihn nicht mehr sehen, aber wir hörten ein dumpfes Geräusch, danach das Klirren der Ketten, die für Noahs Handgelenke waren. Zwei Sekunden später schob Theo Noah vor sich her aus der Zelle und kam auf uns zu. Im vorderen Bereich angelangt, stieß Theo ihn an eine der Wände. Alle anderen bildeten einen Halbkreis um ihn. Noah schaute in die Runde, während Theo sich vor ihm aufbaute. «Was weißt du?», fragte Theo. «Worüber?» Noah grinste und rieb sich beim Sprechen die Handgelenke. «Was plant Sacka als nächstes?»

«Woher soll ich das wissen. Ich bin nicht telepathisch mit ihm verbunden oder so was.» Plötzlich drängte Theo ihn eng an die Wand und drückte Noah, mit seinem Unterarm, die Luft ab. «Spiel dich nicht so auf», zischte er an Noahs Ohr. Noah erwiderte nichts, sondern hielt nur Theos Blick stand. Theo drückte ihm weiter die Luft ab. Wir alle starrten zu dem Geschehen, bis jemand endlich rief: «Theo lass gut sein.» Theo verharrte noch wenige Sekunden erst dann ließ er von ihm ab. Doch Noah konnte kaum Luft holen, da schlug Theo auf ihn ein. Noah landete auf allen Vieren. Aus seiner Position schaute er missbilligend zu Theo hoch und sagte: «Du genießt es endlich auch mal in dieser Position zu sein oder nicht?»

«Wo bewahrt Sacka das Serum auf?» Noah ging nicht auf Theos Frage ein, sondern provozierte ihn weiter. «Dir geht es doch gar nicht darum, ob ich irgendetwas weiß. Du willst dich rächen für das, was dir angetan wurde. Für das, was du Rachel angetan hast.» Bei dem Namen Rachel wurde Theo blind vor Wut. Er trat auf Noah weiter ein. Noah erwiderte keine Worte mehr, er versuchte sich nicht mal zu wehren. Er krümmte sich nur zusammen, um sich irgendwie zu schützen. Warum stoppte ihn keiner? «Theo hör auf. Er kann nichts dafür, was Sacka dir angetan hat», rief ich.

«Er hat Sackas Befehle ausgeführt. Das ist Grund genug», kam Theos Antwort. Er war immer noch voller Wut. «Genau wie viele von uns auch. Zoe hat Recht. Hör auf.» Erleichtert sah ich zu Finley, der meinen Gedanken teilte. Doch Theo stoppte nicht. Erst als Aiden, Finley und Traver ihn von, dem am Boden liegenden Noah wegzogen, beruhigte er sich wieder. Er sank zu Boden und ich meinte Tränen zu sehen, während sich zwei andere darum kümmerten Noah wieder in seine Zelle zu bringen. «Was ist wenn er doch etwas weiß?», fragte Mabel in die Runde. «Was ist wenn er weiß wie man das Serum herstellt? Damit könnten wir das Gegengift entwickeln und mehr Leute auf unsere Seite ziehen. Wir könnten in der Überzahl sein.»

«Sollte Noah wirklich wissen wie man das Serum herstellt, dann hätte Sacka ihn uns niemals überlassen. Dieses Risiko hätte er eliminiert», wandte ich ein. «Okay, hört alle zu», begann Phil. «Unser Umzug nach hier unten war ziemlich überstürzt. Wir haben zwar alles, was wir finden konnten runter geschafft, aber es wird nicht lange reichen. Wir haben kein Tageslicht und unser Trinken wird auch nicht lange halten. Es ist klar, dass desto länger wir hier unten bleiben, desto deutlicher zerrt es an unseren Kräften und Nerven.» Phil schaute kurz zu Theo, dann fuhr er fort: «Es ist also klar auf der Hand, dass wir so bald wie möglich den Angriff starten müssen. Zoes Einwand ist überzeugend. Sollte Noah etwas dergleichen wissen, hätte Sacka das nicht zugelassen. Wir haben das Serum nicht. Wir brauchen einen anderen Plan.»

36 ZOE

Mitten in der Nacht schlug ich die Augen auf. Ich wusste, dass es Nacht war, weil ich nicht geschlafen, sondern nur auf diesen Moment gewartet hatte. Hellwach setzte ich mich auf. Mit meinen Klamotten vom Tag, war ich unter die Decke geschlüpft, die ich jetzt von mir abstreifte und auf den Boden gleiten ließ. Traver lag mit mir in diesem Zellenraum. Auf sein Einschlafen hatte ich am längsten gewartet. Denn er hatte lange einfach nur neben mir gelegen und an die Decke gestarrt. Ich wusste was er tat. Er hatte den Tag reflektiert und war alles nochmal durchgegangen, so wie er es jeden Abend tat. Ich hätte ihn so gerne beruhigt oder versucht zu beschwichtigen, doch ich hatte gespürt, dass es besser war ihn einfach machen zu lassen. Nun ruhte er mit geschlossenen Augen neben mir und regte sich nicht. Genau wie alle anderen, als ich aufstand und mich auf den Weg in den vorderen Bereich machte. Hinter mir war das unterschiedliche Atmen der anderen zu hören. Vorne schnappte ich mir eine Jacke und einen Rucksack, den ich mit ein paar Sachen befüllte. Bei jeder meiner Bewegungen achtete ich darauf, nicht allzu laute Geräusche zu machen. Danach nahm ich eine angefangene Wasserflasche, die auf dem Boden stand und ging damit zu Noahs Zelle. Vor den Scharnieren der Gittertür, blieb ich stehen und träufelte ein wenig von dem Wasser auf sie drauf. Hoffentlich würde das für den kurzen Moment ausreichen, um das Quietschen der Tür zu verhindern. Vorsichtig nahm ich den Schlüssel an mich. Ein triumphierendes Gefühl stieg in mir auf, als ich es tatsächlich schaffte, den Schlüssel im Schloss umzudrehen und die Tür zu öffnen, ohne dass es Aufsehen erregte und jemand mich bemerkte. Jetzt stand ich in der offenen Tür vor Noah. Er starrte mich an. Ob er gerade noch geschlafen hatte oder es gar nicht erst probiert hatte, wusste ich nicht. «Was willst du? Hast du dich vielleicht in der Zelle geirrt? Ich bin nicht Traver.» *Die Erkenntnis des Jahres*. Noah hatte beim Sprechen nicht ansatzweise die Stimme gesenkt. Schnell sah ich mich skeptisch um. Nachdem ich nichts hörte wandte ich mich wieder an ihn. «Schon klar, ich meine auch dich, Noah», flüsterte ich. Ich trat auf ihn zu und befreite ihn von den Ketten. Ich stand ungeschützt vor ihm und auch er schien sich gerade darüber bewusst zu werden, also lenkte ich schnell ein. «Wir hauen hier ab.» Skeptisch sah er mich an. «Bist du wirklich ganz sicher, dass du mich meinst?» Ich war beruhigt, dass er diesmal auch flüsterte. «Es ist die einzige Möglichkeit. Willst du hier nun raus oder nicht? Dann verhalt dich leise und folge mir.» Ohne weitere Kommentare tat er, was ich ihm gesagt hatte. Leise gingen wir durch den Gang, dabei konnte ich einen letzten Blick auf Traver nicht vermeiden, der unter seiner Decke ruhig lag. Es konnte im wahrsten Sinne des Wortes, mein *letzter* Blick auf ihn sein. Ich atmete tief durch, ehe ich Noah zu der Stelle führte, durch die Theo uns hergebracht hatte. *Oh Gott, ich zog es wirklich durch.* Nachdem wir das Loch passiert hatten, schloss ich es von der anderen Seite wieder mit Steinen und wir setzten den Weg fort. Richtung Leiter, die uns eine Etage höher führen würde. Wir redeten beim Gehen kein Wort und ich war ihm sehr dankbar dafür. Ich wusste nicht was ich antworten sollte, wenn er mich fragen würde, was wir hier gerade machten. Er folgte mir einfach stumm und versuchte auch nicht mich zu überwältigen. Vermutlich sah er in mir keinen richtigen Gegner oder er plante es gerade erst. Ich konnte nur hoffen, er würde es lassen, schließlich befreite ich ihn gerade. Phil hatte Theo nach unserer Ankunft gefragt, ob er den Hauptweg durch das Tunnel- und Kanalsystem beschreiben konnte. Ich hoffte dabei, und als er uns selber hier lang geführt hatte, gut genug aufgepasst zu haben.

Hinter mir hörte ich wie Noah den Mund öffnete und ihn dann wieder schloss. Anscheinend war es gleich aus, mit dem stillen vor sich hin Laufen. «Wie bist du zu den Soldaten gekommen?», fragte ich einfach schnell, damit er mich nichts fragen konnte. «Willst du das wirklich wissen oder probierst du nur Smalltalk zu betreiben, weil ich glaube das wäre jetzt das Unangebrachteste von allem.» Ich biss mir auf die Unterlippe, dann sagte ich: «Es interessiert mich wirklich.» Er zögerte erst, wollte beginnen, doch noch vorher stoppte er sich selber. «Okay nein, so einen Scheiß mache ich nicht.»

«Ist es das oder weißt du es einfach nur nicht mehr? Dir ist doch klar, dass die Wahrscheinlichkeit sehr hoch ist, dass du von Sacka in irgendeiner Art manipuliert worden bist, oder?»

«Wenn er das hat, dann weiß ich es nicht mehr und damit kann ich leben.» Wie ich fand, eine sehr unaufrichtige Antwort, das war garantiert nicht sein wahrer Gedanke darüber. Auch wenn ich es besser lassen sollte, hakte ich weiter nach: «Vielleicht warst du ein ganz anderer Mensch und warst auch gegen ihn? Ich meine du hast doch selbst gesagt, dass er dich nicht verschonen wird.» Noah blieb stehen und ich merkte es sofort. Augenblicklich blieb auch ich stehen. Langsam drehte ich mich zu ihm um und sah ihn an. Den Strahl der Taschenlampe richtete ich zu Boden. Auf irgendeine Art war es seltsam ihn so anzusehen. Wir standen uns einfach so gegenüber, keiner von beiden war in einer benachteiligten oder gedemütigten Position, wie es die letzten Male gewesen war. Und es war schon fast erstaunlich wie locker ich mit der Situation umging. Besonders in Anbetracht dessen, dass ich ihn mit so vielen traumatischen Ereignissen verband. «Was soll das ganze Gerede? Willst du auf meine Moral anspielen? Mir ein schlechtes Gewissen einreden und mich so auf eure Seite ziehen?» Er sagte dies mit einer lächerlichen Betonung. «Klappt es denn?», gab ich herausfordernd zurück. «Jetzt im ernst, wohin gehen wir? Willst du mich zu Sacka bringen?» Fordernd sah er mich an. «Also ich will ganz sicher nicht aus dem Dorf mit dir abhauen, dann hätte ich mich *definitiv* in der Zelle geirrt.» Ich hatte wirklich keine Ahnung woher mein plötzlicher Sarkasmus und meine Gelassenheit herkamen, wahrscheinlich verfiel ich schon leicht in Hysterie. Noahs Blick war ebenfalls irritiert. «Ich habe nur eine ganz einfache Frage: Warum sollte ich dir folgen? Hast du dir darüber Gedanken gemacht?» Blitzartig wurde ich ernster. Jetzt musste ich die richtigen Worte wählen, um das hier richtig anzugehen. «Weil ich dir einen Gefallen tue.» Selbst bei der schwachen Beleuchtung konnte ich sehen, wie er eine Augenbraue hochzog und sagte: «Was für einen Gefallen bitte? Mich befreien? Ich weiß nicht, ob das in Richtung *Gefallen* fällt. Ich schulde dir gar nichts. Ich könnte dich hier und jetzt ausschalten.» Um ihm zu zeigen, dass ich keine Angst vor ihm und seinen Worten hatte, machte ich einen Schritt auf ihn zu. «Du solltest dir abgewöhnen, vorher zu sagen was du tun könntest, wahrscheinlich glaube ich deshalb

433

nicht, dass du es auch tun wirst und außerdem schuldest du mir dafür was.» Mit einer schnellen Geste deutete ich auf sein Shirt -Phils Shirt. Noahs Blick folgte meiner Geste, dann sah er wieder hoch. «Das peinliche Teil!?»

«Immerhin hast du keine Lungenentzündung.»

«Deine einzige Sicherheit stützt sich darauf, dass du mir vertraust, dass ich dir einfach so folge, weil du mir ein T-Shirt gegeben hast? Traver steht anscheinend nicht auf Intelligenz. Was soll man auch anderes erwarten.» Fast schon bedauernd schüttelte er den Kopf. Jetzt beleidigte er mich auch noch. Es war wohl doch wieder so, dass einer von uns in einer gedemütigten Position war. «Also erstens, vertraue ich dir nicht Noah und zweitens sagte ich bereits, dass ich dir einen Gefallen tue.» Bevor er antworten konnte, atmete ich tief durch und sagte es einfach: «Ich will, dass du mich auslieferst.» Sein darauf folgender Blick war eine Mischung aus Ungläubigkeit, Amüsiertheit und Irritierung. «Ähh habe ich dich richtig verstanden? Bist du lebensmüde? Und ich meine, das sage sogar ich.» Ja, es klang wirklich total bescheuert. «Erst war der Plan gewesen, dass ich dich gegen Wise tausche, aber dein Wert ist wohl nicht so hoch wie seiner, außerdem wo sollte das enden? Jetzt kannst immerhin *du* dich wieder bei deinem Meister einschleimen.» Damit wandte ich mich wieder um und setzte den Weg fort. Noah folgte mir eilig. Durch zusammengepresste Zähne knirschte er: «Er ist nicht mein Meister.» Und dann sagte er, wieder normal: «Wie stellst du dir vor, was dann passiert?»

«Ich werde verhandeln. *Ich* gegen meine Freunde», erwiderte ich schulterzuckend. Ehrlich gesagt hatte ich keine Ahnung, aber das klang doch nach einem Plan. Noah lachte empört auf. «Du setzt meinen Wert niedriger als den einer armseligen Geisel und deinen höher als eine ganze Gruppe?» Er schien zu vergessen, dass er noch gerade eben, genau so eine armselige Geisel gewesen ist. Bei meinen nächsten Worten musste ich mir erst eingestehen, dass ich mir schon länger darüber im Klaren war. Ich wusste es und hatte die anderen zusätzlich mit in Gefahr gebracht. «Sacka will nur mich leiden sehen.» Noah schien dem nichts entgegen halten zu können, also fragte er: «Und das willst du ihm geben?» Ich musste unpassender Weise ein wenig schmunzeln. «Es klingt fast so, als willst du mich abhalten. Hat das Gerede etwa doch dazu geführt, dass du die Seiten wechselst?», fragte ich. Aber Noah hatte nicht vor darauf zu antworten und so führte ich uns den Rest des Weges zu der Leiter hin.

Angekommen, versperrte ich mit einem Schritt den Aufgang. Ich musste mit ihm erst noch alles abklären. «Ab dem Zeitpunkt wo wir oben sind, bin ich deine Gefangene, okay? Wenn jemand fragt oder dich begleiten will, sagst du, du machst das schon. Es wird schon schlimm genug, wenn *du* alles mitbekommst und wer mich sonst noch erwartet. Bring mich einfach direkt zu Sacka.» Er nickte und bestätigte es mit den Worten: «Mache ich.» Für ihn war es wirklich eine einmalige Chance, um seinen alten Posten wieder zu erlangen und für mich war es der schnellste Weg, um zu Sacka zu gelangen. Sobald wir aus dem Loch kletterten und Noah mich am Arm packte und mich leicht mit sich zerrte, verschwand augenblicklich meine Gelassenheit. Angst und Nervosität machten sich in mir breit. Noah kannte ab hier den Weg. Er musste nur dem Licht der beleuchteten Gänge, von weiter vorne folgen, um auf den richtigen Weg zu kommen. Es dauerte nicht lange da kamen wir zu dem neuen beleuchteten Teil. Ab dem Moment zog er mich ruppiger um Ecken.

«Stehen bleiben.» Ich erschrak bei der plötzlichen Stimme hinter uns und musste meine Angst nicht spielen, als Noah sich umdrehte und wir gegenüber von einem jungen Soldaten standen. «Alles gut, Esh. Ich bins», gab Noah sofort zurück. Ich weiß nicht, ob ich ihn erkannt hätte, schließlich hatte ich ihn nie klar bei Licht gesehen, aber ich erinnerte mich an Esh. «Noah wo kommst du denn her?»

«Lange Geschichte. Alles zu seiner Zeit.»

«Ich sag's dir, ich hätte nie damit gerechnet dich wiederzusehen und hallo, wen haben wir denn hier?

Dann noch dazu mit ihr. Respekt.» Esh klang hörbar erstaunt. Dabei zeigte er auf mich, wie auf irgendeine Sehenswürdigkeit. «Das kann ich mir vorstellen. Ich hätte auch nicht gedacht, dass es so ausgeht. Mal sehen, was Sacka dazu sagt», sagte Noah. Dann drehte er mich ruppig um und gab Esh ein Zeichen ihm zu folgen. Keine Ahnung, ob er mich damit provozieren wollte, auf jeden Fall vermied ich es, mir anmerken zu lassen, wie sehr mich Eshs Anwesenheit beunruhigte. Vor allem war es jetzt nicht mehr der Augenblick dafür, sich Gedanken zu machen, ob Noah der richtige Weg war. «Wo habt ihr euch versteckt, Hm? In Phils Haus ward ihr offensichtlich nicht, dafür siehst du etwas zu lebendig aus.» Esh sprach mich direkt von der Seite an. «Du kannst mich auch loslassen. Ich werde nicht versuchen abzuhauen.» Meine Worte richteten sich an Noah, während ich Esh ignorierte. Daraufhin löste sich Noahs Hand, die sich fast schon um meinen Arm verkrampft hatte. «Du machst es auch noch?», fragte Esh ungläubig Noah. «Sie soll mir lieber antworten», hängte er hinten dran. Noah lachte kurz auf. «Denkst du sie verrät jetzt einfach so ihre Freunde? Wenn wir sie zu Sacka gebracht haben, wird sie schon reden. Und ja ich glaube sie wird wirklich nicht abhauen.»

«Warum sollte sie nicht? Ich würde es tun an ihrer Stelle» Ohne mich umzudrehen, sagte ich: «Weil ich keine Kugel ins Bein kriegen will.» Damit machte ich ihm klar, dass ich seine Waffe durchaus registriert hatte. Mit einem Mal, war seine Stimme ganz nah und er erwiderte: «Keine Sorge, ich hätte wieder auf deine Schulter gezielt.» *Wieder...wieso wieder?* Plötzlich wurde mir übel. Ich verstand seine Worte. Dieses Arschloch war es, der mich bei meinem ersten Wald Gang angeschossen hatte. Ich dachte auch an das, was noch an diesem Tag passiert war. Esh berührte meinen Arm an der Stelle. «Schade, dass es nur ein Streifschuss gewesen ist, hmm? Aber dafür habe ich ja noch wen anderes an dem Tag getroffen.» Zum Glück liefen Noah und jetzt auch wieder Esh etwas hinter mir, so konnten sie nicht sehen wie ich versuchte die Tränen zu unterdrücken, die in mir aufstiegen.

37 ZOE

Endlich kamen wir an der Oberfläche an. Eigentlich sollte ich mich nicht freuen, aber die Luft da unten hatte mich fast erdrückt. Ein frischer Wind wehte um mein Gesicht. Er strich über meine Haut und für einen kurzen Moment bildete ich mir ein, dass es Travers Atem war, der mich sanft umhüllte. Kurz vor dem Ausgang hatte Noah mich wieder gepackt. Jetzt zog er mich mit sich und ich verlor den Gedanken an Traver.

Trotz der Dunkelheit erkannte ich, dass wir direkt auf dem Fabrikgelände waren. Natürlich, endete der Tunnel hier, dachte ich. Mein Blick schweifte zu all den Häusern hinter dem Gelände. Viele Häuser. Mit vielen Menschen. Hier war ich aufgewachsen. Das war mein Zuhause. Zumindest hatte ich das immer gedacht, aber in Wahrheit, verband ich nichts anderes mehr, als Leid, Schmerz und Angst mit diesem Ort. So sollte sich kein Zuhause anfühlen. So etwas durfte sich nicht *Zuhause* nennen. Und trotzdem kannte ich nichts Anderes als das hier. War das nicht auch der Grund für das alles? Dass ich das Vertraute beschützen wollte oder wenigstens verstehen? Aber eines war klar: Nichts würde mehr so sein, wenn ich mit Sacka geredet hatte. Wenn er mich überhaupt anhörte. Es war ein Kampf, der mir bevorstand und ich wusste es würde der letzte sein. So oder so, dafür würde ich schon sorgen. Ich glitt mit meiner freien Hand unter mein T-Shirt und spürte den Griff der Waffe, die ich mir mit samt dem Rucksack geschnappt und in meinen Hosenbund gesteckt hatte. Sie war warm von meiner Körperwärme. Ich hatte zu Noah gesagt, dass ich verhandeln wollte. Vielleicht würde ich das auch probieren, aber eigentlich wusste ich worauf es hinauslaufen würde. Warum sollte er auf meine Verhandlungen eingehen? Ich hatte kein Druckmittel, außer vielleicht...mich. Okay, aber das war eindeutig zu absurd. Ich würde mich ja nicht selber setzen, wie eine Figur in einem Spiel. Die Waffe hatte ich vorsichtshalber eingesteckt, um Noah dazu zu nötigen falls es sein musste. Aber um ehrlich zu sein war das nicht der Grund. Der Grund war Sacka. Der Neuanfang konnte nur beginnen mit seinem Ende. Ich wollte ihn tot sehen. Gemischte Gefühle machten sich ihn mir breit. Auch wenn mein Wunsch nach seinem Tod mehr als verständlich war, hasste ich ihn für diesen Gedanken. Dafür dass er mich zu jemandem gemacht hatte, der mit dem Gedanken herumlief jemand anderem das Leben zu nehmen.

Esh ging voraus. Er steuerte nicht auf das alte Krankenhaus, nicht auf die Kerkeranlage zu, sondern auf die stillgelegte Fabrik.

Durch eine große Tür betraten wir sie. Ich war noch nie zuvor in der Fabrik gewesen. *Trotz meiner vielen Aufenthalte hier*, dachte ich bitter. Hinter uns knallte die

Tür mit einem Ruck zu. Obwohl ich damit gerechnet hatte, zuckte ich zusammen.

Der Knall hatte eine Staubwolke aufgewirbelt und es dauerte einen Moment bis sie sich wieder gelegt hatte. Ich blinzelte und spähte durch die noch schwebende Staubwand. Ein gewaltiger Anblick bot sich mir. Riesige Maschinen standen zwischen den Gängen, die aus großen Gerüsten bestanden. In den Gerüsten waren vereinzelt Kartons und Kisten verstaut und am Ende jeder Reihe führten noch größere Eisentüren in unbekannte Räume. Freistehende, stählerne Wendeltreppen führten eine Etage höher. Doch trotz der zweiten Etage konnte man direkt an die Hallendecke gucken, denn genau in der Mitte fehlte dem obigen Geschoss der Mittelteil. Die einzelnen Wege, an den jeweiligen Wänden, waren mit drahtigen Geländern gesichert. Von diesen Wegen führten wiederum Tore in verborgene Räume. Es war dunkel und der Staub war immer noch in der Luft. Nur mit Mühe konnte ich die Beschriftungen der einzelnen Gänge lesen. Gang 27, Gang 36, Gang 59... Bei Gang 62 blieb Noah stehen und zwangsläufig ich auch. Mein Blick ging nach oben durch das Glasdach, welches sich dort befand. Wenn draußen Sterne zu sehen waren, konnte ich sie von hier drinnen nicht sehen. «Warum führst du uns hier rein?» Auch wenn Noahs Worte misstrauisch waren, gab er ihnen einen belanglosen Ton, zumindest empfand ich es

441

so. Esh blieb ebenfalls stehen und drehte sich um. «Sacka hat angeordnet, wenn einer von ihresgleichen auftauchen sollte, sollen wir sie nach oben bringen.» *Ihresgleichen.* Damit nickte Esh nach oben und eine weitere Person stieß zu uns. «Sag Sacka Bescheid», rief er der Person zu und die erwiderte: «Er weiß es bereits.»

«Umso besser», sagte Esh und schaute dabei freudig zu mir. Sie führten mich eine Wendeltreppe zu unserer Linken nach oben, dann liefen wir an dem Geländer entlang, das uns vor dem Absturzen bewahrte. Schließlich durchquerten wir einen weiteren Raum, bis ich das Wort *Schmelzöfen* lesen konnte. Bevor wir jedoch den Raum betraten, zog Noah mich noch einmal zu sich heran. Dann flüsterte er etwas in mein Ohr: «Willst du wissen warum Sacka euch wegen mir gehen lassen hat? Weil er mir als einzigen anvertraut hat, wie man das Serum herstellt! Genau wie ihr vermutet habt, nur dass du dir so sicher warst, dass das nicht der Fall ist.» *Was?!* Ungläubig starrte ich ihn an. Doch dann blieb mir keine Zeit mehr darüber nachzudenken.

Der Raum war viel größer als ich erwartet hatte. Weiter hinten an den Wänden, standen vereinzelt große Kessel. Ich registrierte sie sofort, weil ich nicht auf Sacka achten wollte, der direkt in der Mitte auf einem Stuhl saß. Doch als er sich erhob und auf mich zukam, schenkte ich ihm zwangsläufig meine Aufmerksamkeit.

Sein Blick war ununterbrochen auf mich gerichtet. Mit seinem typischen Lächeln kam er immer näher. «Irgendwann musste es ja soweit kommen.» Ich schwieg, wollte erst einmal die Lage checken.

Bis auf Sacka, Noah, Esh und den mir unbekannten Soldaten, konnte ich niemanden erkennen.

«Noah, du kannst sie loslassen. Übrigens schön, dass du wieder da bist.» In Sackas Stimme klang nichts echt. Noah gehorchte trotzdem. «Wo sind deine Freunde?» Er kam bei mir gleich zum Punkt. Ich brachte nicht viel raus. Nur: «Wo ist Wise?» Verachtend schaute ich in seine Augen. Er schwieg. «Wo ist Wise?», wiederholte ich. «Wenn du die Antwort willst, dann rede zuerst und wenn ich die Antwort habe, lasse ich Wise frei.» Das konnte ich nicht, also fuhr er selber fort: «Ich habe das Haus von Phil überwacht. Ich habe jeden Ausgang im Blick gehabt. Raus ist keiner, drinnen war keiner.»

«*Ich* weiß wo sie sind.» Sofort starrte ich fassungslos zu Noah. «Es existiert ein weiterer Teil der Kerkeranlage direkt unter Phils Haus. Dort haben sie sich verschanzt und mich festgehalten. Sie haben nur wenige Vorräte und sie hatten tagelang kein fließendes Wasser, geschweige denn Licht oder frische Luft. Sie sind ausgelaugt und geschwächt.» Wusste ich es doch, er konnte es gar nicht erwarten seinem Meister all das zu berichten, was er über uns in Erfahrung gebracht hatte. Wie feige, dass er nicht auf anderem Weg wieder

443

seine Position erlangen konnte, stattdessen…ja was eigentlich? Ich wusste nicht warum ich mich so darüber aufregte, dass er uns verriet. Eigentlich lag es ja auf der Hand. Er gehörte zu Sackas Leuten, ergo er verriet uns. «Sehr gut, Noah. Kannst du die anderen dahinführen?» Bei Sackas Frage nickte er stumm. Dann wies er Esh an «Sie reinzuholen». Woraufhin Esh aus dem Raum rausging und mit fast schon einer ganzen Horde von Soldaten wieder hereinkam. Einem Großteil befahl Sacka, Noah zu folgen, der sie zu dem «Feind» führen wird. *Sein* Feind, aber meine Freunde. Traver.

Bevor Noah den Raum endgültig verließ, rief Sacka ihm noch hinterher. «Was hast du da eigentlich an?» Noah starrte auf das Shirt und sah dann wieder hoch. Noahs und mein Blick trafen sich für einen kurzen Moment. Ich konnte nichts in seiner Miene deuten. Neutral starrte er in mein Gesicht und angewidert starrte ich in seines zurück, dann verließ er wortlos den Raum.

Der Rest der Soldaten, die Sacka nicht losgeschickt hatte, positionierte sich um mich herum, ohne jegliche Anweisung. Allzu sehr kam mir das vertraut vor. Die Waffen im Anschlag auf mich gerichtet, waren kein neuer Anblick für mich, dennoch spürte ich ihre Wirkung auf mich, als wäre es das erst Mal. Sacka stand vor mir. «Wo ist Wise?», wiederholte ich zum dritten Mal. «Du gibst mir keine Antwort, aber verlangst eine von mir?» Trotz seiner Worte, gab er ein Zeichen und zwei seiner Soldaten gingen nach draußen, um daraufhin augenblicklich wieder mit einem, in sich zusammen gesackten und gefesselten Wise hereinzukommen. Ich schreckte auf. Er sah mehr tot als lebendig aus. Sie schleiften ihn zu dem Stuhl wo sie ihn unsanft fallen ließen. «Ist er tot?» Entsetzt starrte ich zu Sacka, der zu dem Stuhl schritt und kräftig dagegen trat. Schlagartig schreckte Wise hoch. Sichtlich erschrocken zuckte er zusammen und versuchte vor, dem über ihn gebeugten, Sacka wegzurücken, der wiederum drehte sich zu mir um. «Wie du siehst, nicht tot.» Amüsiertheit spielte in seinem Ton mit. «Wise?», rief ich zu ihm herüber. Keine Ahnung welche Antwort ich mir mit dieser Frage erhoffte. Vielleicht wollte mein Verstand auf Nummer sicher gehen, dass er wirklich noch lebte oder ihm klar machen, dass ich hier war, doch egal welche Intention dahinterstand, Wise antwortete nur mit einem resignierten: «Warum?» Er schien sich damit nicht einmal an mich zu wenden. «Lass ihn gehen Sacka, ich bin an seiner Stelle hier.» Meine Stimme klang unerwartet stark. «Du bist nicht in der Position einen Handel vorzuschlagen oder sonst irgendwas. Was für einen Druck kannst du auf mich ausüben?» Der amüsierte Tonfall wich einer ernsten Stimme. «Das hier.» Reflexartig hatte ich meine Waffe gezogen und zielte auf Sacka. Was zur Folge hatte, dass die Gewehre noch bedrohlicher näher kamen. Ein Lächeln machte sich auf Sackas Gesicht breit. «Ich dachte du bist klüger.»

«Das dachte ich von dir auch», entgegnete ich zittrig. Verdammt jetzt hatte er mich so weit gebracht. Mein Handeln war dumm, außerordentlich dumm. Wenn ich schießen würde, wäre ich sofort danach tot und Wise auch. Egal was für Gründe sie hatten Sacka zu folgen und egal ob sie wussten was danach passieren würde, wenn er tot war, würden sie erst handeln, bevor sie darüber nachdenken konnten. Wises Leben hing davon ab wie ich mich verhielt. «Lass die Waffe fallen.» Sackas Stimme war energisch und ich konnte nur hoffen, dass er wenigstens etwas Angst verspürte. «Warum sollte ich? Wie es aussieht werde ich eh erschossen, warum sollte ich dich dann nicht vorher töten?» Mit ausgebreiteten Armen kam er auf mich zu. «Wenn das so ist dann schieß. Na los drück ab. Töte mich!» Als ich zögerte kam er noch einen Schritt näher. «Du kannst es nicht, wer hätte das gedacht, die toughe Zoe traut sich nicht einen Abzug zu betätigen.» Ich wollte es, ich hatte den Abzug halb gedrückt, aber es ging nicht. Ich konnte ihn nicht erschießen. Mein Blick ging in die Richtung wo Wise saß, aber ich sah ihn nicht mehr, die Soldaten versperrten mir die Sicht. Es wäre Wises Tod, das konnte ich nicht machen und überhaupt konnte ich keinen Menschen erschießen.

Verzweifelt versuchte ich mir vor Augen zu führen, dass es kein Unschuldiger war, der vor mir stand, sondern Sacka. Doch schließlich war er auch ein Mensch. Allerdings hatte er schon so viele Male unmenschliche Dinge getan. Bilder stiegen in mir hoch. Ich sah Isabelle vor mir wie sie sich qualvoll davon geschleppt hatte, ich sah die Menschen aus der Siedlung und den toten Mann, ich sah Liam vor mir. Ich spürte all den Schmerz und den Kummer in mir hochsteigen. Ich sah sogar meinen Vater. Es war nur eine kleine Fingerbewegung, nur ein kleines Zucken, was den Abzug betätigen würde und mich und alle anderen von dem Elend befreien würde. Aber ich dachte wieder an Wise. Der Schuss wäre sein Tod, vorausgesetzt ich traf Sacka überhaupt. Wenn das alles so weiterging wären wir eh tot und wäre es nicht besser Wise, ich *und* Sacka als nur Wise und ich? *Heute würde der letzte Kampf sein.* Meine eigenen Gedanken hallten in meinem Kopf nach. «Und jetzt Zoe, lass die Waffe fallen!» Meine Hände blieben geschlossen und umklammerten sie weiter. Plötzlich setzte alles in mir aus, als ich sein grinsendes Gesicht sah. Der Schmerz, der Kummer, die vielen Opfer. Ich dachte nicht mehr daran, dass ich jemanden töten würde, sondern nur daran, dass ich einen simplen Hebel drückte. Ich dachte an nichts mehr. In Sekundenschnelle löste sich eine Kugel aus dem Lauf. Der Knall pochte durch meine

447

Adern, ein Zucken ging durch meinen Körper. Durch den Widerstand taumelte ich nach hinten. Ich achtete nicht auf die Arme, die mich packten und festhielten. Ich achtete nicht auf die Hände, die mir meine Waffe aus der Hand rissen, sie weg schleuderten und meine Hände auf dem Rücken fesselten. Ich sah nur wie vor Schreck aufgerissene Augen mich panisch anstarrten und sein angsterfüllter Blick mich durchdrang, als die Kugel ihn direkt in die Stirn traf und Wise leblos zur Seite sackte, während Sacka triumphierend danebenstand, der sich in der letzten Sekunde zur Seite gedreht hatte.

Ich schrie auf: «NEINN! Wise.» Ich wollte zu ihm stürmen, ich wollte gucken ob er noch lebte, ich konnte ihn doch nicht erschossen haben! Ich! Ihn! Wise! Die Hände, die mich hielten ließen dies jedoch nicht zu. Verzweifelt versuchte ich mich loszureißen, doch es half alles nichts. Meine Augen verfolgten wie Sacka zwei Finger an Wises Hals hielt und sich zu mir wandte. «Ich wusste du würdest wieder schießen.» Mein Verstand wollte ihn ausblenden und nicht darüber nachdenken wieso er *wieder* gesagt hatte. Schluchzer stiegen unkontrolliert in mir hoch und ich konnte sie nicht länger unterdrücken, als Sacka kam und mich mit seiner Hand im Nacken packte. Er zerrte mich zu der Stelle, wo Wises Körper verdreht am Boden lag, während sich unter seinem Kopf das Blut in einer Lache sammelte. «Es tut mir Leid. Das wollte ich nicht», schluchzte ich. Etwas deutlicher und diesmal an Sacka gewandt fügte ich hinzu: «Warum hast du ihm das angetan?» Entsetzen lag in seiner Stimme als er seinen Druck in meinem Nacken verstärkte und mich damit näher zu Wises toten Körper runter drückte: «*Ich habe gar nichts getan. Du hast ihn erschossen. Guck ihn dir genau an. Das ist dein Werk.*» Tränen liefen meine Wangen runter. Nach Minuten der Stille fasste ich allen Mut zusammen und flüsterte: «Warum tust du *mir* das an?»

«Hast du ihn dir genau angeschaut?», fragte Sacka, statt einer Antwort und ich sah wieder zu Wise. «Hast du seinen Blick gesehen, bevor du ihn erschossen hast?» Ich antwortete nicht, also tat Sacka es. «Er hat nicht einmal gewusst, wer ihn da so kaltblütig ermordet hat.»

Sackas Gefolge hatte wieder einen Kreis gebildet. Während Sacka mich in diesen hineinstieß, beobachtete ich wie Wise in eine Ecke geschleift wurde. Ich fand keine Zeit, um über Sackas Worte nachzudenken, war überhaupt nicht in der Lage es aufzunehmen. Getrocknete Tränen wurden von neuen überdeckt. Sackas Hand kam an mein Gesicht. Sein Handrücken strich über die Tränen. Von dem Wangenknochen bis zum Kinn. «Du hättest es weit gebracht, wenn man es so nennen kann.» Seine Hand fuhr meinen Hals hinunter und dann weiter. Ich atmete laut. Sie stoppte an dem Reißverschluss meiner Jacke und fühlte. «Was haben wir denn hier? Na wer konnte uns alles belauschen?» Nein. Er hatte das Mikro entdeckt. Mit Leichtigkeit warf er es auf den Boden und zertrat es. «Knie dich hin», befahl er. Trotzig blieb ich stehen. «Du willst wohl immer noch die Mutige spielen, ich schätze dann hättest du früher abdrücken sollen», entgegnete er und wich wenige Schritte von mir weg.

Ich war hilflos, ich wusste keinen Ausweg. Und diese blöden Kommentare machten alles nur noch schlimmer. Ich war verwirrt über Sackas Worte. Ich war verunsichert über die gesamte Situation, ich war aufgewühlt über das Geschehene, ich war am Boden zerstört über Wise. Und wegen diesem Gefühlschaos unternahm ich einen weiteren unüberlegten Versuch und rannte in die Richtung von Sacka, bereit mich mit voller Wucht auf ihn zu werfen und aus dem Konzept zu bringen. Doch bevor ich ihn erreichen konnte, ging einer der Soldaten dazwischen. Gerade noch rechtzeitig kam ich vor dem Lauf seiner Waffe zum Stehen. «Tu was dir gesagt wurde!», ordnete er an. Meine Augen musterten sein Gesicht, Esh. Sein dummes Gesicht war zum Greifen nahe. Direkt zwischen meinen Augen traf mich der Lauf seiner Waffe, als er einen Schritt auf mich zu trat. «Du hättest wirklich früher abdrücken sollen und zwar als nur du, Noah und ich da waren.» Sacka schob Esh unsanft zur Seite. Vor mir stand er nun und blickte mich missbilligend an. «Du hattest die Waffe schon die ganze Zeit? Hat Noah das nicht kontrolliert? Wie hat er dich überwältigt?» Ich schwieg. «Esh, warst du dabei?»

«Nein, ich bin unten auf sie gestoßen, da hatte Noah sie bereits.»

«Er war es nicht der dich überwältigt hat und hier hergeführt hat. Ist es nicht so? Du wolltest herkommen. Aber warum? Um mich zu töten? Dafür hast du zu lange gezögert. Um Wise zu befreien? Na ja in gewisser Weise hast du ihn ja auch *befreit*. Im Endeffekt ist das jedoch auch egal, denn weißt du was? Lange muss ich mich mit dir nicht mehr herumschlagen. Knie dich hin, dann ist auch alles viel schneller vorbei.» Starr hielt ich seinem Blick stand. «Ich denke du weißt ja nur zu gut warum ich auf diesen Moment gewartet habe.» Er wollte mich tot sehen und zwar zum richtigen Augenblick. «Wise hätte nicht sterben müssen», rief ich. «Ich weiß und ich habe auch nichts damit zu tun», erwiderte er. Verzweiflung packte mich. Ich wusste nicht mehr was ich tat, also schrie ich nur noch weiter: «Du elendiger Lügner!» Noch einen Schritt war er vorgetreten, «Sieh es mal so...» Seine Hand schnellte vor und traf mit voller Wucht in meinen Magen. Ich musste fast würgen, der Schmerz war unerträglich. Da ich meine Hände nicht schützend davor halten konnte, krümmte ich mich zusammen. Ich wollte schreien, aber diese Genugtuung konnte ich ihm nicht gönnen. Siegessicher kam er direkt vor mein Gesicht und flüsterte mir die Worte ins Ohr: «…. In einem Punkt hab ich nicht gelogen: Ich gewinne immer! Erinnerst du dich? Ich habe dir ein Versprechen gegeben und ich halte meine Versprechen.» Das war das letzte, was er sagte, dann stellte er sich wieder gerade hin und drückte mich mit voller Wucht nach unten. *Ich gewinne immer.* Sackas Worte hallten nach.

«Das hier ist kein Spiel», erwiderte ich bitter. Ein Fuß platzierte sich auf meinem Rücken und zwang mich zu knien, hinter mir hörte ich das Entsichern einer Waffe, während Sacka sich zu mir herunter beugte und flüsterte: «Ich weiß, sonst hättest du die Regeln befolgt.»

Das war jetzt das Ende, aber nicht das, was ich mir erhofft hatte, es war mein Ende. Ich schaute rüber zu Wise, der leblos in der Ecke lag und dann hoch zu Sacka. Unsere Blicke trafen sich und genüsslich, wie es schien, sog er meine Worte auf als ich sagte: «Schieß!» Ich schloss die Augen und sofort löste sich ein Schuss…

Sekunden wurden zu Minuten und Minuten zu gefühlten Stunden. Er hatte mich zum zweiten Mal so weit gebracht, dass ich es vor mir sah. Den Tod vor mir sah und mich darauf einstellte. All den Schmerz vergessend und verlassend.

Der Druck auf meinem Rücken verschwand und plötzlich waren noch mehr Schüsse zu hören. Ich öffnete die Augen, direkt links neben mir lag einer der Soldaten, die mich zuvor umzingelt hatten. Der Schuss hatte nicht mich getroffen, sondern ihn. Aber wie war das möglich? Immer noch auf dem Boden, versuchte ich so viel Abstand wie möglich zwischen mich und den Toten zu bringen. Ein Fehler. Ich kroch direkt auf Sacka zu. Er zögerte keine Sekunde. Sein Schuh positionierte sich direkt auf meiner Kehle und drückte ihn immer weiter runter, meine Luft schwand, der Druck wurde immer unaushaltsamer. Mit einem Gewehr in der Hand, das von dem schon am Boden liegendem Soldaten stammte, zielte er direkt auf meinen Kopf und schrie: «HALT! Keiner schießt und auch du nicht, Traver oder ich töte sie sofort.» Traver? Erst jetzt schaute ich zur Tür, in der Traver bewaffnet stand. Endlich war er da. Aber wo waren die anderen? Der Plan war doch gewesen, dass sie alle kommen würden. Wenn ihnen etwas passiert war...

Traver zögerte, das konnte ich erkennen, Sacka lud das Gewehr nach und schoss. Ich hielt den Atem, den ich noch zur Verfügung hatte an, genauso wie Traver. Die Kugel schlug nur wenige Zentimeter von meinem Kopf entfernt in den Boden. Mein Herz konnte nicht aufhören zu hämmern. «Der nächste geht nicht daneben, Traver. Du weißt, dass ich sie nie verfehlen könnte.»

«Du würdest sie nicht töten», entgegnete Traver. Sacka guckte verschmitzt. «Oh doch, du weißt ja überhaupt nicht wie notwendig das ist. Es muss ein Ende finden», sagte er und zielte diesmal auf meinen Kopf. Traver stoppte augenblicklich. Die Soldaten packten und hielten ihn fest, während ein anderer ihm das Gewehr abnahm. «Sehr gut. Esh komm her.» Esh ließ Traver los, dessen Platz ein weiterer einnahm, dann kam er auf Sacka zu. «Halt sie fest, ich will, dass sie alles genau sehen kann.» Mit einer Geste deutete Sacka auf mich und Esh verstand. Sacka löste seinen Schuh von meiner Kehle und erleichtert wieder frei atmen zu können, nahm ich einen langen Atemzug. Esh zog mich unsanft hoch, hielt mich fest und beugte sich zu meinem Ohr. Ich wollte mich ihm entziehen, aber er zwang mich ihn anzuhören: «Schau gut hin.» Er lachte die Worte fast und ein Schauder lief meinen Rücken runter. Angstvoll schaute ich in Travers Augen, die meinen Blick ebenso erwiderten. Sacka richtete seine Waffe auf Traver. «Hast du mir noch irgendetwas zu sagen, *Freund*?», fragte Sacka verachtend. «Freund, dass ich nicht lache.»

Danach richtete Traver seine gesamte Aufmerksamkeit nur noch auf mich. Sein Blick wich nicht von meinem. Fast wie in Zeitlupe sah ich wie sich sein Mund öffnete und mir sagte: «Erinnerst du dich an unsere erste Begegnung? Du hast Mut bewiesen und ab da wusste ich, dass du etwas Besonderes bist.» Ich erinnerte mich. Wie er mich im Dunkeln auf der Straße gefunden hatte und ich erinnerte mich an meine Panik, aber er half mir. Erneut stiegen mir Tränen in die Augen und rollten meine Wangen runter. Er fuhr fort: «Du hast mich gerettet.» Ich starrte ihn an. Diese Art, wie er die letzten Worte sagte, erfüllte mich mit Wärme. Ich war unfähig zu sprechen, doch ich riss mich zusammen und stotterte die Worte raus, für die ich so lange auf den richtigen Augenblick gewartet hatte: «Traver, ich liebe dich.» Keine Ahnung ob es zu früh für solche Worte war, doch es fühlte sich richtig an. Und wenn sich irgendetwas, was ich erlebt hatte wie Liebe anfühlte, dann das was ich für Traver empfand. Ich schluchzte unkontrolliert und versuchte meine Tränen unter Kontrolle zu bringen. Traver hatte ebenfalls Tränen in den Augen. Er setzte an, wollte etwas an mich erwidern. Esh kam ihm zuvor: «Herz aller liebst. Ihr werdet bald wieder vereint sein. Du bist nach ihm dran.» Ich konnte meinen Blick nicht von Traver abwenden. Nicht von seinen Kastanienbraunen Augen, nicht von seinem verwegenem Haar, nicht von seinem anmutigem Kinn und auch nicht von seinem traurigem Blick.

Da standen wir nun. Gleich würden wir sterben und es mag vielleicht kindisch sein, doch der einzige Gedanke, durch den ich nicht den Verstand verlor war der, dass ich nach meinem Tod Traver, Wise, Isabelle und alle anderen wiedersehen würde und somit klammerte ich mich entschlossen an diesen Gedanken.

Aus dem Augenwinkel sah ich wie Sacka seinen Finger bereits auf den Abzug seiner geladenen Waffe legte. Er war nur wenige Schritte links von mir entfernt und trotzdem nahm ich Sacka gar nicht richtig wahr, als er sagte: «Traver, sieh mich an.» Traver wandte Zähne knirschend den Blick in seine Richtung. Sacka und Traver fixierten sich. «Los, erschieße deinen einzigen manipulierten Freund.» Sacka erwiderte keine Antwort. Er zielte auf Travers Herz und gab seinem Finger, der den Abzug berührte, mehr Nachdruck. Er war kurz davor abzudrücken. Ich sammelte alle Kraft, riss mich aus Eshs Griff und stürzte mich auf Sacka. Er taumelte zur Seite. Das Gewehr verrutschte. Die Kugel jedoch, die sich soeben gelöst hatte, flog direkt auf Traver zu. Sie traf ihn und er stürzte zu Boden. «NEINN!», schrie ich. Ich konnte ihn nicht auch noch verlieren. Esh wollte mich packen, doch plötzlich zuckte er schmerzverzerrt und fiel kraftlos zu Boden. Eine Kugel hatte ihn getroffen. Irritiert blickte ich zur Tür, wo der Schuss hergekommen war. Dort standen Finley, Mayleen, Mabel und die anderen, ganz vorne erkannte ich noch Theo und Aiden. Sie richteten ihre Gewehre auf die Soldaten. Alle beteiligten Seiten starrten sich verharrend an. Niemand unternahm einen Versuch der Bewegung, es war als warteten sie und das war der Moment, in dem Sacka das Wort ergriff: «Wie passend, ihr kommt gerade rechtzeitig, um euch hinten anzustellen damit wir euch auch endlich beseitigen können. Dafür seid ihr doch hier, nicht wahr? Oder dachtet ihr allen ernstes, dass das da mich aufhalten kann?» Mit einer Geste zeigte Sacka lachend auf das verhältnismäßig kleine Aufgebot meiner Freunde, doch Theo grinste nur. «Nein, das dachten wir tatsächlich nicht, aber damit schon.» Theo musste seine Worte nicht weiter erläutern, denn hinter ihm und den anderen tauchten weitere Leute auf. Viel mehr in ihrer Zahl, als Sackas Soldaten anwesend waren und dann ging es plötzlich los. Schüsse fielen, Leute rannten umher, ich wurde angerempelt und landete auf allen Vieren. Aufgeschreckt durch den Lärm und das Durcheinander, versuchte ich so schnell wie möglich zu Traver zu gelangen, doch der Weg war versperrt, ob von Sackas Leuten oder unseren konnte ich nicht sagen. Bis plötzlich nach wenigen weiteren Schusswechseln die

457

meisten von Sackas Leuten, größtenteils verwundet am Boden lagen und der Rest sich ergab. Sie hatten keine Chance, sie waren in der Unterzahl gewesen und durch die Verwundeten nur noch mehr. Selbst Sacka war zu überrascht und jetzt wo ich mich zu ihm umdrehte, sah ich wie er, mit einem auf ihn gerichtetem Gewehr, unter Kontrolle gebracht wurde.

Ich löste mich aus meiner Position und rannte los, rüber zu Traver. Keineswegs kam mir der Gedanke anzuhalten, doch Meira, die hinter den anderen reingehumpelt kam, stoppte mich zwangsläufig. Ich brachte nicht mehr raus als ein hysterisches: «Traver! Er stirbt.» Meira ging jedoch nicht darauf ein. Sie blieb trotz ihres Zustandes standhaft und hielt mich fest. Sie blickte fassungslos schräg hinter mich. Ohne mich umzudrehen, wusste ich was sie sah oder eher gesagt, wen sie sah. «Ist er...» stammelte sie. Sie wagte es kaum das Wort auszusprechen. «...tot?» Ich nickte stumm, unfähig etwas zu sagen. «Wer hat ihn umgebracht?», fragte sie mit einer wütenden und traurigen Geste in Richtung der Zusammengepferchten. Sie musste Wise gemocht haben. Mein Mund öffnete sich unkontrolliert und nur ein stilles, viel zu hohes Wispern kam heraus: «Ich.» *Ich habe ihn umgebracht. Ich habe Wise getötet.* Die Worte hallten in meinem Kopf nach. Meira hatte durch mein Geständnis ganz die

Fassung verloren und mich geistesabwesend losgelassen. *Ich habe Wise getötet. Es war alles meine Schuld. Ich habe ihn da mitreingezogen.* Ich setzte meinen Weg fort, weiter zu Traver. Die Worte ließen mich jedoch nicht los. Sie durchfluteten meine Gedanken, wie ein Wasserfall, der auf mich herunter brach. *Wise ist meinetwegen tot und Traver vermutlich auch. Ich habe sie beide verloren. Sie sind tot. Für immer verschwunden. Ich...* Ich konnte keinen Schritt weitergehen und auch keinen klaren Gedanken mehr fassen. Alles drehte sich. Alles verschwamm und plötzlich wurde alles nur noch schwarz...

38 ZOE

Langsam kam ich zu Bewusstsein. Ich lag in etwas Weichem und Wärme umhüllte mich. Ein gleichmäßig piepsendes Geräusch war zu hören und undeutliche Stimmen summten in meinem Kopf. Ich öffnete die Augen. Ich lag in einem Bett und eine beige Decke war über meinen Körper gelegt. Der Raum um mich herum war überwiegend weiß, doch an einigen Stellen bröckelte der Putz von den Wänden und machte den Blick auf eine bräunliche Untergrundfarbe frei. Links von mir war ein Stuhl, dem eine Armlehne fehlte und generell machte alles einen eher baufälligen Eindruck. Das Einzige, was nicht in die marode Umgebung passte, war das piepsende Gerät, welches rechts neben mir stand, mit einigen Kabeln mit mir verbunden war und eine, mal zackige und mal geschwungene Kurve anzeigte. Ein Fenster, das ermöglichen könnte Tageslicht reinzulassen, gab es nicht. Das Licht kam aus einer einzelnen Glühbirne, die hoch oben an der Decke hing. Ihr grelles Licht flackerte leicht und hinter einer Scheibe waren schemenhaft Menschen zu erkennen.

Die undeutlichen Stimmen verwandelten sich nun immer mehr zu verständlichen Worten, bis hin zu ganzen Sätzen. Erst jetzt bemerkte ich die Personen, die neben mir standen. Aus dem Augenwinkel sah ich zwei

Gestalten, eine von ihnen trug einen langen weißen Kittel. Zumindest war er einmal weiß gewesen. Die andere Person trug ebenfalls etwas weiß Ähnliches. «Sie scheint zu sich zu kommen», sagte eine weibliche Stimme. Mein Kopf drehte sich in ihre Richtung. Vier freundliche Augen beäugten mich besorgt. «Wie geht es Ihnen?», ertönte eine männliche Stimme. Ich war noch etwas benommen, also antworte ich: «Was soll das? Wo bin ich?» Mir war klar wo ich mich befand, es war zweifellos ein Krankenhaus, trotzdem wollte ich es genau wissen. «Wir befinden uns hier im alten Krankenhaus, auf dem Fabrikgelände. Erinnern Sie sich noch daran wer ich bin?» Natürlich, das alte Krankenhaus. Es war wieder die männliche Stimme. Ich wusste wer er war. Er war früher, einer der Dorfärzte gewesen und später nur noch für die Soldaten zuständig. Sofort weiteten sich meine Augen erschrocken. *Soldaten!* Sie hatten mich wieder gefangen genommen. Er musste meinen Blick gesehen haben, denn beruhigend sagte er: «Es ist alles in Ordnung.» Auf eine seltsame Art beruhigte mich das tatsächlich und ich nickte ihm zu und bestätigte mit meinen Worten: «Sie sind Doktor Wallt.»

«Das ist fast korrekt. Sie erinnern sich sicher als Arzt an mich, doch ich bin mehr wie eine Art Wissenschaftler. Ich...» Er begann zu stammeln. «Ich habe das Extinorserum entwickelt.» Fragend blickte ich ihn an und er reagierte prompt auf meine Reaktion. «Ich meine das Serum, welches die Fähigkeit besitzt einem Menschen die Erinnerung zu nehmen. Sacka und ich waren Laborpartner. Genaugenommen waren wir zu dritt. Ihr Vater war ebenfalls mit im Bunde.» Mein Vater? Ich konnte es gar nicht richtig aufnehmen. Ich war einfach noch zu benommen. Mein Kopf dröhnte. Die einzigen Worte, die langsam durchdrangen waren Sacka und Erinnerungen. Ich wiederholte die Worte in meinem Kopf. *Sacka* und *Erinnerungen*. *Sacka* und *Erinnerungen*. Langsam wurde ich wieder klar im Kopf. Zwar hatte ich immer noch Kopfschmerzen, doch das Geschehene fügte sich wie ein Puzzle wieder zusammen. Kein sonderlich schönes Puzzle, doch zum Glück war es gelöst. «Wir entwickelten es zusammen. Wir drei hatten keine bösen Absichten. Im Grunde sogar sehr gute. Wir wollten Menschen helfen traumatische Erlebnisse besser verarbeiten zu können. Eine sehr revolutionäre Idee, doch man hatte Bedenken, welches Ausmaß dieses Serum nehmen konnte. Man entzog uns die Fördergelder und legte unser Projekt auf Eis. Dabei waren unsere Ergebnisse mehr als vielversprechend. Sacka begann es aus eigener Tasche zu finanzieren, führte das Projekt im Geheimen weiter und zu meinem Bedauern unterstützten dein Vater und ich ihn dabei. Ich hatte keine Ahnung, dass es Sacka immer mehr zu Kopf stieg. Er entwickelte mehr Pläne und immer stärkere Seren. Er wollte es allen beweisen. Er war kaum zu stoppen. Eines Tages hat dein Vater ihn dann verpfiffen und man hat sein privates Labor geräumt. Sacka war rasend vor Wut und das ist auch so ziemlich das letzte was passiert ist, bevor ich in einem dunklen Kerker aufgewacht bin. Ich war mir sicher, dass ich noch bei vollem Bewusstsein war und er keines der Seren gegen mich verwendet hatte. Im Nachhinein weiß ich nicht woher ich mir so sicher sein konnte, aber eines stand fest, er brauchte mein Wissen. Schließlich bin ich um einiges erfahrener als er. Mit zwanzig Jahren mehr auf dem Buckel ist das ja auch nicht verwunderlich. Doch für deinen Vater hatte er andere Pläne. Er sagte dieses Dorf sei eine Art Test die Grenzen und vor allem die Fähigkeiten des Serums auszutesten. Er wollte sehen wie weit er gehen kann, um danach größere Ziele in Angriff zu nehmen, sich zu beweisen und zu rächen. Ich wollte mich jemandem anvertrauen...» Ich hatte keine Ahnung wie ich alles verarbeiten sollte. Was erzählte er da von meinem Vater? Er soll mit Sacka zusammen gearbeitet haben?. «Ich will das nicht hören.» Überfordert starrte ich in die Gesichter über mir. Ich wollte das nicht hören und konnte es auch nicht. «Der Grund warum ich Ihnen das alles erzähle ist, dass ich möchte, dass es Ihnen eventuell Klarheit über alles Geschehene verschafft und dass sie wissen, dass ich auf Ihrer Seite bin. Sie können mir vertrauen. Ich war ein Freund Ihres Vaters, Zoe.» Ich nickte bloß. «Wie lange bin ich schon hier?», fragte ich und meine Stimme klang eingerostet, so als hätte ich sie ewig nicht benutzt. «Seit Sie hier liegen, sind zwei Tage vergangen.» Es war die Frau, die antwortete. «Was ist mit...» Ich räusperte mich. «...Sacka?» Ein Lächeln huschte über Dr. Wallts Gesicht, dann antwortete er: «Keine Angst, er hat einen kleinen Raum weiter östlich im Gebäude bekommen. Er wird gut bewacht. Alles Weitere klärt sich, wenn alles wieder in Ordnung ist.»

«In Ordnung? Wie soll es das jemals wieder sein?» Missmutig schaute ich in die Gesichter meiner beiden Beobachter. «Isabelle und mir ist es gelungen...»

«Isabelle?», unterbrach ich ihn. «Ja wie ich bereits sagte, wollte ich mich jemandem anvertrauen und dieser jemand war Isabelle. Ihr Vater hat mich mit ihr vertraut gemacht, noch vor seinem Tod. Ich habe ihr die nötigen Ideen und Informationen geliefert für das, was Sie in der Schulter tragen. Zugleich habe ich an der Umkehrung gearbeitet und es ist mir gelungen aus dem Serum die sogenannten Giftstoffe zu extrahieren und sie in eine umgekehrte Form umzuwandeln. Mithilfe dieser neuen, nennen wir es mal «positiven Form» konnte ich die ursprüngliche Wirkung des Serums in das genaue Gegenteil synthetisieren. Sprich ein Gegengift herstellen, sofern man es Gift nennen kann.

Wir haben es bereits getestet und nach einem gelungenem Ergebnis unter den Bewohnern verteilt und es der Wasserversorgung beigesetzt. Meira und die anderen sind zusammen mit mir alle Häuser abgefahren und wir haben jeden kontrolliert. Alle, die aufgrund Sympathie auf Sackas Seite sind, halten wir gesondert fest.» Wo waren Meira und die anderen nun? Wie es aussah waren sie schon aktiv gewesen und lagen nicht mit dröhnendem Kopf und Benommenheit im Krankenhaus. Das bedeutete, dass es ihnen gut ging und dass sie es heil überstanden hatten. Ich war mir nicht sicher was ich fühlen sollte, alles schien Vergangenheit zu sein. All die Probleme, die vorher noch da gewesen waren, waren tatsächlich gelöst?

Ich erinnerte mich an mein letztes Zusammentreffen mit Sacka. Es war brutal gewesen, aber es war nun vorbei. Moment mal, was hatte er gesagt? «Mein Vater ist tot? Aber ich dachte er ist nur abgehauen.»

«So leid es mir tut, ihr Vater ist tot», sagte Dr. Wallt merklich bedauernd und ich war hin und hergerissen von Gedanken. Wieso? Wie? Wer? Wo? Ich probierte mich auf etwas einzelnes zu konzentrieren. Aber was? Die Hauptsache war doch, dass ich am Leben war. Und ich war nicht allein, ich hatte schließlich noch Wise und Traver... Augenblicklich stoppte ich diesen Gedanken. Tränen rannen meine Wangen runter. Wise war tot und

Traver…«Traver! Wo ist er? Geht es ihm gut?» Ich hatte mich aufgesetzt. «Ja es geht ihm gut. Er liegt nur ein paar Räume weiter. Er hat eine Schussverletzung unterhalb des Schlüsselbeins. Er hat sehr viel Blut verloren, aber mittlerweile ist er stabil. Wir haben ihm Schlaf- und Beruhigungsmittel gegeben, das bedeutet er schläft gerade. Doch innerhalb der nächsten Stunden sollte er wieder zu sich kommen.» Ich war aufgesprungen und stellte mich auf meine, leicht wackeligen Beine. Traver war das eine, auf das ich mich konzentrieren konnte. Als ich die ersten Schritte geschafft hatte und durch die Tür war, fing ich an zu laufen. Die Worte des Arztes hallten mir hinterher: «Sie sollten noch weiter liegen bleiben.» Aber ich ignorierte ihn und rannte einfach weiter, sofern man es rennen nennen konnte.

Der Gang, in dem ich mich befand war riesig und gefüllt mit Menschen. Es ging rechts und links entlang. Ich entschied mich für rechts. Ich rannte so schnell ich konnte und erst jetzt bemerkte ich, das viel zu weite Hemd, das ich über meiner Jeans trug.

Ich war so auf Traver fixiert, dass ich gar nicht bemerkte wie plötzlich jemand vor mir stand. Abrupt hielt ich an. Vor mir stand Meira mit Krücken unter den Armen und musterte mich: «Dir geht es besser wie ich sehe.» Das letzte woran ich mich mit Meira erinnerte war, wie sie vor mir stand und ich ihr sagte, dass Wise tot war. Bei dem Gedanken an ihn, kamen mir sofort wieder die Tränen und es sprudelte nur so aus mir heraus. «Es tut mir so leid. *Ich* habe geschossen. Durch mich ist Wise gestorben. Ich wollte das nicht, ich habe auf Sacka gezielt, aber er ist ausgewichen und hinter ihm war Wise und ich konnte ihm nicht helfen. Ich konnte mich nicht einmal entschuldigen. Das war alles meine Schuld. Ich...» Sie kam auf mich zu und nahm mich in den Arm. Zuerst war ich erstaunt über ihre Berührung, doch dann genoss ich es. Es zeigte mir, dass ich nicht alleine war. «Wir haben mit der Beerdigung noch gewartet. Ich dachte du würdest gerne dabei sein.» Meira lächelte mich fast unscheinbar an. Sie verlor kein Wort darüber, dass es meine Schuld war und dafür dankte ich ihr. Ich nickte ihr freundschaftlich zu. «Wenn du zu Traver willst, dann geh einfach weiter in die Richtung. Ich komme gerade von ihm. Er schläft noch, aber man hat mir versichert, dass er bald aufwachen wird.» Ich nickte dankbar. «Ich bin gerade erst wieder zu mir gekommen. Mir hat noch niemand gesagt ob alles nach Plan geklappt hat.» Meira nickte. «Es hat alles geklappt. Mabel und Finley haben rechtzeitig die Siedlung draußen erreicht. Du hattest Recht, dass die Menschen dort nicht viel Überzeugungskraft brauchten. Unsere Merkmale waren Grund genug, dass sie Finley und Mabel folgten und mithilfe der Kameraaufnahmen konnten wir genau sehen, wo sich Sackas Außenposten aufhielten, um alle unbemerkt reinzuschleusen. Als du dich wie geplant mit Noah auf den Weg gemacht hast, haben sie gerade die Grenze überquert.» Ich lächelte, dass alles geklappt hatte. «Und was war mit euch? Noah ist doch mit einem Trupp los, um euch zu finden. Habt ihr sie überwältigt?», fragte ich. «Noah hat unseren Plan mitbekommen. Ich meine er ist mit uns da unten gewesen. Natürlich hat er uns gehört. Wäre ich fitter gewesen hätte ich euch das sofort sagen können.» Meiras Worte erinnerten mich an ihre frühere Art, aber ihre Stimme war das Gegenteil. «Das heißt Noah wusste, dass das alles geplant war? Er wusste, dass ich mich nicht einfach so ausliefern wollte, sondern vorgesehen war, dass ich Sacka nur ablenke? Warum hat er dann Sacka nichts davon gesagt?»

«Ja er wusste das alles und zwar zu unserem Glück. Er hat die Soldaten in die Tunnel geführt. Allerdings hat er sie über einige Umwege geleitet und sie so von uns weggelenkt. Wir haben sie überrascht und festgesetzt. Mit den anderen aus der Siedlung waren wir ihnen deutlich überlegen. Das wir mithilfe von Noah einen Teil bereits ausgeschaltet haben, hat uns einen gewaltigen Vorteil verschafft.» Das war unerwartet. «Noah hat gesagt er weiß wie man das Serum herstellt.» Meira nickte. «Ja er hat mit Doktor Wallt die Pläne der Umkehrung umgesetzt.» Ich musste schmunzeln. War er etwa doch einer von uns geworden?

Gerade wollte ich mich weiter auf den Weg machen, da hielt Meira mich am Arm fest. Sie druckste etwas herum: «Da ist noch was. Ich würde dir ja sagen, nimm es wenn du dafür bereit bist, aber ich denke, dass es nie einen passenden Zeitpunkt geben wird.» Mit diesen Worten reichte sie mir ein gläsernes Gefäß mit einer durchsichtigen Flüssigkeit. Außen befand sich ein kleiner Zettel, dessen Aufschrift aus Tinte bestand und man das Wort ERINNERUNGEN entziffern konnte. In meinen Händen schwankte das Innere. Meira fuhr fort: «Du musst es schlucken. Dann wirst du in einen schlafartigen Zustand fallen und dich wieder an alles erinnern können.» Ich schaute auf die Flüssigkeit und dann hoch zu Meira. Ich erkannte die Schrift auf dem Fläschchen «Es ist von Phil oder? Warum gibt er es mir nicht persönlich?» Ich sah den Kloß in ihrem Hals als sie sagte: «Er hat es nicht geschafft, Zoe. Er wurde tödlich von einer Kugel getroffen. Er hat gesagt, dass ich dir eine Dosis geben soll, wenn wir sie entwickelt haben. Er war überzeugt, dass wir es schaffen. Das leere Fläschchen hat er immer bei sich getragen, weil er an das alles geglaubt hat. An uns.» Mit der Hand wischte sie sich durchs Gesicht. Diesmal ging ich auf sie zu und umarmte sie. An ihrem Ohr flüsterte ich: «Es ist vorbei. Wir haben es überstanden.» Es war ein

469

schwacher Trost. Schließlich musste man bei der Tatsache einer der Überlebenden zu sein, automatisch an diejenigen denken, die es nicht geschafft hatten. Sie löste sich aus der Umarmung und verabschiedete sich: «Na ja ich geh dann mal. Einer muss sich ja um alles kümmern.» Ich lächelte ihr hinterher und als sie außer Sichtweite war, sagte ich leise: «Leb wohl, Meira», denn ich hatte nicht vor hier zu bleiben.

39 ZOE

Es waren nur noch ein paar Schritte und schon war ich an Travers Zimmer angekommen. Es sah aus wie das Zimmer, in dem ich gelegen hatte. Auf dem Weg hierher hatte ich gefühlte hundertmal das Gefäß von Phil in meiner Hand umgedreht. Ich war mir nicht sicher, ob ich es nehmen sollte. Ich hatte Angst vor dem, was mich erwarten würde. Schließlich konnte ich nicht sagen, ob ich bereits gelöscht wurde bevor ich das Merkmal hatte. Was wäre, wenn ich ein ganz anderer Mensch war? Anderer Name, andere Sichtweisen, andere Gefühle? Erstmal verstaute ich es in einer der großen Taschen, die an meinem Hemd angebracht waren und betrat den Raum.

.

Das gleichmäßige Piepsen erfüllte den ganzen Raum. Traver sah so friedlich aus, wie er dalag und schlief. Über seiner Wunde war eine Bandage angebracht. Sein Oberkörper war zur Hälfte von der Decke umhüllt und gab so den Blick auf seine Prellungen und Verletzungen am Bauch frei. Ich trat vor sein Bett und setzte mich an die Kante. Seine Hand lag flach neben ihm. Vorsichtig nahm ich sie in meine Hand und verhakte unsere Finger. Ich strich mit meiner Wange an ihr vorbei und genoss die Wärme, die von ihr ausging. Die Decke hob und senkte sich immer im selben Takt. Mit meiner freien Hand fuhr ich über die Narbe, die sich über seine Schulter zog. Sie war leicht gewölbt. Danach fuhr ich über die Bandage, unter der sich zweifelsohne eine neue Narbe bilden würde. Dann zog ich ihm die Decke darüber. Der Platz neben ihm würde für mich ausreichen, also legte ich mich neben ihn. Meine Augen starrten an die Decke, während meine linke Hand immer noch Travers berührte, griff die andere in die Hemdtasche und holte die Flüssigkeit von Phil heraus. Ich las erneut die Buchstaben. ERINNERUNGEN.

Das war es wofür ich gekämpft hatte, für mein Leben und dieses Fläschchen gab mir nun die Chance mehr über mein Leben, mein richtiges Leben, zu erfahren. Entschlossenheit breitet sich in mir aus, daher öffnete ich überzeugt das Gefäß und mit einem leisen Klirren fiel der Deckel zu Boden. Ich kümmerte mich nicht darum, ich beobachtete nur die Flüssigkeit. Ich sah wie sie immer weniger wurde und in meinem Mund verschwand. Meine Hand wurde automatisch locker und das Glas zersprang am Boden. Meine Augen wurden immer schwerer, dann fielen sie zu …

Als ich meine Augen wieder öffnete, stand ich an einem Fenster. Es war mein Zimmerfenster von Zuhause. Mein Blick ging zu der langen Straße, die von dem Hügel herunterführte. Ich sah wie dunkelblau gekleidete Soldaten die Straße herunterkamen. Sie klopften an die Türen in der Nachbarstraße und holten die Leute aus ihren Häusern. Ich sah wie jemand zusammengeschlagen wurde. Mein Puls stieg. Verzweifelt suchte ich einen Ausweg, doch da war keiner. Ich hörte die Klingel. Ich spürte das Pochen meines Herzens, als ich mich im Badezimmer versteckte. Die Tür wurde aufgebrochen. Ein Soldat kam rein und richtete sein Gewehr auf mich. Entschlossen hielt ich einen Föhn als Waffe in seine Richtung. «Willst mich wirklich mit dem Ding bedrohen? Glaubst du nicht das ich ein bisschen mehr drauf habe, als nur heiße Luft zu schießen?», ertönte seine starke und kraftvolle Stimme. Ich blieb unverändert und betrachtete ihn. Die Person vor mir trug eine dunkelblaue Hose, sowie eine gleichfarbige Jacke. Es war ein junger Mann, unter dessen Shirt ich seine Muskeln sah. Vielleicht war er ein paar Jahre älter als ich. Er hatte braunes verwegenes Haar und seine Augen schauten mich zusammengekniffen an. Ich wollte mich auf ihn stürzen, doch er überwältigte mich und ein rothaariges Mädchen stieß mich auf die Straße. Es war Meira. Wir, alle Dorfbewohner, versammelten uns um eine Person in der Mitte. Sacka war diese Person. Plötzlich ging alles ganz schnell. Menschen wurden erschossen. Mein Vater ebenfalls. Ich hörte Sackas eindringende Stimme: «Also müssen wir eingreifen!» Kaum hatte er das gesagt, stürmten die

Soldaten auf die einzelnen Menschen zu und kippten ihnen eine bläuliche Flüssigkeit in den Mund. Als zu mir einer kam, hielt ich schützend die Hände vor den Mund. Doch ein Zweiter kam dazu, riss meine Hände weg und der andere flößte mir das Zeug ein. Es hatte keinen Geschmack und Wasser war es auch nicht. Ich spuckte es wieder aus. Der Bewaffnete vor mir kam auf mich zu, woraufhin ich bereits vor Augen sah wie dieser mich zu Boden stoßen würde, doch er schubste mich stattdessen zur Seite in Richtung Sacka. Der Bewaffnete war Noah. «Sie hat ihren Anteil wieder ausgespuckt», sagte er. «Ist das so?», erwiderte Sacka und musterte mich. «Wie ist dein Name?», fragte er. Ich antwortete nicht, blickte nur stumm zu Boden. Er sah mich einen Moment lang an, dann zeigte er mit seinem Finger in die Menge. Ich folgte mit meinem Blick. Sacka zeigte direkt auf meine Mutter. «Ich habe dich vorhin mit dieser Frau reden sehen. Ich vermute mal, dass es sich bei ihr um deine Mutter handelt. Ich töte sie, wenn du jetzt nicht auf der Stelle antwortest. Also wie ist dein Name?» Neben meiner Mutter hatte ich in der Menge auch noch eine andere Person entdeckt. Isabelle. Unsere Blicke trafen sich, dann schluckte ich bevor ich Sacka antwortete: «Zoe Trima.» Seine Augen funkelten erleuchtet auf und seine Hand schob mein Kinn in seine Richtung. «Eine Trima. Sieh einer an. Zoe. Ich würde ja sagen dir muss nichts passieren, aber das wäre gelogen.» Eine einzelne Träne lief meine Wange runter. Sackas Hand kam an mein Gesicht. Dann nahm er eine Waffe und zielte auf meinen Kopf. Ich atmete laut, wollte am liebsten schreien, doch ich tat es nicht. Zu groß waren der Schock und die Angst. «Willst du sie wirklich erschießen? Sie ist es nicht wert.» Die Stimme, die ertönte, war die des Soldaten aus meinem Badezimmer. «Ach ja wieso denn nicht?», erkundigte Sacka sich, ohne mich aus den Augen zu lassen. «Sie ist ein gewöhnliches Mädchen.» Sacka lachte auf. «Das ist sie gewiss nicht und zusätzlich, wenn wir nicht von Anfang an hart durchgreifen, dann hat das hier keinen Sinn. Ich will, dass es allen klar ist: Niemand soll sich mit mir anlegen.» Er schrie seinen letzten Satz wutentbrannt über die Menschenmenge hinweg.

«Es ist doch viel mehr Bestrafung, wenn du sie wie die anderen behandelst und beobachtest, wie sie in Ungewissheit dir Folge leistet? Ihr Tod wäre viel zu schnell vorbei. Vertrau mir!»

«Das ist nicht dein Ernst oder? Wenn ja müsste ich mir nämlich ernsthaft Sorgen machen, denn ich verstehe nicht wie du auf die Idee kommst, dir zu erlauben dich einmischen zu können.» Ich beobachtete Sacka genau. Er fühlte sich in seiner Autorität geschwächt. Ohne eine Vorwarnung änderte er sein Ziel und zielte plötzlich auf den Soldaten, der gesprochen hatte. Ich beobachtete seine Schultern, die sich straff zusammenzogen. Es schien als hatte er damit nicht gerechnet, denn beschwichtigend hob er die Hände. «Ich wollte nur Schlimmeres verhindern.» Sacka funkelte ihn an. «Dazu hast du kein Recht.» Sacka war bereit ihn als weiteres Exempel zu opfern, das konnte man genau in seinen Augen erkennen und zu dem und allem anderen hatte *er* kein Recht. Ich sah aus dem Augenwinkel die Waffe von Noah, was mich dazu veranlasste so schnell ich konnte nach ihr zu greifen. Sacka wandte sich von dem Soldaten ab und schaute bei meinen nächsten Worten zu mir rüber. «Lass die Waffe fallen.»

«Erdreistest du dich gerade wirklich mich zu bedrohen? Wie der Vater so die Tochter, nicht wahr?» Hinter mir nahm ich plötzlich Bewegungen wahr und meine Gedanken und Gefühle fingen an durch meinen Kopf zu schwirren, sodass es mir unmöglich erschien einen zu greifen, um meine Situation richtig zu realisieren. Ich sah nur Sacka und bemerkte, dass hinter mir die Leute sich weiter regten. Ich wurde angerempelt, dachte über nichts mehr nach und schoss. Doch die Kugel traf nicht Sacka, sondern eine davor makellos gewesene rechte Schulter. Ich hatte den Soldaten mit den verwegenen Haaren getroffen. Er taumelte nach hinten. Ich ebenfalls, fing mich aber wieder, als ich außer einem Stöhnen ein weiteres Geräusch hörte. Ich wandte mich zu Sacka und schaute direkt in den Lauf seiner Waffe, die wieder auf mich gerichtet war. «Ich gebe dir zwei Möglichkeiten. Du lässt die Waffe augenblicklich fallen, trinkst die Flüssigkeit und dir wird nichts geschehen, zumindest noch nicht oder du stirbst hier und jetzt.» Ich ließ die Waffe geistesabwesend umklammert und stand einfach nur da. Ich wusste nicht was ich fühlte, aber es war ziemlich viel auf einmal. Eine kleine Fingerbewegung und ich war tot. Oder sollte ich es nochmal probieren? Nein auf keinen Fall. Ich wusste nicht was mit mir durchgegangen war. Ich hatte auf jemanden geschossen. Ich wagte es kaum darüber nachzudenken, denn es fühlte sich nicht nach *mir* an. Über meine Haut fuhr eine Gänsehaut, als sich alles in meinem Körper zusammenzog. Meinen Atem versuchte ich flach zu halten, auch wenn mir das ziemlich schlecht gelang. Ich wollte keine hektischen Bewegungen machen und so stand ich einfach nur da. Der Soldat, dem ich in die Schulter geschossen hatte, kam wieder ein Stück nach vorne und somit in mein Blickfeld. Er hielt sich, mit zusammengebissenen Zähnen, die Schulter fest, während sein Blick auf mich gerichtet war. Er war eine Mischung aus Überraschung und Schmerz. Daraufhin ging Sacka einen Schritt auf mich zu und visierte meinen Kopf noch näher an. «Wählst du den Tod?», fragte er. *Warum fragte er das?* Niemand würde doch den Tod wählen und trotzdem war ich unfähig zu sprechen. Es war die Absurdität, die mir das Sprechen verwehrte. Sofort ließ ich die Waffe fallen. Sacka schaute mich eindringlich an und ich atmete erleichtert aus, als er nach wenigen Augenblicken seine Waffe senkte. Doch plötzlich erhob er sie wieder und schoss in meine Richtung. Menschen aus der Menge schrien auf und ich konnte gerade noch sehen wie der Soldat mit dem verwegenen braunen Haaren sich aufbäumte. Der Schuss hatte mich nur knapp verfehlt.

Sacka schaute mich aus zusammengekniffenen Augen funkelnd an und ich konnte nichts erwidern, außer aufgelöst zu Boden zu sinken. «Eines Tages, wenn du dich mir widersetzt, werde ich dich nicht verfehlen. Merk dir meine Worte. Das ist ein Versprechen.» Sacka machte eine kurze Pause. «Gib ihr eine neue Dosis.» Diese Worte wandten sich an den Soldaten, den ich angeschossen hatte. Sacka warf ihm ein gläsernes Gefäß mit einer bläulich schimmernden Flüssigkeit zu. Als er vor mir stand sahen wir uns an. Kaum merklich flüsterte er: «*Danke.*» Als er dann unbemerkt die Hälfte des Serums wegkippte und mir nur die halbe Dosis gab, rief Sacka ihm noch hinterher: «Stell dich mir nie wieder in den Weg, Traver!»

Meine Augen öffneten sich schlagartig. Schweißgebadet lag ich in einem Bett. Langsam scannte ich meine Umgebung. Weißlicher Raum, kahle

Glühbirne, flackerndes Licht. Das Krankenhaus. Ich schaute links neben mich. Traver schlief immer noch ruhig und geborgen und unsere Hände hatten ihre Position kaum verändert. Vor mir tauchte das eben Gesehene oder besser gesagt das Geschehene auf. Es hatte sich angefühlt wie ein Traum, nur, dass ich wusste, dass es keiner war. Der Traum war die Realität gewesen. Es war noch vor der Serie der Vermissten und Isabelles Tod geschehen, denn es war der Anfang. *Erinnerst du dich an unsere erste Begegnung? Du hast Mut bewiesen. Du hast mich gerettet.* Das hatte Traver gesagt und erst jetzt verstand ich, dass er dieses erste Mal gemeint hatte.

Ich stand von Travers Bett auf, ruhig darauf bedacht nicht allzu sehr zu ruckeln. Meine Hand löste sich aus seiner und ich gab ihm einen zarten Kuss auf die Lippen. Dieser Kuss ließ mich schmunzeln, denn ich freute mich bereits darauf, Traver wieder in die Arme zu schließen, sobald er aufwachte. Doch vorher gab es noch etwas, das ich erledigen musste.

Ich ging den Gang, den ich zuvor gekommen war wieder entlang, jedoch in die andere Richtung. Ich ging in den östlichen Teil des Gebäudes. Es war nicht schwer denjenigen zu finden, den ich suchte, schließlich wurde er von reichlich Wachen bewacht. Ich schritt vor den Raum, hinter dem er sich befand. Mabel war eine der Bewacher. «Zoe, dir geht es gut.» Es tat gut sie zu sehen. Sie umarmte mich freudestrahlend und es spendete mir mehr Trost, als ich gedacht hätte. Ihr Lächeln war so warmherzig und verständnisvoll, dass sie mir die Tür öffnete, ohne nach dem Grund zu fragen. Sie berührte lediglich sanft meine Schulter. Als ich eintrat nickte ich ihr zu und sie schloss die Tür hinter mir. Eine Glühbirne flackerte hier ebenfalls, so wie in den anderen Räumen. Mein Blick wanderte in die rechte Ecke, wo Theo stand, der eine Waffe im Anschlag hielt. Ich nickte ihm kurz zu. Er war es gewesen, der am Meisten daran gezweifelt hatte, den Plan mit Noah durchzuführen, aber es hatte geklappt. Mehr oder weniger. Denn gleichzeitig musste ich an Phil denken. Theo hatte seinen Onkel verloren so wie ich meine Tante Isabelle und meinen Vater, genau wie alle anderen, die durch Sacka jemanden verloren hatten. Mit diesem Gedanken wandte ich mich nach links. Sacka saß auf einem Stuhl, der zu einem Tisch gerichtet war. Seine Augen sahen blass und zerschlagen aus, doch trotzdem huschte, als er mich ansah, ein Funkeln hindurch. Seine Hände waren vorne zusammen gebunden. Ich blieb in einem Meter Entfernung von ihm stehen, denn näher wollte ich nicht an ihn herangehen. Er hatte so viele Menschen getötet, so Viele tyrannisiert, hatte mich fast getötet und mich dazu gebracht, dass Wises Blut an mir klebte.

«Hallo!» entgegnete er, unpassender Weise, ermuntert. Ich scherte mich nicht um eine Begrüßung, also fragte ich gerade heraus: «Was meintest du damit, als du gesagt hast *Wise hat nicht einmal gewusst, wer ihn da so kaltblütig ermordet hat?*» Eindringlich beobachtete er mich und entgegnete: «Ich meinte es so wie ich es gesagt habe.» Ich hatte nichts übrig für seine Spielchen. «Warum hast du das gesagt?» Er musterte mich. «Weil es der Wahrheit entspricht.» Mit diesen Worten lächelte er mich an. «Wie ist das gemeint?», hakte ich diesmal nachdrücklicher nach. «Als du ihn direkt angesprochen hast, wie war da seine Reaktion? Seine Reaktion war ein gebrochenes und verwirrtes *Warum*. Und jetzt kannst du dich eben das fragen. Warum?», erwiderte Sacka gelassen. Ich musste mich zusammenreißen, um nicht die Beherrschung zu verlieren. Er war am Ende und führte sich immer noch wie der aller Größte auf. «Du hast ihn rein schleifen lassen. Er war verletzt. Wise hat nicht verstanden wieso du ihm das alles antust. Es ist zu absurd und krank, dass du daran deine Freude empfindest, den Menschen wehzutun und sie zu manipulieren. *Warum,* ist eine essentielle Frage.» Meine Stimme bebte bei meinen Worten. «Bist du fertig? Denn eins kann ich dir sagen, wenn du dir das einreden möchtest und glaubst ist das deine Sache, aber dann frage ich dich: Warum bist du hier? Wenn du dir doch darüber sicher zu sein scheinst.» Herausfordernd sah er mich an. Er hatte Recht. Ich entgegnete nichts, weil ich selber keine Antwort darauf hatte. «Ich hatte Wise in meiner Gewalt. Ich wusste du würdest auf mich schießen, zumindest hatte ich es vermutet, schließlich warst du schon einmal dazu bereit gewesen. Deshalb hatte ich meinen Leuten gesagt, dass sie Wise hinter mich bringen sollen, sobald du eine Waffe ziehst, was du ja auch getan hast wie wir wissen. Aber ich habe ihm nicht seine Erinnerung genommen, falls es das ist, was du vermutest.» Ich schwieg. Nichts konnte die Situation rückgängig machen, sodass die Grausamkeit und der Schmerz über Wises Tod verschwinden würden, doch die Tatsache, dass er immerhin nicht seiner Erinnerung und somit seiner Identität geraubt worden war, machte es erträglicher. Denn hätte er das Serum bekommen, wären die letzten Stunden für ihn schlimmer denn je gewesen. Orientierungslos, verwirrt, hilflos ausgeliefert, alleine an einem Ort, in einer Situation, die er nicht verstehen konnte und das obwohl sein Leben davon abhing. Sacka lachte plötzlich schallend auf. Dann sagte er: «Das ist es doch was du hören wolltest, oder nicht? Ich weiß warum du das fragst. Weil du die Wahrheit vorziehst. Ich sage dir wie es ist: Wise hatte keinen blassen Schimmer, wo er sich befand, warum er dort war, wer ich war und vor allem nicht wer du warst, seine Mörderin.»

«Du lügst», entgegnete ich, darauf bedacht stark zu

klingen. «Ach ja? Das glaubst du doch wohl selber nicht. Du hättest es auch einfach gut sein lassen können, du hättest mich nie wiedersehen müssen und doch hat es dich hergezogen und zwar, weil du meine Bestätigung willst oder sagen wir eher *brauchst?*» Angewidert starrte ich ihn an. «Ich brauche gar nichts von dir.» Darauf ging Sacka nicht ein. «Woher glaubst du wusste ich von eurer Rebellion? Klar hatte ich es bereits vermutet, allerdings hat Wise mir die Bestätigung geliefert.» Ich wusste nicht was ich darauf erwidern sollte. *War das sein letztes krankes Spiel?* Wises Erinnerung zu verderben? Oder stimmte was er sagte? Sofort verbannte ich diesen Gedanken. Ich konnte doch nicht allen Ernstes dieser kranken Person glauben. Wise war mein bester Freund gewesen, ich kannte ihn. Warum hatte ich mich auf dieses Gespräch eingelassen? Auf irgendeine Reaktion hoffend sah ich zu Theo, der Sacka misstrauisch musterte. «Warum sollte Wise das getan haben?», fragte Theo. Sacka sah mich und nicht Theo an, als er antwortete: «Liegt das nicht klar auf der Hand? Das war nicht das erste Mal, dass ich ihn -wie ihr es nennt- *gelöscht* habe. Ich hatte ihn zeitweilig auf meine Seite gezogen und er hat mir alles erzählt, woraufhin ich ihm auch davon wieder die Erinnerung genommen habe. Ehrlich gesagt hat es einen ziemlichen Spaß gemacht so die Grenzen des Serums an ihm auszutesten und ihn als kleines

Versuchskaninchen zu sehen. Da ihr beide eher überrascht ausseht, gehe ich mal davon aus, dass ich als Ergebnis *gelungen* vermerken darf. Zoe erinnerst du dich noch an die dunkelblaue Dosierung, die eigentlich für dich bestimmt war?» Ich konnte nur schlucken. «Ich habe sie Wise anstatt dir gegeben. Ich musste mich dann leider um andere Dinge kümmern und konnte nicht verfolgen, wie es um seinen Zustand bestellt war, aber es muss eine ziemlich heftige Wirkung gehabt haben, schließlich hat er sich kaum gewehrt. Ich vermute mal, dass er dazu nicht einmal in der Lage war.» Theo und ich schwiegen beide, was Sacka eine Genugtuung bereitete. Keine Worte oder Beschreibungen passten zu dem, was ich fühlte. Am liebsten würde ich aufschreien. Wenn stimmte was Sacka da gesagt hatte, dann hätte es Wise nicht schrecklicher ergehen können. Sacka hatte ihn zu einer Marionette gemacht, ihn instrumentalisiert und ihn sogar dazu gebracht, uns zu verraten. «Das kannst du dir genauso gut ausgedacht haben», sagte ich, in der Hoffnung er würde mich bestätigen und ich hasste den Gedanken, dass ich somit *doch* etwas von ihm brauchte. Statt einer Bestätigung sagte er jedoch: «Natürlich könnte ich lügen, aber dass Wise gewusst hat, dass er von einem geliebten Menschen, dem er vertraut hat, umgebracht worden ist und du ihm nicht helfen konntest, ist doch viel schlimmer. Warum sollte ich dir dieses Leid nehmen? Im Grunde tue ich dir einen Gefallen. Schließlich ist es leichter vom Opfer nicht gekannt zu werden und noch dazu wenn das Opfer ein Verräter ist oder nicht?» Angriffslustig sah er mich an und ich erwiderte voller Abscheu: «Sag du es mir.»

«Oh ich erinnere mich, was für eine Freude es war, zu sehen wie dein Vater zu Boden ging.» Ich war bewusst hergekommen, um ihn nach Wise zu befragen, aber nicht nach meinem Vater. Zu erfahren, dass er Sackas Partner gewesen war und der Traum wahr war, in dem dieser meinen Vater aus Rache mit vielen weiteren Unschuldigen umgebracht hatte, war mehr als genug zu verarbeiten. Die Meinung meines Vaters Mörder dazu, konnte ich mir nicht auch noch antun. «Ich kann dir noch etwas sagen. Dich nicht zu töten, war mein größter Fehler.» Meiner auch, dachte ich innerlich, aber ich sagte nichts mehr, denn ich wollte nur noch hier raus. Weg von Sacka. Weg von allem. Gefühle, Geschehnisse brachen auf mich ein und mein Verstand stand kurz vor einem Chaos. Ich drehte mich um und wollte durch die Tür schreiten, doch da rief er noch etwas. Ich blieb automatisch stehen. «Du fragst mich gar nicht nach deinem Vater. Wie er mich verraten und alles zunichte gemacht hat, weißt du also? Ich wollte dich töten. Ja wirklich. Als ich deinen Namen gehört habe, habe ich es schon gefühlt, wie mich die Genugtuung packt. Aber Traver hatte recht, auch wenn

485

das nicht seine Intention war, war es viel befriedigender dich leben zu lassen, in Angst und leiden zu sehen. Und bei jedem Mal danach, wo du vor mir standest, war dieses Verlangen, deine Angst auch nächstes Mal zu sehen stärker, als der Drang dich endlich umzubringen. Du hast Glück gehabt, Zoe, dass ich dieses Verlangen einmal zu oft gehabt habe.» Selbst jetzt, wo er nicht in der Lage war irgendetwas anzustellen, gab ich ihm immer noch so viel Macht über mich, dass ich wie gelähmt seinen Worten zugehört hatte.

«Willst du wissen was mich so sehr an den Forschungen fasziniert hat?» Als ich nicht antwortete, redete er weiter. «Dass es so undurchsichtig und verwirrend ist. Das Serum ist dabei nur ein Mittel zum Zweck, denn die eigentliche Waffe sind die Leute. Man kann das Gehirn so manipulieren, dass man nicht mehr unterscheiden kann, zwischen Wirklichkeit und Betrug, zwischen richtig und falsch. Man kann es nicht auseinander halten. Du weißt nicht, ob das wirklich dein Leben ist. Ich habe nur eine Frage an dich, Zoe: Woher weißt du, dass das hier real ist?» Wie durch Knopfdruck hörte ich Phils Worte in meinem Kopf: *Das Absurde macht die Realität erst real*, also sagte ich: «Weil in jedem guten Ende, das mich nicht an der Realität zweifeln lassen würde, du tot wärst und genau diese Absurdität, dass du noch lebst nach allem was du getan hast, macht es real.»

486

Ich drehte mich nicht noch einmal um. Ich ging einfach. Vorbei an Mabel, vorbei an den anderen. Ich schritt den Gang entlang, in Richtung Traver. Am Ende des Ganges war ein Fenster, durch das hindurch ich die Landschaft fixierte, die dort hinter lag. Die Bäume schwankten im Wind und hinter ihnen erstreckte sich ein, für mich noch verborgenes Land. Etwas Unbekanntes. Sackas Worte hallten nach. Er hatte Recht. Ich wusste nicht, ob das hier ein reales Leben war. Am aller wenigsten wusste ich, ob das alles echt war, doch die Erkenntnis, dass ich lebte, dass Traver lebte und es vorbei war, würde zu einer neuen Erinnerung werden und mit der konnte ich sehr gut leben.

Die Kirchturmglocke war zu hören und Travers Worte von damals aus dem Wald kamen mir in den Sinn. *Es erinnert mich an Zuhause.* Ich betrachtete die Häuser und die Umgebung vor mir. Das hier war mein Zuhause gewesen, doch diesen Namen hatte dieser Ort schon lange nicht mehr verdient. Er war zu etwas Fremden geworden, den ich mit Erinnerungen verband, die absurd und unwirklich erschienen und nur Sackas Worte untermalten. Doch selbst, wenn es so war, würden wir weitermachen können und irgendwo ein neues Zuhause finden. Und zwar ein richtiges, denn eines war mir klar geworden: Es zählte nicht wer wir waren, sondern wer wir sind.

DANKSAGUNG

Es hat super lange gedauert, bis ich dieses Buch endlich veröffentlichen konnte und wahrscheinlich hätte es noch länger gedauert, wenn ich nicht die Unterstützung von meinen lieben Menschen gehabt hätte. Vom ersten Tag an, wo ich euch gesagt habe, dass ich ein Buch schreibe, wart ihr begeistert und genau das hat mir einen ordentlichen Motivationsschub gegeben. Dafür danke ich euch sehr, Lotta Demann, Elisa Meesenburg und Lena Rümenapf. Dann danke ich meinen Eltern, die mich mit Verständnis schreiben lassen haben und mir so die Zeit gaben, alles auszureifen und zu überarbeiten. Danke Mama, dass du mit Spaß alles Korrektur gelesen hast und genauso danke an Hanne Hohmeister, die keine Sekunde gezögert hat, mein Buch in einer rasenden Geschwindigkeit ebenfalls auf Fehler zu untersuchen. Besonders wichtig war auch die Unterstützung bei der Names- und Klappentextfindung. Danke noch einmal und in dem Zusammenhang besonders an Marei Muthu Rajendram, dass du mir Ideen und Anregungen außerhalb meines Freundeskreises geben konntest, was jedoch zukünftig schwer werden wird, weil du jetzt genauso dazu gehörst. Doch die größte Arbeit hattest wohl du, Eva Kassing, denn du warst die erste, die mein Buch gelesen hat, die meine (Denk-) Fehler korrigiert hat, hilfreiche (und manchmal auch weniger hilfreiche) Kommentare an den Rand geschrieben hat und mir ein erstes Feedback nach fünf Jahren schreiben geben konnte. Vor allem hast du mich immer wieder ermutigt weiterzumachen, wenn ich mal nicht vorankam und warst ein maßgeblicher Antrieb in all der Zeit. Danke Ev, ohne dich wäre das Buch nicht so wie es ist und so wie es ist, mag ich es:)

Ich hätte dieses Buch schon lange vorher veröffentlichen können, da es bereits fertig war, aber anscheinend hat eine Komponente noch gefehlt und jetzt weiß ich, das warst du, Marlin-Madhi Muthu Rajendram. Ich danke dir wirklich, wirklich sehr.

Und vor allem:

Danke fürs Lesen, das bedeutet mir unglaublich viel.